Гузель Яхина

Гузель Яхина

Издательство АСТ
МОСКВА

УДК 821.161.1-31
ББК 84(4Рос=Рус)6-44
Я90

Художник – *Андрей Рыбаков*

В оформлении переплета использована фотография
Алексея Скрейделева

Предисловие *Людмилы Улицкой*

Книга публикуется по соглашению с литературным агентством
ELKOST Intl.

Яхина, Гузель Шамилевна.

Я90 Зулейха открывает глаза : [роман] / Гузель Яхина; предисл. Л. Улицкой. – Москва : Издательство АСТ : Редакция Елены Шубиной, 2020. – 508, [4] с. – (Проза Гузель Яхиной).

ISBN 978-5-17-090436-5

Гузель Яхина родилась и выросла в Казани, окончила факультет иностранных языков, сценарный факультет Московской школы кино. Ее дебютный роман получил премии «Большая книга», «Книга года», «Ясная Поляна» и был переведен на 30 языков.

Роман «Зулейха открывает глаза» начинается зимой 1930 года в глухой татарской деревне. Крестьянку Зулейху вместе с сотнями других переселенцев отправляют в вагоне-теплушке по извечному каторжному маршруту в Сибирь.

Дремучие крестьяне и ленинградские интеллигенты, деклассированный элемент и уголовники, мусульмане и христиане, язычники и атеисты, русские, татары, немцы, чуваши – все встретятся на берегах Ангары, ежедневно отстаивая у тайги и безжалостного государства свое право на жизнь.

Всем раскулаченным и переселенным посвящается.

УДК 821.161.1-31
ББК 84(4Рос=Рус)6-44

ISBN 978-5-17-090436-5

Любовь и нежность в аду

Этот роман принадлежит тому роду литературы, который, казалось бы, совершенно утрачен со времени распада СССР. У нас была прекрасная плеяда двукультурных писателей, которые принадлежали одному из этносов, населяющих империю, но писавших на русском языке. Фазиль Искандер, Юрий Рытхэу, Анатолий Ким, Олжас Сулейменов, Чингиз Айтматов... Традиции этой школы – глубокое знание национального материала, любовь к своему народу, исполненное достоинства и уважения отношение к людям других национальностей, деликатное прикосновение к фольклору. Казалось бы, продолжения этому не будет, исчезнувший материк. Но произошло редкое и радостное событие – пришел новый прозаик, молодая татарская женщина Гузель Яхина и легко встала в ряд этих мастеров.

Роман «Зулейха открывает глаза» – великолепный дебют. Он обладает главным качеством настоящей литературы – попадает прямо в сердце. Рассказ о судьбе главной героини, татарской крестьянки времен раскулачивания, дышит такой подлинностью, достоверностью и обаянием, которые не так уж часто встречаются в последние десятилетия в огромном потоке современной прозы.

Несколько кинематографичный стиль повествования усиливает драматизм действия и яркость образов, а публицистичность не только не разрушает повествования, но, напротив, оказывается достоинством романа. Автор возвращает читателя к словесности точного наблюдения, тонкой психологии и, что самое существенное, к той любви, без которой даже самые талантливые писатели превращаются в холодных регистраторов болезней времени. Словосочетание «женская литература» несет в себе пренебрежительный оттенок – в большой степени по милости мужской критики. Между тем женщины лишь в двадцатом веке освоили профессии, которые до этого времени считались мужскими: врачи, учителя, ученые, писатели. Плохих романов за время существования жанра мужчинами написано в сотни раз больше, чем женщинами, и с этим фактом трудно поспорить. Роман Гузель Яхиной – вне всякого сомнения – женский. О женской силе и женской слабости, о священном материнстве не на фоне английской детской, а на фоне трудового лагеря, адского заповедника, придуманного одним из величайших злодеев человечества. И для меня остается загадкой, как удалось молодому автору создать такое мощное произведение, прославляющее любовь и нежность в аду... Я от души поздравляю автора с прекрасной премьерой, а читателей – с великолепной прозой. Это блестящий старт.

Людмила Улицкая

Часть первая

Мокрая курица

Один день

Зулейха открывает глаза. Темно, как в погребе. Сонно вздыхают за тонкой занавеской гуси. Месячный жеребенок шлепает губами, ища материнское вымя. За окошком у изголовья – глухой стон январской метели. Но из щелей не дует – спасибо Муртазе, законопатил окна до холодов. Муртаза – хороший хозяин. И хороший муж. Он раскатисто и сочно всхрапывает на мужской половине. Спи крепче, перед рассветом – самый глубокий сон.

Пора. Аллах Всемогущий, дай исполнить задуманное – пусть никто не проснется.

Зулейха бесшумно спускает на пол одну босую ногу, вторую, опирается о печь и встает. За ночь та остыла, тепло ушло, холодный пол обжигает ступни. Обуться нельзя – бесшумно пройти в войлочных ката не получится, какая-нибудь половица да и скрипнет. Ничего, Зулейха потерпит. Держась рукой за шершавый бок печи, пробирается к выходу с женской половины. Здесь узко и тесно, но она помнит каждый угол, каждый уступ – полжизни скользит туда-сюда, как маятник, целыми днями: от котла – на мужскую половину с полными и горячими пиалами, с мужской половины – обратно с пустыми и холодными.

Сколько лет она замужем? Пятнадцать из своих тридцати? Это даже больше половины жизни, наверное. Нужно будет спросить у Муртазы, когда он будет в настроении, – пусть подсчитает.

Не запнуться о палас. Не удариться босой ногой о кованый сундук справа у стены. Перешагнуть скрипучую доску у изгиба печи. Беззвучно прошмыгнуть за ситцевую чаршау, отделяющую женскую часть избы от мужской... Вот уже и дверь недалеко.

Храп Муртазы ближе. Спи, спи ради Аллаха. Жена не должна таиться от мужа, но что поделаешь – приходится.

Теперь главное – не разбудить животных. Обычно они спят в зимнем хлеву, но в сильные холода Муртаза велит брать молодняк и птицу домой. Гуси не шевелятся, а жеребенок стукнул копытцем, встряхнул головой – проснулся, чертяка. Хороший будет конь, чуткий. Она протягивает руку сквозь занавеску, прикасается к бархатной морде: успокойся, свои. Тот благодарно пыхает ноздрями в ладонь – признал. Зулейха вытирает мокрые пальцы об исподнюю рубаху и мягко толкает дверь плечом. Тугая, обитая на зиму войлоком, она тяжело подается, сквозь щель влетает колкое морозное облако. Делает шаг, переступая высокий порог, – не хватало еще наступить на него именно сейчас и потревожить злых духов, тьфу-тьфу! – и оказывается в сенях. Притворяет дверь, опирается о нее спиной.

Слава Аллаху, часть пути пройдена.

В сенях холодно, как на улице, – кожу щиплет, рубаха не греет. Струи ледяного воздуха бьют сквозь щели пола в босые ступни. Но это не страшно.

Страшное – за дверью напротив.

Убырлы карчык – Упыриха. Зулейха ее так про себя называет. Слава Всевышнему, свекровь живет с ними не в одной избе. Дом Муртазы просторный, в две избы, соединенные общими сенями. В день, когда сорокапятилетний Муртаза привел в дом пятнадцатилетнюю Зулейху, Упыриха с мученической скорбью на лице сама перетаскала свои многочисленные сундуки, тюки и посуду в гостевую избу и заняла ее всю. «Не тронь!» – грозно крикнула она сыну, когда тот попытался помочь с переездом. И не разговаривала с ним два месяца. В тот же год начала быстро и безнадежно слепнуть, а еще через некоторое время – глохнуть. Спустя пару лет была слепа и глуха, как камень. Зато теперь разговаривала много, не остановить.

Никто не знал, сколько ей было на самом деле лет. Она утверждала, что сто. Муртаза недавно сел подсчитывать, долго сидел – и объявил: мать права, ей действительно около ста. Он был поздним ребенком, а сейчас уже сам – почти старик.

Упыриха обычно просыпается раньше всех и выносит в сени свое бережно хранимое сокровище – изящный ночной горшок молочно-белого фарфора с нежно-синими васильками на боку и причудливой крышкой (Муртаза привез как-то в подарок из Казани). Зулейхе полагается вскочить на зов свекрови, опорожнить и осторожно вымыть драгоценный сосуд – первым делом, перед тем, как топить печь, ставить тесто и выводить корову в стадо. Горе ей, если проспит эту утреннюю побудку. За пятнадцать лет

Зулейха проспала дважды – и запретила себе вспоминать, что было потом.

За дверью пока – тихо. Ну же, Зулейха, мокрая курица, поторопись. Мокрой курицей – *жебегян тавык* – ее впервые назвала Упыриха. Зулейха не заметила, как через некоторое время и сама стала называть себя так.

Она крадется в глубь сеней, к лестнице на чердак. Нащупывает гладко отесанные перила. Ступени крутые, подмерзшие доски чуть слышно постанывают. Сверху веет стылым деревом, мерзлой пылью, сухими травами и едва различимым ароматом соленой гусятины. Зулейха поднимается – шум метели ближе, ветер бьется о крышу и воет в углах.

По чердаку решает ползти на четвереньках – если идти, доски будут скрипеть прямо над головой у спящего Муртазы. А ползком она прошмыгнет, веса в ней – всего ничего, Муртаза одной рукой поднимает, как барана. Она подтягивает ночную рубаху к груди, чтобы не испачкалась в пыли, перекручивает, берет конец в зубы – и на ощупь пробирается между ящиками, коробами, деревянными инструментами, аккуратно переползает через поперечные балки. Утыкается лбом в стену. Наконец-то.

Приподнимается, выглядывает в маленькое чердачное окошко. В темно-серой предутренней мгле едва проглядывают занесенные снегом дома родного Юлбаша. Муртаза как-то считал – больше ста дворов получилось. Большая деревня, что говорить. Деревенская дорога, плавно изгибаясь, рекой утекает за горизонт. Кое-где в домах уже зажглись окна. Скорее, Зулейха.

Она встает и тянется вверх. В ладони ложится что-то тяжелое, гладкое, крупно-пупырчатое – соленый гусь. Желудок тотчас вздрагивает, требовательно рычит. Нет, гуся брать нельзя. Отпускает тушку, ищет дальше. Вот! Слева от чердачного окошка висят большие и тяжелые, затвердевшие на морозе полотнища, от которых идет еле слышный фруктовый дух. Яблочная пастила. Тщательно проваренная в печи, аккуратно раскатанная на широких досках, заботливо высушенная на крыше, впитавшая жаркое августовское солнце и прохладные сентябрьские ветры. Можно откусывать по чуть-чуть и долго рассасывать, катая шершавый кислый кусочек по нёбу, а можно набить рот и жевать, жевать упругую массу, сплевывая в ладонь изредка попадающиеся зерна... Рот мгновенно заливает слюна.

Зулейха срывает пару листов с веревки, скручивает их плотно и засовывает под мышку. Проводит рукой по оставшимся – много, еще очень много осталось. Муртаза не должен догадаться.

А теперь – обратно.

Она встает на колени и ползет к лестнице. Свиток пастилы мешает двигаться быстро. Вот ведь действительно – мокрая курица, не догадалась какую-нибудь торбу взять с собой. По лестнице спускается медленно: ног не чувствует – закоченели, приходится ставить онемевшие ступни боком, на ребро. Когда достигает последней ступеньки, дверь со стороны Упырихи с шумом распахивается, и светлый, едва различимый силуэт возникает в черном проеме. Стукает об пол тяжелая клюка.

– Есть кто? – спрашивает Упыриха темноту низким мужским голосом.

Зулейха замирает. Сердце ухает, живот сжимается ледяным комом. Не успела... Пастила под мышкой оттаивает, мягчеет.

Упыриха делает шаг вперед. За пятнадцать лет слепоты она выучила дом наизусть – передвигается в нем уверенно, свободно.

Зулейха взлетает на пару ступенек вверх, крепче прижимая к себе локтем размякшую пастилу.

Старуха ведет подбородком в одну сторону, в другую. Не слышит ведь ничего, не видит, – а чувствует, старая ведьма. Одно слово – Упыриха. Клюка стучит громко – ближе, ближе. Эх, разбудит Муртазу...

Зулейха перескакивает еще на несколько ступенек выше, жмется к перилам, облизывает пересохшие губы.

Белый силуэт останавливается у подножия лестницы. Слышно, как старуха принюхивается, с шумом втягивая ноздрями воздух. Зулейха подносит ладони к лицу – так и есть, пахнут гусятиной и яблоками. Вдруг Упыриха делает ловкий выпад вперед и наотмашь бьет длинной клюкой по ступеням лестницы, словно разрубая их мечом пополам. Конец палки свистит где-то совсем близко и со звоном вонзается в доску в полупальце от босой ступни Зулейхи. Тело слабеет, тестом растекается по ступеням. Если старая ведьма ударит еще раз... Упыриха бормочет что-то невнятное, подтягивает к себе клюку. Глухо звякает в темноте ночной горшок.

– Зулейха! – зычно кричит Упыриха на сыновью половину избы.

Так обычно начинается утро в доме.

Зулейха сглатывает высохшим горлом комок плотной слюны. Неужели обошлось? Аккуратно переставляя ступни, сползает по лестнице. Выжидает пару мгновений.

– Зулейха-а-а!

А вот теперь – пора. Третий раз повторять свекровь не любит. Зулейха подскакивает к Упырихе – «Лечу, лечу, мама!» – и берет из ее рук тяжелый, покрытый теплой липкой испариной горшок, как делает это каждый день.

– Явилась, мокрая курица, – ворчит та. – Только спать и горазда, лентяйка...

Муртаза наверняка проснулся от шума, может выйти в сени. Зулейха сжимает под мышкой пастилу (не потерять бы на улице!), нащупывает ногами на полу чьи-то валенки и выскакивает на улицу. Метель бьет в грудь, берет в плотный кулак, пытаясь сорвать с места. Рубаха поднимается колоколом. Крыльцо за ночь превратилось в сугроб, – Зулейха спускается вниз, еле угадывая ногами ступеньки. Проваливаясь почти по колено, бредет к отхожему месту. Борется с дверью, открывая ее против ветра. Швыряет содержимое горшка в оледенелую дыру. Когда возвращается в дом, Упырихи уже нет – ушла к себе.

На пороге встречает сонный Муртаза, в руке – керосиновая лампа. Кустистые брови сдвинуты к переносице, морщины на мятых со сна щеках глубоки, словно вырезаны ножом.

– Сдурела, женщина? В метель – нагишом!

– Я только горшок мамин вынесла – и обратно...

– Опять хочешь ползимы больная проваляться? И весь дом на меня взвалить?

– Что ты, Муртаза! Я и не замерзла совсем. Смотри! – Зулейха протягивает вперед ярко-красные ладони, плотно прижимая локти к поясу, – под мышкой топорщится пастила. Не видно ли ее под рубахой? Ткань промокла на снегу, липнет к телу.

Но Муртаза сердится, на нее даже не смотрит. Сплевывает в сторону, растопыренной ладонью оглаживает бритый череп, расчесывает взлохмаченную бороду.

– Есть давай. А расчистишь двор – собирайся. За дровами поедем.

Зулейха низко кивает и шмыгает за чаршау.

Получилось! У нее получилось! Ай да Зулейха, ай да мокрая курица! Вот она, добыча: две смятые, перекрученные, слипшиеся тряпицы вкуснейшей пастилы. Удастся ли отнести сегодня? И где это богатство спрятать? Дома оставить нельзя: в их отсутствие Упыриха копается в вещах. Придется носить с собой. Опасно, конечно. Но сегодня Аллах, кажется, на ее стороне – должно повезти.

Зулейха туго заворачивает пастилу в длинную тряпицу и обматывает вокруг пояса. Сверху опускает исподнюю рубаху, надевает кульмэк, шаровары. Переплетает косы, накидывает платок.

Плотный сумрак за окошком в изголовье ее ложа становится жиже, разбавляется чахлым светом пасмурного зимнего утра. Зулейха откидывает занавески, – все лучше, чем в темноте работать. Керосинка, стоящая на углу печи, бросает немного косого света и на женскую половину, но экономный Муртаза подкрутил фитилек так низко, что огонек почти не виден. Не страшно, она могла бы все делать и с завязанными глазами.

Начинается новый день.

Еще до полудня утренняя метель стихла, и солнце проглянуло на ярко заголубевшем небе. Выехали за дровами.

Зулейха сидит на задке саней спиной к Муртазе и смотрит на удаляющиеся дома Юлбаша. Зеленые, желтые, темно-голубые, они яркими грибами выглядывают из-под сугробов. Высокие белые свечи дыма тают в небесной сини. Громко и вкусно хрустит под полозьями снег. Изредка фыркает и встряхивает гривой бодрая на морозе Сандугач. Старая овечья шкура под Зулейхой согревает. А на животе теплеет заветная тряпица – тоже греет. Сегодня, лишь бы успеть отнести сегодня...

Руки и спина ноют – ночью намело много снега, и Зулейха долго вгрызалась лопатой в сугробы, расчищая во дворе широкие дорожки: от крыльца – к большому амбару, к малому, к нужнику, к зимнему хлеву, к заднему двору. После работы так приятно побездельничать на мерно покачивающихся санях – сесть поудобнее, закутаться поглубже в пахучий тулуп, засунуть коченеющие ладони в рукава, положить подбородок на грудь и прикрыть глаза...

– Просыпайся, женщина, приехали.

Громадины деревьев обступили сани. Белые подушки снега на еловых лапах и раскидистых головах сосен. Иней на березовых ветвях, тонких и длинных, как женский волос. Могучие валы сугробов. Молчание – на многие версты окрест.

Муртаза повязывает на валенки плетеные снегоступы, спрыгивает с саней, закидывает на спину ружье, заправляет за пояс большой топор. Берет в руки палки-упоры и, не оглядываясь, уверенно тропит дорожку в чащу. Зулейха – следом.

Лес возле Юлбаша хороший, богатый. Летом кормит деревенских крупной земляникой и сладкой зернистой малиной, осенью – пахучими грибами. Дичи много. Из глубины леса течет Чишмэ – обычно ласковая, мелкая, полная быстрой рыбы и неповоротливых раков, а по весне стремительная, ворчащая, набухшая талым снегом и грязью. Во времена Большого голода только они и спасали – лес и река. Ну и милость Аллаха, конечно.

Сегодня Муртаза далеко заехал, почти до конца лесной дороги. Дорога эта была проложена в давние времена и вела до границы светлой части леса. Потом втыкалась в Крайнюю поляну, окруженную девятью кривыми соснами, и обрывалась. Дальше пути не было. Лес заканчивался – начинался дремучий урман, буреломная чащоба, обиталище диких зверей, лесных духов и всякой дурной нечисти. Вековые черные ели с похожими на копья острыми вершинами росли в урмане так часто, что коню не пройти. А светлых деревьев – рыжих сосен, крапчатых берез, серых дубов – там не было вовсе.

Говорили, что через урман можно прийти к землям марийцев – если идти от солнца много дней подряд. Да какой же человек в здравом уме решится на такое?! Даже во времена Большого голода деревенские не смели преступать за границу Крайней поляны: объели кору с деревьев, перемололи желуди с дубов, разрыли мышиные норы в поисках зерна – в урман не ходили. А кто ходил – тех больше не видели.

Зулейха останавливается на мгновение, ставит на снег большую корзину для хвороста. Беспокойно оглядывается – все-таки зря Муртаза заехал так далеко.

– Далеко еще, Муртаза? Я уже Сандугач сквозь деревья не вижу.

Муж не отвечает – пробирается вперед по пояс в целине, упираясь в сугробы длинными палками и сминая хрусткий снег широкими снегоступами. Только облачко морозного пара то и дело поднимается над головой. Наконец останавливается возле ровной высокой березы с пышным наростом чаги, одобрительно хлопает по стволу: вот эту.

Сначала утаптывают снег вокруг. Потом Муртаза скидывает тулуп, ухватывает покрепче изогнутое топорище, указывает топором в просвет между деревьями (туда будем валить) – и начинает рубить.

Лезвие взблескивает на солнце и входит в березовый бок с коротким гулким «чах». «Ах! Ах!» – отзывается эхо. Топор стесывает толстую, причудливо изрисованную черными буграми кору, затем вонзается в нежно-розовую древесную мякоть. Щепа брызжет, как слезы. Эхо наполняет лес.

«И в урмане слышно», – тревожно думает Зулейха. Она стоит чуть поодаль, по пояс в снегу, обхватив корзину, – и смотрит, как Муртаза рубит. Далеко, с оттягом, замахивается, упруго сгибает стан и метко бросает топор в щепастую белую щель на боку дерева. Сильный мужчина, большой. И работает умело. Хороший муж ей достался, грех жаловаться. Сама-то она мелкая, еле достает Муртазе до плеча.

Скоро береза начинает вздрагивать сильнее, стонать громче. Выеденная топором в стволе рана похожа на распахнутый в немом крике рот. Муртаза бросает топор, отряхивает с плеч сучки и веточки, кивает Зулейхе: помогай. Вместе они упираются плечами в шершавый ствол и толкают его – сильнее, сильнее. Шкворчащий треск – и береза с громким прощальным стоном рушится оземь, поднимая в небо облака снежной пыли.

Муж, оседлав покоренное дерево, обрубает с него толстые ветки. Жена – обламывает тонкие и собирает их в корзину вместе с хворостом. Работают долго, молча. Поясницу ломит, плечи наливаются усталостью. Руки, хоть и в рукавицах, мерзнут.

– Муртаза, а правда, что твоя мать по молодости ходила в урман на несколько дней и вернулась целехонькая? – Зулейха распрямляет спину и выгибается в поясе, отдыхая. – Мне абыстай рассказывала, а ей – ее бабка.

Тот не отвечает, примериваясь топором к кривой узловатой ветке, торчащей из ствола.

– Я бы умерла от страха, если бы оказалась там. У меня бы тут же ноги отнялись, наверное. Лежала бы на земле, глаза зажмурила – и молилась бы не переставая, пока язык шевелится.

Муртаза крепко ударяет, и ветка пружинисто отскакивает в сторону, гудя и подрагивая.

– Но, говорят, в урмане молитвы не работают. Молись – не молись, все одно – погибнешь... Как ты думаешь... – Зулейха понижает голос: – ...есть на земле места, куда не проникает взор Аллаха?

Муртаза широко размахивается и глубоко вгоняет топор в звенящее на морозе бревно. Снимает малахай, утирает ладонью раскрасневшийся, пышущий жаром голый череп и смачно плюет под ноги.

Опять принимаются за работу.

Скоро корзина для хвороста полна – такую не поднять, только волочь за собой. Береза – очищена от веток и разрублена на несколько бревен. Длинные ветви лежат аккуратными вязанками в сугробах вокруг.

Не заметили, как стало темнеть. Когда Зулейха поднимает глаза к небу, солнце уже скрыто за рваными клоками туч. Налетает сильный ветер, свистит и взвивается поземка.

– Поедем домой, Муртаза, опять метель начинается.

Муж не отвечает, продолжая обматывать веревками толстые связки дров. Когда последняя вязанка готова, метель уже волком завывает меж деревьев, протяжно и зло.

Он указывает меховой рукавицей на бревна: сначала перетаскаем их. Четыре бревна в обрубках бывших ветвей, каждое – длиннее Зулейхи. Муртаза, крякнув, отрывает от земли один конец самого толстого бревна. Зулейха берется за второй. Сразу поднять не получается, она долго копошится, приноравливаясь к толстому и шершавому дереву.

– Ну же! – нетерпеливо вскрикивает Муртаза. – Женщина!

Наконец сумела. Обняв бревно обеими руками, прижавшись грудью к розоватой белизне свежего дерева, ощерившейся длинными острыми щепками. Двигаются к саням. Идут медленно. Руки дрожат. Лишь бы не уронить, Всевышний, лишь бы не уронить. Если упадет на ногу – останешься калекой на всю жизнь. Становится жарко – горячие струйки текут по спине, животу. Заветная тряпица под грудью промокает насквозь – пастила будет отдавать солью. Это ничего, только бы успеть ее сегодня отнести...

Сандугач послушно стоит на том же месте, лениво перебирая ногами. Волков этой зимой мало, субхан Алла, поэтому Муртаза не боится оставлять лошадь одну надолго.

Когда затащили бревно на сани, Зулейха падает рядом, скидывает рукавицы, ослабляет платок на шее. Дышать больно, словно бежала, не останавливаясь, через всю деревню.

Муртаза, не сказав ни слова, шагает обратно к дровам. Зулейха сползает с саней и тащится следом. Перетаскивают оставшиеся бревна. Потом вязанки из толстых ветвей. Затем из тонких.

Когда дрова уложены на санях, лес уже укрыт плотными зимними сумерками. У пня свежесрубленной березы осталась только корзина Зулейхи.

– Хворост сама принесешь, – бросает Муртаза и принимается закреплять дрова.

Ветер разыгрался не на шутку, сердито кидает облака снега во все стороны, заметая вытоптанные людьми следы. Зулейха прижимает рукавицы к груди и бросается по еле заметной тропинке в темноту леса.

Пока добиралась до знакомого пня, корзину уже замело. Отламывает с куста ветку, принимается бродить вокруг, тыкая прутом в снег. Если потеряет – плохо ей придется. Муртаза поругает и остынет, а вот Упыриха – та набранится всласть, изойдет ядом, будет припоминать эту корзину до самой смерти.

Да вот же она, милая, лежит! Зулейха выволакивает тяжелую корзину из-под толщи сугроба и облегченно выдыхает. Можно возвращаться. Но куда идти? Вокруг свирепо танцует метель. Белые потоки снега стремительно несутся по воздуху вверх и вниз, окутывая Зулейху, пеленая, опутывая. Небо огромной серой ватой провисло меж острых вершин елей. Деревья вокруг налились темнотой и стали похожи друг на друга, как тени.

Тропы – нет.

– Муртаза! – кричит Зулейха, в рот швыряет снегом. – Муртаза-а-а!..

Метель поет, звенит, свиристит в ответ.

Тело слабеет, ноги становятся рыхлыми, будто сами из снега. Зулейха оседает на пень спиной к ветру, придерживая одной рукой корзину, а другой ворот тулупа. Уходить с места нельзя – заплутает. Лучше ждать здесь. Может ли Муртаза оставить ее в лесу? Вот бы Упыриха обрадовалась... А как же добытая пастила? Неужели зря?..

– Муртаза-а-а!

Из снежного облака выступает большая темная фигура в малахае. Крепко ухватив жену за рукав, Муртаза волочет ее за собой через буран.

На сани сесть не разрешает – дров много, лошадь не выдюжит. Так и идут: Муртаза спереди, ведя Сандугач под уздцы, а Зулейха следом, держась за задок и еле перебирая заплетающимися ногами. В валенки набился снег, но вытряхивать нет сил. Сейчас нужно – успевать шагать. Переставлять ноги: правую, левую, правую, левую... Ну давай же, Зулейха, мокрая курица. Сама знаешь: если отстать от саней – тебе конец, Муртаза не заметит. Так и замерзнешь в лесу.

А все-таки какой он хороший человек – вернулся за ней. Мог бы и оставить там, в чаще, – кому какое дело, жива она или нет. Сказал бы: заблудилась в лесу, не нашел – через день никто бы про нее и не вспомнил...

Оказывается, можно шагать и с закрытыми глазами. Так даже лучше – ноги работают, а глаза отдыхают. Главное – крепко держаться за сани, не разжимать пальцы...

Снег больно ударяет в лицо, забивается в нос и в рот. Зулейха приподнимает голову, отряхивает. Сама – лежит на земле, впереди – удаляющийся задок саней, вокруг – белая круговерть метели. Встает, догоняет сани, уцепляется покрепче. Решает не закрывать глаза до самого дома.

Въезжают во двор уже затемно. Сгружают дрова у поленницы (Муртаза наколет завтра), распрягают Сандугач, укрывают сани.

Подернутые густым инеем стекла на стороне Упырихи темны, но Зулейха знает: свекровь чувствует их приезд. Стоит сейчас перед окном и прислушивается к движениям половых досок: ждет, как они сначала вздрогнут от удара входной двери, а после пружинисто задрожат под тяжелыми шагами хозяина. Муртаза разденется, умоется с дороги, – и пройдет на половину матери. Он это называет *поговорить вечерком.* О чем можно разговаривать с глухой старухой? Зулейха не понимает. Но разговоры эти были долгими, иногда длились часами. Муртаза выходил от матери спокойный, умиротворенный, мог даже улыбнуться или пошутить.

Сегодня это вечернее свидание Зулейхе на руку. Как только муж, надев чистую рубаху, уходит к Упырихе, Зулейха набрасывает на плечи не просохший еще тулуп и выскакивает из избы.

Буран заметает Юлбаш крупным жестким снегом. Зулейха бредет по улице против ветра, наклонившись вперед низко, как в молитве. Маленькие окошки домов, светящиеся уютным желтым светом керосинок, еле проглядывают во тьме.

Вот и околица. Здесь, под забором последнего дома, носом к полю, хвостом к Юлбашу, живет *басу капка иясе* – дух околицы. Зулейха сама его не видела, но, говорят, сердитый очень, ворчливый. А как иначе? Работа у него такая: злых духов от деревни отгонять, через околицу не пускать, а если у деревенских просьба какая к лесным духам появится – помочь, стать посредником. Серьезная работа – не до веселья.

Зулейха распахивает тулуп, долго ковыряется в складках кульмэк, разматывая влажную тряпицу на поясе.

– Извини, что часто беспокою, – говорит она в метель. – Ты уж и в этот раз – помоги, не откажи.

Угодить духу – дело непростое. Знать надо, какой дух что любит. Живущая в сенях *бичура*, к примеру, – неприхотлива. Выставишь ей пару немытых тарелок с остатками каши или супа – она слижет ночью, и довольна. Банная бичура – покапризнее, ей орехи или семечки подавай. Дух хлева любит мучное, дух ворот – толченую яичную скорлупу. А вот дух околицы – сладкое. Так мама учила.

Когда Зулейха впервые пришла просить *басу капка иясе* об одолжении – поговорить с *зират иясе*, духом кладбища, чтобы присмотрел за могилами дочек, укрыл их снегом потеплее, отогнал злых озорных *шурале*, – принесла конфеты. Затем таскала орешки в меду, рассыпчатые кош-теле, сушеные ягоды. Пастилу принесла впервые. Понравится ли?

Она разлепляет слипшиеся листы и по одному бросает перед собой. Ветер подхватывает их и уносит куда-то в поле – покрутит-повертит, да и принесет к норе *басу капка иясе*.

Ни один лист не вернулся обратно к Зулейхе – дух околицы принял угощение. Значит – исполнит просьбу: потолкует по-свойски с духом кладбища, уговорит его. Будут дочки лежать в тепле, в спокойствии до самой весны. Говорить напрямую с духом кладбища Зулейха побаивалась – все-таки она простая женщина, не *ошкеруче*.

Она благодарит *басу капка иясе* – низко кланяется в темноту – и спешит домой, скорее, пока Муртаза от Упырихи не вышел. Когда вбегает в сени, муж еще у матери. Она благодарит Всевышнего – опахивает лицо ладонями – да, сегодня он действительно на стороне Зулейхи.

В тепле сразу накрывает усталость. Руки и ноги – чугунные, голова – ватная. Тело просит одного – покоя. Она быстро подтапливает остывшую с утра печь. Раскладывает на сяке табын для Муртазы, мечет на него еды. Бежит в зимний хлев, подтапливает печь и там. Задает животным, убирает за ними. Ведет жеребенка к Сандугач на вечернее кормление. Доит Кюбелек, процеживает молоко. Достает с высоких киштэ мужнины подушки, взбивает (Муртаза любит спать высоко). Наконец можно уйти к себе, в запечье.

Обычно на сундуках спят дети, а взрослым женщинам полагается небольшая часть сяке, отделенная от мужской половины плотной чыбылдык. Но пятнадцатилетняя Зулейха была такого маленького роста, когда пришла в дом Муртазы, что Упыриха в первый же день сказала, воткнув в невестку тогда еще яркие изжелта-карие глаза: «Эта маломерка и с сундука не свалится». И Зулейху поселили на большом старом сундуке, обитом жестяными пластинами и блестящими выпуклыми гвоздями. С тех пор она больше не росла – переселяться куда-то не было необходимости. А сяке полностью занял Муртаза.

Зулейха раскладывает на сундуке матрас, одеяло, стягивает через голову кульмэк и начинает расплетать косы. Пальцы не слушаются, голова падает на грудь. Сквозь полусон слышит – хлопает дверь: возвращается Муртаза.

– Ты здесь, женщина? – спрашивает с мужской половины. – Затопи-ка баню. Мама хочет помыться.

Зулейха утыкает лицо в ладони. На баню нужно много времени. Да еще и Упыриху мыть... Где взять силы? Еще бы только пару мгновений вот так посидеть, не шевелясь. И силы придут... и она встанет... и затопит...

– Спать вздумала?! На телеге спишь, дома спишь. Права мама: лентяйка!

Зулейха вскакивает.

Муртаза стоит перед ее сундуком, в одной руке – керосинка с неровным огоньком внутри, широкий подбородок с глубокой ямкой посередине гневно напряжен. Дрожащая тень мужа закрывает полпечи.

– Бегу, бегу, Муртаза, – говорит хриплым голосом.

И бежит.

Сначала расчистить в снегу дорожку к бане (утром не чистила – не знала, что придется топить). Затем натаскать воды из колодца – двадцать ведер, Упыриха любит поплескаться. Растопить печь. Сыпануть орехов бичуре за скамью, чтобы не шалила, не гасила печь, не подпускала угара, не мешала париться. Вымыть полы. Замочить веники. Принести с чердака сушеных трав: череды – для омовения женских и мужских тайных мест, мяты – для вкусного пара; заварить. Расстелить чистый палас в предбаннике. Принести чистое белье – для Упырихи, для Муртазы, для себя. Не забыть подушки и кувшин с холодной питьевой водой.

Баню Муртаза поставил в углу двора, за амбаром и хлевом. Печь клал *по современному методу*: долго возился с чертежами в привезенном из Казани журнале, беззвучно шевелил губами, водя широким ногтем по желтым страницам; несколько дней укладывал кирпичи, то и дело сверяясь с рисунком. На казанском заводе прусского фабриканта Дизе заказал по размерам стальной бак – и поставил его точно на предназначенный крутой уступ, гладко примазал глиной. Такая печь и баню топила, и воду грела быстро, только успевай подтапливать, – загляденье, а не печь. Сам мулла-хазрэт приходил посмотреть, потом заказал для себя такую же.

Пока управлялась с делами, усталость спряталась куда-то глубоко, притаилась, скрутилась клубком – не то в затылке, не то в позвоночнике. Скоро вылезет – накроет плотной волной, собьет с ног, утопит. Но это когда еще будет. А пока: баня разогрелась – можно звать Упыриху мыться.

Муртаза входил к матери без стука, а Зулейхе полагалось долго и громко стучать ногами о пол перед дверью, чтобы старуха была готова к ее приходу. Если Упыриха бодрствовала, то чувствовала дрожание половых досок и встречала невестку суровым взглядом слепых глазниц. Если спала – Зулейха должна была немедленно выйти и зайти позже.

«Может, заснула?» – надеется Зулейха, старательно топоча у входа в избу свекрови. Толкает дверь, просовывает голову в щель.

Три большие керосиновые лампы в ажурных металлических подставках ярко освещают просторную комнату (Упыриха всегда зажигает их к вечернему приходу Муртазы). Отскобленные тонким ножом и натертые речным песком до медового сияния полы (Зулейха летом всю кожу на пальцах ободрала, начищая); снежно-белые кружева на окнах – накрахмаленные так жестко, что можно порезаться; в простенках – нарядные красно-зеленые тастымал и овальное зеркало, такое огромное, что если Зулейха вставала перед ним, то отражалась вся, от макушки до пяток. Большие напольные часы сверкают янтарным лаком, латунный маятник отстукивает время медленно и неумолимо. Чуть потрескивает желтый огонь в высокой, крытой изразцами печи (ее Муртаза топил сам, Зулейхе не разрешалось притрагиваться). Паутинно-тонкая шелковая кашага под потолком обрамляет комнату, как дорогая рама.

В почетном углу – туре – на могучей железной кровати с литой узорной спинкой, утопая в холмах взбитых подушек, восседает старуха. Ноги ее в молочного цвета мягких ката, расшитых цветной тесьмой, стоят на полу. Голова, повязанная длинным белым платком по-старушечьи, по самые клочковатые брови, стоит на обвисшей мешком шее прямо и твердо. Высокие и широкие скулы подпирают узкие щели глаз, треугольные от косо нависающих с боков дряблых век.

– Так и умереть можно, дожидаясь, пока ты баню растопишь, – спокойно произносит свекровь.

Рот ее впал и морщинист, как старая гусиная гузка, зубов почти нет, но говорит четко, внятно.

«Как же, умрешь ты, – думает Зулейха, просачиваясь в комнату. – Еще на моих похоронах обо мне гадости рассказывать будешь».

– Но не надейся, я долго жить собираюсь, – продолжает та. Откладывает в сторону яшмовые четки, нащупывает рядом потемневшую от времени клюку. – Мы с Муртазой всех вас переживем, мы – крепкого корня и от хорошего дерева растем.

«Сейчас про мой гнилой корень скажет», – обреченно вздыхает Зулейха, поднося старухе длинную собачью ягу[1], меховой колпак и валенки.

– Не то что ты, жидкокровая. – Старуха вытягивает вперед костлявую ногу, Зулейха осторожно снимает с нее мягкий, словно пуховый, ката и надевает вы-

---

[1] Род шубы, тулупа халатного покроя.

сокий жесткий валенок. – Ни ростом, ни лицом не вышла. Может, конечно, между ног у тебя в молодости медом намазано было, да ведь и это место не больно здоровым оказалось, а? Одних девок на свет принесла – и то ни одна не выжила.

Зулейха слишком сильно тянет за второй ката, и старуха вскрикивает от боли.

– Полегче, девчонка! Я правду говорю, сама знаешь. Кончается твой род, худокостая, вырождается. Оно и правильно: гнилому корню – гнить, а здоровому – жить.

Упыриха опирается о клюку, поднимается с кровати и сразу становится выше Зулейхи на целую голову. Задирает широкий, похожий на копыто подбородок, устремляет белые глаза в потолок:

– Всевышний послал мне нынче сон про это.

Зулейха накидывает ягу Упырихе на плечи, надевает меховой колпак, заматывает шею мягкой шалью.

Аллах всемогущий, опять сон! Свекровь редко видела сны, но те, что приходили к ней, оказывались вещими: странные, иногда жуткие, полные намеков и недосказанностей видения, в которых грядущее отражалось расплывчато и искаженно, как в мутном кривом зеркале. Даже у самой Упырихи не всегда получалось разгадать их смысл. Спустя пару недель или месяцев тайна обязательно раскрывалась – происходило что-то, чаще – плохое, реже – хорошее, но всегда – важное, с извращенной точностью повторявшее картину полузабытого к тому времени сна.

Старая ведьма никогда не ошибалась. В тысяча девятьсот пятнадцатом, сразу после свадьбы сына, ей привиделся Муртаза, бредущий меж красных цветов. Разгадать сон не сумели, но скоро в хозяйстве случился пожар, дотла сгорели амбар и старая баня –

и отгадка была найдена. Через пару месяцев старуха видела ночью гору желтых черепов с крупными рогами и предсказала эпидемию ящура, который выкосил весь скот в Юлбаше. Следующие десять лет сны приходили сплошь печальные и страшные: детские рубашечки, одиноко плывущие по реке; расколотые надвое колыбельки; цыплята, утопающие в крови... За это время Зулейха родила и тут же похоронила четверых дочерей. Страшным было и видение про Большой голод в двадцать первом: свекрови явился воздух, черный, как сажа, – люди плавали в нем, как в воде, и медленно растворялись, постепенно теряя руки, ноги, головы.

– Долго мы здесь еще потеть будем? – старуха нетерпеливо стучит клюкой и первая направляется к двери. – Хочешь распарить меня перед улицей и застудить?!

Зулейха торопливо прикручивает фитильки керосинок и спешит следом.

На крыльце Упыриха останавливается – на улицу одна не выходит. Зулейха подхватывает свекровь за локоть, – та больно вонзает длинные узловатые пальцы ей в руку, – и ведет в баню. Идут медленно, осторожно переставляя ноги по зыбучему снегу, – метель не утихла, и дорожка вновь наполовину заметена.

– Ты, что ли, снег во дворе чистила? – ухмыляется половиной рта Упыриха в предбаннике, позволяя снять с себя заснеженную ягу. – Оно и заметно.

Мотает головой, скидывает на пол колпак (Зулейха бросается подбирать), нащупывает дверь и сама входит в раздевальню.

Пахнет распаренными березовыми листьями, чередой и свежим влажным деревом. Упыриха садится на широкую длинную лавку у стены и застывает в молчании: разрешает себя раздеть. Сначала Зулейха снимает с нее белый платок в тяжелых бусинах крупного бисера. Потом просторный бархатный жилет с узорной застежкой на животе. Бусы – коралловую нить, жемчужную нить, стеклянную нить, потемневшее от времени увесистое монисто. Верхнюю плотную кульмэк. Нижнюю тонкую кульмэк. Валенки. Шаровары – одни, вторые. Пуховые носки. Шерстяные носки. Нитяные носки. Хочет вынуть из толстых складчатых мочек свекрови крупные серьги-полумесяцы, но та кричит: «Не касайся! Потеряешь еще... Или скажешь, что потеряла...» Перстни тусклого желтого металла на неровных морщинистых пальцах старухи Зулейха решает не трогать.

Одежда Упырихи, аккуратно разложенная в строго определенном порядке, занимает всю лавку – от стены и до стены. Свекровь внимательно ощупывает руками все предметы – недовольно поджимает губы, что-то поправляет, разглаживает. Зулейха быстро скидывает свои вещи на корзину с грязным бельем у входа и ведет старуху в парную.

Едва открывают дверь – их окатывает горячим воздухом, ароматом раскаленных камней и распаренного лыка. По лицу и спине начинает струиться влага.

– Поленилась нормально затопить, баня-то еле теплая... – цедит старуха, скребя бока. Забирается на самую высокую лэукэ, ложится на ней лицом в потолок, закрывает глаза, – отмокать.

Зулейха присаживается у заготовленных тазов и начинает разминать отмокшие веники.

– Плохо мнешь, – продолжает ворчать Упыриха. – Хоть и не вижу, а знаю: плохо. Ты ими возишь по тазу туда-сюда, как ложкой суп помешиваешь, а надо – месить, как тесто... И за что только Муртаза тебя, нерадивую, выбрал? Одним медом между ног всю жизнь сыт не будешь...

Зулейха, встав на колени, принимается месить веники. Телу сразу становится горячо, лицо и грудь взмокают.

– То-то же, – несется скрипучий голос сверху. – Хотела меня неразмятыми вениками побить, бездельница. А я не дам себя в обиду. И Муртазу моего тоже – не дам. Аллах мне для того и даровал такую длинную жизнь, чтобы его от тебя защищать... Кроме меня – кто вступится за моего мальчика? Ты его не любишь, не чтишь – только делаешь вид. Притворщица, холодная и бездушная, – вот ты кто. Я тебя чувствую, ой как чувствую...

А о сне – ни слова. Вредная старуха будет томить весь вечер. Знает, что Зулейхе не терпится услышать. Мучает.

Зулейха берет два сочащихся зеленоватой водой веника и поднимается к Упырихе на лэукэ. Голова входит в плотный слой обжигающего воздуха под потолком, начинает гудеть. В глазах мелькают разноцветные песчинки, летят, плывут волнами.

Вот она, Упыриха, совсем близко: простирается от стены и до стены, как широкое поле. Бугристые старческие кости торчат вверх, столетнее тело рассыпалось меж них причудливыми холмами, кожа висит застывшими оползнями. И по всей этой неровной, то изрезанной оврагами, то пышно вздыбленной долине текут, извиваются блестящие ручьи пота...

Парить Упыриху полагается с двух рук и обязательно начиная с живота. Зулейха сначала осторожно ведет веником, подготавливая кожу, потом начинает бить двумя вениками попеременно. На теле старухи тотчас появляются красные пятна, черные березовые листья брызжут во все стороны.

– И парить не умеешь. Сколько лет тебя учу... – Упыриха повышает голос, чтобы перекричать долгие хлесткие шлепки. – Сильнее! Давай же, давай, мокрая курица! Разогрей мои старые кости!.. Злее работай, бездельница! Разгоняй свою жидкую кровь, может, загустеет!.. Как же ты мужа своего любишь по ночам, если такая слабая, а? Уйдет, уйдет Муртаза к другой, которая крепче и бить, и любить будет!.. Я и то крепче ударить могу. Парь лучше – а не то ведь ударю! Схвачу за волосы и покажу, как надо! Я – не Муртаза, спуску не дам!.. Где же твоя сила, курица? Ты же еще не умерла пока! Или умерла?! – старуха уже кричит во все горло, приподнимая к потолку искаженное гневом лицо.

Зулейха размахивается что есть силы и рубит обоими вениками, как топором, по мерцающему в дрожащем паре телу. Прутья визжат, рассекая воздух, – старуха крупно вздрагивает, через живот и грудь пробегают широкие алые полосы, на которых темными зернышками взбухает кровь.

– Наконец-то, – хрипло выдыхает Упыриха, откидывая голову обратно на лавку.

В глазах темнеет, и Зулейха сползает по ступеням лэукэ вниз, на скользкий прохладный пол. Дыхание сбито, руки дрожат.

– Поддай-ка еще пару – и принимайся за мою спину, – командует Упыриха спокойно и деловито.

Слава Аллаху, мыться старуха любит внизу. Садится в огромный, до краев наполненный водой деревянный таз, аккуратно опускает в него длинные и плоские мешки грудей, висящие до пупа, и начинает милостиво протягивать Зулейхе по одной руки и ноги. Та трет их распаренным лыковым мочалом и смывает длинные катышки грязи на пол.

Настает черед головы. Две тонкие седые косицы, тянущиеся до бедер, нужно распустить, намылить и прополоскать, не задевая большие висячие серьги-полумесяцы и не заливая водой незрячие глаза.

Ополоснувшись в нескольких ведрах холодной воды, Упыриха готова. Зулейха выводит ее в раздевальню и начинает обтирать полотенцами, гадая, откроет ли ей старуха свой таинственный сон. В том, что сыну она все уже рассказала сегодня, Зулейха не сомневается.

Вдруг Упыриха больно тычет ее в бок вытянутым вперед корявым пальцем. Зулейха ойкает и отклоняется. Старуха тычет повторно. Третий раз, четвертый... Что это с ней? Не перепарилась ли? Зулейха отскакивает к стене.

Через пару мгновений свекровь успокаивается. Привычным жестом требовательно вытягивает руку, нетерпеливо ведет пальцами, – Зулейха вкладывает в них приготовленный заранее кувшин с питьевой водой. Старуха отхлебывает жадно, капли бегут по глубоким складкам от уголков рта к подбородку. Потом размахивается и с силой швыряет сосуд в стенку. Глина звонко дзынькает, разлетаясь на куски, по бревнам ползет темное водяное пятно.

Зулейха шевелит губами в краткой беззвучной молитве. Да что это сегодня с Упырихой, Аллах всемогущий?! Вот ведь разыгралась. Неужели умом тронулась от возраста? Зулейха пережидает немного. Потом осторожно приближается и продолжает одевать свекровь.

– Молчи-и-и-шь, – осуждающе произносит старуха, позволяя надеть на себя чистую исподнюю рубаху и шаровары. – Всегда молчишь, немота... Если бы кто со мной так – я бы убила.

Зулейха останавливается.

– А ты не сможешь. Ни ударить, ни убить, ни полюбить. Злость твоя спит глубоко и не проснется уже, а без злости – какая жизнь? Нет, не жить тебе никогда по-настоящему. Одно слово: курица...

...И жизнь твоя – куриная, – продолжает Упыриха, с блаженным вздохом откидываясь к стене. – Вот у меня была – настоящая. Я уже и ослепла, и оглохла – а все еще живу, и мне нравится. А ты не живешь. Поэтому не жалко тебя.

Зулейха стоит и слушает, прижав к груди валенки старухи.

– Умрешь ты скоро, во сне видела. Мы с Муртазой в доме останемся, а за тобой прилетят три огненных фэрэштэ и унесут прямиком в ад. Все как есть видела: и как хватают они тебя под руки, и как швыряют на колесницу, и как везут в пропасть. Я стою на крыльце, смотрю. А ты и тогда молчишь – только мычишь, словно Кюбелек, и глазищи свои зеленые выкатила, пялишься на меня, как безумная. Фэрэштэ хохочут, держат тебя крепко. Щелк кнутом – и разверзается земля, из щели – дым с искрами. Щелк – и полетели вы все туда, и пропали в этом дыме...

Ноги слабеют, и Зулейха выпускает из рук валенки, прислоняется к стене, медленно стекает по ней на тонкий палас, едва прикрывающий холод пола.

– Может, еще не скоро сбудется, – Упыриха широко и сладко зевает. – Сама знаешь: какие сны быстро исполняются, а какие – через месяцы, я уже и забывать их начинаю...

Зулейха кое-как одевает старуху – руки не слушаются. Упыриха это замечает, недобро ухмыляется. Потом садится на лавку, опирается решительно на клюку:

– Я с тобой сегодня из бани не пойду. Может, у тебя от услышанного разум помутился. Кто знает, что тебе в голову придет. А мне еще долго жить. Так что зови Муртазу, пусть он меня домой ведет и спать укладывает.

Зулейха, запахнув покрепче тулуп на распаренном голом теле, бредет в дом, приводит мужа. Тот вбегает в раздевальню без шапки, не стряхнув с валенок налипший снег.

– Что случилось, эни? – Подбегает к матери, обхватывает ее руки.

– Не могу... – вдруг ослабевшим голосом шелестит Упыриха, роняя голову на грудь сыну. – Не могу больше...

– Что?! Что?! – Муртаза падает на колени и принимается ощупывать ее голову, шею, плечи.

Трясущейся рукой старуха кое-как развязывает тесемки кульмэк на груди и тянет за ворот. В открывшемся проеме, на светлом треугольнике кожи темнеет багровое пятно с крупными черными зернами спекшейся крови. Кровоподтек тянется за проем рубахи, вниз, к животу.

– За что? – Упыриха изгибает рот крутым коромыслом, из глаз ее выкатываются две крупные блестящие слезы и теряются где-то в мелко дрожащих морщинах на щеках; она припадает к сыну и беззвучно трясется. – Я ведь ничего ей не сделала...

Муртазу подбрасывает на ноги.

– Ты?! – рычит он глухо, буравя глазами Зулейху и ощупывая рукой стену около себя.

Под руку попадаются пучки засушенных трав, связки мочалок – срывает, отшвыривает. Наконец в ладонь ложится тяжелая ручка метлы – он ухватывает покрепче и замахивается.

– Не била я ее! – сдавленно шепчет Зулейха, отскакивая к окну. – Никогда, ни разу пальцем не тронула! Она сама попросила...

– Муртаза, сынок, не бей ее, пожалей, – раздается из угла дрожащий голос Упырихи. – Она меня не жалела, а ты ее – пожа...

Муртаза швыряет метлу. Черенок больно ударяет Зулейху в плечо, тулуп сваливается на пол. Валенки сбрасывает сама и юркает в парную. Дверь за ней с грохотом затворяется, гремит засов, – муж запирает ее снаружи.

Припав горячим лицом к маленькому запотевшему окошку, Зулейха сквозь танцующую пелену снега глядит, как муж и свекровь двумя высокими тенями плывут в дом. Как зажигаются и гаснут окна на стороне Упырихи. Как Муртаза тяжело шагает обратно в баню.

Зулейха хватает большой черпак и окунает в стоящий на печи таз с водой, от которого поднимаются вверх пышные клубы пара.

Опять гремит засов: Муртаза стоит в проеме двери в одном исподнем, в руке – все та же метла. Делает шаг вперед и закрывает за собой дверь.

Швыряй в него кипятком! Прямо сейчас, не жди!

Зулейха, часто дыша и держа перед собой черпак на вытянутых руках, шагает назад и упирается спиной в стену, ощущая лопатками крутую выпуклость бревен.

Муртаза делает еще один шаг и черенком выбивает черпак из рук Зулейхи. Подходит, рывком кидает ее на нижнюю лэукэ – Зулейха больно ударяется коленями и простирается на полке.

– Лежи смирно, женщина, – говорит он.

И начинает бить.

Метлой по спине – это не больно. Почти как веником. Зулейха лежит смирно, как и велел муж, только вздрагивает и царапает ногтями лэукэ при каждом ударе, – поэтому бьет он недолго. Быстро остывает. Все-таки хороший муж ей достался.

Потом она его парит и моет. Когда Муртаза выходит в раздевальню охолонуть, перестирывает белье. Самой вымыться уже нет сил – усталость проснулась, налила тяжестью веки, замутила голову, – кое-как ведет мочалом по бокам и ополаскивает волосы. Остается только вымыть полы в бане – и спать, спать...

Мыть полы была с детства приучена на коленях. «Согнувшись в поясе или присев на корточки только лентяи работают», – учила мать. Зулейха не считает себя лентяйкой – и сейчас трет склизкие темные половицы, скользя по ним ящерицей: припав животом и грудями к самому полу, низко наклонив чугунную голову и высоко подняв зад. Ее качает.

Скоро парная отмыта, и Зулейха перебирается в раздевальню: развешивает влажные паласы на тянущихся под потолком киштэ – пусть просохнут, собирает черепки разбитого недавно кувшина, принимается драить полы.

Муртаза все еще лежит на лавке – неодетый, завернутый в белую простыню, отдыхает. Взгляд мужа всегда заставляет Зулейху работать лучше, старательнее, быстрее, – пусть видит, что она неплохая жена, хоть ростом и не вышла. Вот и сейчас, собрав остатки сил и распластавшись по полу, она исступленно возит тряпкой по чистым уже доскам – туда-сюда, туда-сюда; мокрые выбившиеся пряди болтаются в такт, неприкрытые груди елозят по половицам.

– Зулейха, – низко произносит Муртаза, глядя на голую жену.

Она разгибается в поясе, стоя на коленях и не выпуская из рук тряпку, но сонных глаз поднять не успевает. Муж обхватывает ее сзади и бросает животом на лавку, наваливается всем телом сверху, дышит тяжело, хрипит, начинает вдавливать, втирать в жесткие доски. Он хочет любить свою жену. Но тело его не хочет – разучилось слушаться его желаний... Наконец Муртаза встает с нее и начинает одеваться. «Даже плоть моя тебя не хочет», – бросает не глядя и выходит из бани.

Зулейха медленно поднимается с лавки, в руке – все та же тряпка. Домывает пол. Развешивает мокрое белье и полотенца. Одевается и бредет домой. Расстраиваться из-за случившегося с Муртазой нет сил. Страшное пророчество Упырихи – вот о чем она будет думать, но завтра, завтра... когда проснется...

В доме уже погас свет. Муртаза еще не спит – дышит на своей половине громко и бодро, доски сяке поскрипывают под ним.

Зулейха на ощупь пробирается в свой угол, ведя рукой по теплому шершавому боку печи, падает на сундук не раздеваясь.

– Зулейха-а-а, – громко зовет Муртаза; голос – довольный, ласковый.

Она хочет встать – и не может. Тело киселем растекается по сундуку.

– Зулейха!

Она сползает на пол, встает на колени перед сундуком, но оторвать от него голову не получается.

– Зулейха, мокрая курица, скорее!

Она медленно поднимается и, шатаясь, бредет на зов мужа. Заползает на сяке.

Муртаза нетерпеливыми руками спускает с нее шаровары (досадливо крякает – вот ведь лентяйка, еще не разделась!), укладывает на спину, задирает кульмэк. Его рваное дыхание приближается. Зулейха ощущает, как лицо накрывает длинная, еще пахнущая баней и морозом борода мужа, а недавние побои на спине ноют под его тяжестью. Тело Муртазы наконец откликнулось его желаниям, и он торопится исполнить их – жадно, сильно, долго, торжествующе...

Во время исполнения супружеского долга Зулейха обычно мысленно сравнивает себя с маслобойкой, в которой хозяйка сильными руками взбивает масло толстым и жестким пестом. Но сегодня эта привычная мысль не пробивается через тяжелое одеяло усталости. Сквозь пелену сна она еле различает сдавленные всхрипы мужа. Непрекращающиеся толчки его тела усыпляют, как мерно покачивающаяся телега...

Муртаза слезает с жены, отирая ладонью мокрый затылок и успокаивая сбившееся дыхание; дышит устало и довольно.

– Иди к себе, женщина, – толкает ее неподвижное тело.

Он не любит, когда она спит рядом с ним на сяке.

Зулейха, не открывая глаз, шлепает на свой сундук, но не замечает этого – она уже крепко спит.

Стук в окно

Я умру?

За окном гудит темно-голубая пурга. Зулейха стоит на коленях и волосяной щеткой чистит кафтан Муртазы. Кафтан – главное украшение дома: стеганный войлоком, крытый бархатом, пахнущий крепким мужским духом, огромный, как его хозяин. Висит на толстом медном гвозде, лоснится пышными рукавами, милостиво позволяет щуплой Зулейхе ползать в ногах и счищать капли грязи с подола.

Я умру скоро?

Грязь в Казани жирная, добрая. Зулейха там не бывала – ни разу не выезжала из Юлбаша, только если в лес или на кладбище. А хотелось бы. Муртаза обещал как-нибудь взять с собой. Напоминать боялась, только смотрела на него каждый раз во время сборов долгим взглядом исподлобья. Он подтягивал упряжь на Сандугач, подбивал каблуком разболтанные колеса – делал вид, что не замечает.

Если умру – так и не увижу Казань?

Зулейха скашивает глаза на Муртазу. Тот сидит на сяке и починяет хомут. Пальцы с бурыми ногтями – жесткие и крепкие, как стволы молодых дубов, – ловко продевают скользкий кожаный ремень в деревянную основу. Только вернулся из города – и сразу за работу. Хороший муж, что говорить.

Если умру – он скоро женится на другой?

Муртаза довольно крякает: готово! Надевает хомут на могучую шею, проверяя крепость починки, – под крутым деревянным изгибом вздуваются толстые жилы. Да, такой женится, и очень скоро.

А вдруг Упыриха ошиблась?

Щетка Зулейхи шуршит. Шорх-шорх. Шорх-шорх. Шамсия – Фируза. Халида – Сабида. Первая и вторая дочь. Третья и четвертая. Она часто перебирает эти имена, как четки. Четыре смерти были предсказаны Упырихой. Зулейха одновременно узнавала от свекрови о своей беременности и о предстоящей смерти новорожденного. Четырежды вынашивала в чреве плод, а в сердце – надежду, что в этот раз Упыриха ошиблась. Но старуха каждый раз оказывалась права. Неужели права и сейчас?

Работай, Зулейха, работай. Как там мама говорила? Работа отгоняет печаль. Ох, мама, моя печаль не слушается твоих поговорок...

В окно стучат условленным образом: три быстрых стука, два медленных. Она вздрагивает. Показалось? И снова: три быстрых стука, два медленных. Нет, не показалось, ошибки быть не может: стук тот самый. Щетка валится из рук, катится по полу. Зулейха поднимает глаза – встречается с тяжелым взглядом мужа. Алла сакласын, Муртаза, неужели *опять*?!

Он медленно снимает с шеи хомут, набрасывает на плечи тулуп, сует ноги в валенки. За ним хлопает дверь.

Зулейха бросается к окну, пальцами плавит лохматые узоры инея на стекле, припадает к дырочке глазом. Вот Муртаза приоткрывает ворота, борясь с начинающейся вьюгой. Из вихря белых хлопьев высовывает морду темный конь, запорошенный снегом всадник наклоняется из седла к Муртазе, шепчет что-то на ухо – и через мгновение вновь растворяется в метели, словно его и не было. А Муртаза идет обратно.

Зулейха бросается на пол, нащупывает укатившуюся щетку, утыкается носом в подол кафтана – не следует женщине выказывать излишнее любопытство, даже в такой миг. Протяжно воет дверь, впуская свежий морозный дух. Грузные шаги мужа медленно проплывают за спиной. Нехорошие шаги – медленные, усталые, словно обреченные.

Она припала грудью к холодному полу, лицом – к мягкому кафтану. Дышит мелко, беззвучно. Слышно, как громко трещит в печи огонь. Выждав немного, она слегка поворачивает голову: Муртаза сидит на сяке в тулупе и заснеженном малахае, кусты бровей сошлись на переносице, в них медленно гаснут искры крупных белых снежинок. Морщина глубоким рвом пролегла поперек лба, взгляд – остановившийся, неживой. И Зулейха понимает: да, *опять*.

И Алла, что же будет на этот раз? Она жмурится, опускает мгновенно вспотевший лоб к холодной половице. Чувствует влагу на полу – вода? Снег с валенок Муртазы тает и растекается по полу извилистыми ручьями.

Зулейха хватает тряпку и ползет на коленях, собирая воду. Утыкается теменем в твердые, словно железные, ноги мужа. Обхлопывает тряпкой талую воду вокруг, не смея поднять голову. На правую руку наступает большой колючий валенок. Зулейха хочет вырвать ладонь, но валенок камнем придавил пальцы. Она поднимает взгляд. Желтые глаза Муртазы – совсем рядом. В огромных, как вишни, зрачках пляшут отсветы огня.

– Не отдам, – шепчет тихо. – В этот раз – ничего не отдам.

Кислое дыхание обжигает лицо. Зулейха отодвигается. И чувствует, как другой валенок ложится на левую руку. Лишь бы пальцы не отдавил – как же работать без пальцев...

– Что будет-то, Муртаза? – лепечет она жалобно. – Сказали? Нынче – хлеб сдавать? Или скот?

– Твое какое дело, женщина? – шипит в ответ.

Берет ее косы и наматывает на кулаки. Глаза Зулейхи – у его горячего рта. В густых коричневых щелях между зубами блестят комочки слюны.

– Может, новой власти баб не хватает? Зерно уже взяли, скот тоже. Землю захотят – отберут. А вот с бабами – беда. – Слюна Муртазы брызжет Зулейхе на лицо. – Комиссарам красным топтать некого.

Он зажимает ее голову коленями. Ох и сильные у мужа ноги, даром что весь седой.

– Велено собрать всех баб и сдать председателю в сельсовет. Кто ослушается – в *калхус* запишут. Навечно.

Зулейха понимает наконец, что муж шутит. Только не знает, нужно ли улыбнуться в ответ. По его резкому тяжелому дыханию понимает – не нужно.

Муртаза отпускает голову Зулейхи. Убирает валенки с ее пальцев. Встает и потуже запахивает тулуп.

– Продукты спрячь, как всегда. – бросает коротко. – В схрон утром поедем.

Берет с сяке хомут и выходит вон.

Она сдергивает с гвоздя связку ключей, хватает керосиновую лампу, бежит во двор.

Тревоги не было уже давно, и многие стали хранить продукты по старинке, в подполах и амбарах, не пряча. Выходит – зря.

Амбар был заперт, на большом пузатом замке налип скользкий шар снега. Зулейха нащупывает ключом скважину, проворачивает один раз, второй – замок нехотя подается, раскрывает рот.

Скудный керосиновый свет освещает желтые, чисто оструганные бревенчатые стены и высокий потолок (там черным квадратом зияет лаз на сеновал), но не долетает до темнеющих вдали углов – амбар просторный, добротный, сделанный на века, как и все в хозяйстве Муртазы. Стены увешаны инструментами: хищными серпами и лезвиями кос, зубастыми пилами и граблями, тяжелыми рубанками, топорами и долотами, тупорылыми деревянными молотками, острыми вилами и гвоздодерами. Здесь же – конская упряжь: старые и новые хомуты, кожаные уздечки, заржавевшие и поблескивающие свежим маслом стремена, подковы. Несколько деревянных колес, долбленое корыто и сверкающий на изгибах, новенький медный лэгэн (спасибо Муртазе – привез из города пару лет назад). С потолка свисает растрескавшаяся детская колыбель. Пахнет затвердевшим на морозе зерном и холодным пряным мясом.

Зулейха помнит времена, когда плотные щекастые мешки с хлебом высились здесь до потолка. Муртаза ходил меж них – довольный, благостно улыбающийся – и без устали пересчитывал, кладя ладонь на каждый мешок трепетно, как на пышное женское тело. Не то теперь...

Она ставит керосинку на пол. Мешков – меньше, чем пальцев на руках. И каждый – худой, с дряблыми обвисшими боками. Рассыпать зерно из одного мешка по нескольким научились еще в девятнадцатом, как только подступила к Юлбашу тогда еще неведомая, но с каждым годом становившаяся все страшнее, как *албасты*, прожорливее, как *дэв*, ненасытнее, как *жалмавыз*, – продразверстка. Туго набитый мешок спрятать трудно, а найдут – все зерно разом пропало. То ли дело несколько тощих – и схоронить легче (по одному, в разных местах), и расставаться не так жалко. А еще – Зулейха могла таскать худые мешки без помощи Муртазы: хоть по одному, да управится, спрячет сама, пока он по соседям ходит и выясняет, что к чему.

Если бы не буран – многие деревенские потянулись бы сегодня вечером в лес. Там, под спасительным покровом еловых лап и трескучего валежника, у каждого рачительного хозяина был свой тайник. И у Муртазы тоже был. Но в метель – куда поедешь? Одна надежда – на милость небес. Даст Аллах, до утра никто не придет.

Зулейха начинает прятать зерно и продукты.

Пару мешков схоронила тут же, в амбаре (подкоп в земляном полу у стены верно служит им десять последних лет). На сеновал нести побоялась – там многие прячут. Меченные белой краской драгоценные мешки с посевным зерном положила в тайное дно стального бака для воды в бане.

Теперь – очередь конины. Длинные, похожие на морщинистые пальцы конские кишки, плотно набитые темно-красным пряным мясом, гроздьями свисают с потолка. Ох и пахнут! Зулейха втягивает ноздрями терпкий соленый аромат казылык. Колбасу лучше прятать в таком месте, где запаха не будет слышно. Летом можно было бы забраться на крышу и ровными рядами уложить на кирпичные приступки внутри дымовой трубы – ничего бы мясу не сделалось, только вкуснее пахло бы дымом. Но сейчас без Муртазы не залезть, крыша обледенела. Придется положить в доме, под половицей, надежно заперев в толстые железные ящики – от крыс.

Дальше – орехи. Твердые перекатистые шарики лещины стучат внутри скорлупок, как тысяча маленьких деревянных погремушек, пока она перетаскивает длинные узкие мешки из амбара в зимний хлев, укладывает на дно яслей и присыпает сеном. Корова и лошадь равнодушно смотрят на суету возле их кормушек. Жеребенок выглядывает из-под брюха Сандугач, косит любопытным глазом на хозяйку.

Соль, горох и морковную муку из подпола Зулейха укладывает на широкую полку под крышей нужника, прикрывает сверху досками.

Мед в больших деревянных рамах, обернутый в тонкие засахарившиеся тряпицы, – поднимает на чердак. Там же, под потолочными досками, прячет и соленого гуся, и ворохи задубевшей на морозе пастилы.

Остается спрятать последнее: пять десятков крупных, нежно белеющих из глубины берестяного туеса яиц, проложенных мягкой соломой.

Может, все-таки не придут?

Лихие гости, чувствующие себя на любом дворе как у себя дома; без спросу забирающие у хозяев последние съестные припасы и – самое ценное – тщательно отобранное и бережно хранимое посевное зерно для будущей весны; без секунды промедления готовые ударить, уколоть штыком, выстрелить в того, кто встанет на пути.

За четырнадцать тревожных лет Зулейха, скрываясь на женской половине от этих непрошеных гостей, наблюдала сквозь складки чаршау множество лиц: небритых и холеных, дочерна загорелых и аристократически бледных, с железнозубыми улыбками и строгими чопорными минами, бойко говорящих на татарском, русском, украинском, а также угрюмо молчащих о тех страшных истинах, что были начертаны ровными квадратными буквами на их тонких, затершихся на сгибах листах бумаги, которыми они то и дело норовили ткнуть Муртазе в нос.

У этих лиц было много имен, одно другого непонятнее и страшнее: хлебная монополия, продразверстка, реквизиция, продналог, большевики, продотряды, Красная армия, советская власть, губЧК, комсомольцы, ГПУ, коммунисты, уполномоченные...

Зулейхе сложно давались длинные русские слова, значения которых она не понимала, поэтому называла всех этих людей про себя – красноордынцами. Отец много рассказывал ей про Золотую Орду, чьи жестокие узкоглазые эмиссары несколько столетий собирали дань в этих краях и отвозили своему беспощадному предводителю – Чингисхану, его детям, внукам и правнукам. Красноордынцы тоже собирали дань. А кому отвозили – Зулейха не знала.

Сначала они забирали только хлеб. Потом картофель и мясо. А во времена Большого голода, в двадцать первом, начали сметать все съестное подчистую. И птицу. И скот. И все, что найдут в доме. Тогда-то Зулейха и научилась рассыпать зерно из одного мешка по нескольким.

Они не появлялись уже давно, Юлбаш успокоился. Во времена со смешным названием «НЭП» крестьянам дали спокойно обрабатывать землю, разрешили нанимать батраков. Казалось, давшая страшный крен жизнь опять выравнивается. В прошлом году советская власть неожиданно приняла знакомый всем деревенским и оттого нестрашный образ: председателем сельсовета стал бывший батрак Мансур Шигабутдинов, пришлый, давно перетащивший за собой из соседнего кантона[1] пожилую мать и живший с ней холостяком – злые языки шутили, что за всю жизнь он так и не сподобился накопить калым на хорошую невесту; за глаза его называли Мансуркой-Репьем. Мансурка сагитировал несколько человек в свою *ящейку* и встречался с ними по вечерам, что-то обсуждал. Устраивал собрания и горячо зазывал деревенских в товарищество со странным пугающим названием *калхус*, но его мало кто слушал – на собрания ходили такие же бедняки, как он сам.

И вот – опять: условный стук в ночи, как нервное биение нездорового сердца. Зулейха выглядывает в окно: в соседних домах горит свет – Юлбаш не спит, готовится к приходу незваных гостей...

Куда же спрятать эти яйца?! На морозе треснут – ни на чердак, ни в сени, ни в баню не отнесешь. Надо укрывать в тепле. На мужской половине нельзя – красноордынцы перевернут там все вверх дном, такое уже было не раз. На женской? Эти ироды не по-

---

[1] До середины 1930 года единицей административно-территориального деления Татарской АССР был кантон.

стесняются, обыщут все и там. Может, у Упырихи? Непрошеным гостям часто становилось не по себе от строгого невидящего взгляда старухи, и обыски в избе свекрови обычно бывали короткими, скомканными.

Зулейха осторожно подхватывает увесистый туес и выскакивает в сени. Нет времени долго топтаться у входа, спрашивая разрешения войти, – она отворяет дверь, заглядывает: Упыриха спит, утробно храпя и вперив раздвоенный подбородок в потолок, где причудливыми цветами распустились три светлых кружевных пятна – керосинки горят на случай, если Муртаза захочет сегодня вечером заглянуть к матери. Зулейха шагает через толстое бревно порога и юркает в запечье.

До чего же хороша здесь гостевая печь! Огромная, как дом, крытая гладкими, будто стеклянными, изразцами (даже с женской стороны!), с двумя глубокими котлами, которыми никогда не пользуются, – один для приготовления пищи, второй для кипячения воды – Зулейхе бы такие! Всю жизнь мучается с одним. Она ставит туес на приступку, снимает крышку с котла. Сейчас уложит яйца, присыплет соломой – и шасть обратно, к себе, никто и не заметит...

Когда Зулейха укладывает последнее яйцо, дверь со скрипом отворяется. Кто-то тяжелый переступает порог, натужно стонут половицы. Муртаза! Руку сводит от неожиданности – скорлупа еле слышно хрустит, и холодная скользкая жидкость медленно сочится сквозь пальцы. Сердце превращается в такой же вязкий кисель, как треснувшее в руке яйцо, стекает по ребрам куда-то вниз, к похолодевшему животу.

Выйти сейчас? Признаться, что без спросу проникла на половину свекрови? Повиниться за разбитое яйцо?

– Эни, – раздается низкий голос Муртазы. – Мама.

Храп старухи тотчас захлебывается и прерывается. Сетка кровати протяжно ноет – Упыриха поднимает свое большое тело, будто услышав зов сына.

– Жаным, – говорит она тихо, хриплым спросонья голосом. – Душа моя. Ты?

Звук грузно осевшего старухиного тела и глубокий вздох Муртазы повисают в долгой тишине.

Зулейха не дыша, осторожно вытирает скользкую от яйца ладонь о ребро котла. Обняв печь и обмирая при каждом движении, делает несколько бесшумных шагов в сторону, прислоняется щекой к теплым изразцам, указательным пальцем отодвигает складки чаршау. Теперь сквозь щелку в занавеске она отчетливо видит их – мать и сына: Упыриха сидит на кровати – очень прямо, как всегда, опустив ноги на пол, Муртаза стоит на коленях, уткнув бритую голову с проблесками седой щетины в живот матери и крепко обхватив ее большое тело. Зулейха никогда не видела Муртазу коленопреклоненным. Если выйти сейчас – не простит.

– Улым, – нарушает тишину Упыриха, – сынок. Чую, что-то случилось.

– Да, эни, случилось. – Муртаза говорит, не отрывая лица от материнского живота, и оттого голос его звучит тихо, как сквозь подушку. – И давно. Если бы ты только знала, что у нас творится...

– Расскажи старой матери все, Муртаза, мальчик мой. Пусть я не слышу и не вижу. Я все чувствую – и смогу тебя утешить. – Упыриха гладит сына по спине широко и спокойно, как ласкают, успокаивая, разгоряченных жеребцов после скачек.

– Как жить, мама? Как жить?! – Муртаза трется лбом о колени матери, глубже зарываясь в нее. – Грабят, грабят, грабят. Забирают все. Когда уже не остается у тебя ничего – хоть к праотцам отправляйся! – дают отдышаться. А придешь в себя, приподнимешь голову – опять грабят. Нет у меня больше мочи, а у сердца моего – терпения!

– Жизнь – сложная дорога, улым. Сложная и длинная. Иногда хочется сесть на обочине и вытянуть ноги – пусть все катится мимо, хоть в саму преисподнюю, – садись, вытягивай, можно! Ты для этого ко мне и пришел. Посиди со мной, отдохни, переведи дух. – Старуха говорит медленно, протяжно, словно поет или читает молитву под биение маятника в напольных часах. – Потом встанешь и пойдешь дальше. А сейчас – я чувствую, как ты устал, сердце мое, как сильно ты устал.

– Сегодня шепнули – опять что-то готовится. Хоть не просыпайся утром. Народ думает: или землю начнут отбирать, или скот, а то и все разом. Зерно посевное спрятали, а толку-то – если землю отберут? Где мне его сажать – на картофельном огороде?! Умру, зубами вцеплюсь – не отдам! Пусть в кулаки запишут – не отдам! Мое! – он ударяет кулаком по ребру кровати – та жалобно поет в ответ тонким металлическим голосом.

– Ты что-то придумаешь, знаю. Посидишь сейчас, поговоришь со мной – и придумаешь. Ты сильный, Муртаза, мальчик мой. Сильный и умный, как я была. – Голос старухи теплеет, молодеет. – У-у-у-у, какая я была... Твой отец, как увидел меня, слюни пустил аж до пояса и вытереть забыл, – так хотелось меня оседлать. Вы, мужики, как бараны – чуть кого посильнее себя видите, сразу хотите забодать, затоптать, победить. Вот дураки!

Она улыбается, сетка морщин на лице дрожит, играет в нежно-желтом керосиновом свете. Муртаза дышит ровнее, тише.

– Говорила я ему: не по себе яблоко рвешь, худоногий, зубы обломаешь! А он мне: у меня зубов много. Я ему: жизнь длинная, может и не хватить – остерегись! Куда там – лишь раззадорила кобеля... – Упыриха глухо смеется, словно кашляет.

– Тем летом, когда играли в кыз-куу, Шакирзян только за мной и гонялся, как пес за течной сукой. Фартук для кыз-куу у меня был самый красивый в Юлбаше – черного бархата, с бисерными цветами (всю зиму расшивала!). А по груди... – старуха прижимает к впалой груди шишковатую длиннопалую руку, – ...монисто в два ряда. Отец мне своего аргамака-трехлетку давал: вскочу в седло, монисто зазвенит – нежно, призывно – только меня парни и видели. Ой-йя-а-а-а... Шакирзян уж скачет-скачет, кобылу взмылит, сам красный от злости – а догнать не может.

Я как увижу вдали ореховую рощу – придержу немного аргамака, словно поддаюсь. Отец твой и рад – гонится как бешеный, думает: вот-вот настигнет. А я у самой рощи – хоп: каблуки сведу, аргамак стрелой – вперед, Шакирзяну – одна пыль в лицо достается. Прочихается – а я уже у рощи развернулась, камчу из сапога достала: теперь моя очередь! А камча-то – крепкая, плетеная, я на конце еще нарочно узел завязывала, чтобы больнее стегала. Ну, догоню его, как водится, отхлестаю вволю: не сумел девушку настичь – расплачивайся, получай! Насмеюсь, накричусь... Ведь так ни разу и не догнал – ни одного-единственного раза!

Упыриха вытирает тыльной стороной ладони слезинки в уголках глаз.

– Ох и досталось ему от меня тем летом! Всю оставшуюся жизнь припоминал: бил меня крепко, много, и камчой тоже. Завяжет на ней узел с кулак, огреет, как дубиной, – а я ему в лицо смеюсь: что, говорю, за мной повторяешь? Свое придумать – ума не хватает? Он – пуще злится, сильнее хлещет, аж задыхается, за сердце хватается... Так и не сумел меня сломать. Ну и где он теперь? Полвека червей кормит. А я две его жизни прожила и третью начала. Сила – она свыше дается.

Упыриха прикрывает белые глазницы.

– Ты – в меня, сынок, сердце мое. У тебя в жилах – моя кровь. Под мясом – мои кости. – Она гладит седые щетинки на бритой голове сына. – И сила в тебе – моя: злая, непобедимая.

– Мама, мама... – Муртаза сжимает тело матери сильно и хватко, как борец кереш обнимает противника, а любовник – тело желанной женщины.

– Только первый раз посмотрела на тебя – тельце красное, пальцы морщинистые, глаза еще слепые, – сразу поняла, что мой. Ничей больше – только мой. Десятерых родила для мужа, а последнего – для себя. Не зря пуповина была с руку толщиной. Бабка твоя еле ножом распилила. Не хочет, говорит, сынок от тебя отрываться. А ты и вправду не хотел – присосался к груди, вцепился в нее как клещ. Так и не отрывался – три года пил меня, как телок, от груди одни мешки остались. И спал со мною: сам уже огромный, тяжелый, на сяке раскинешься звездой, а ладошку – мне на грудь, чтобы никуда от тебя не делась. Шакирзяна даже близко ко мне не подпускал – орал как резаный. Тот ругался страшно, ревновал. А чем бы он тебя кормил во время голода, если бы у меня тогда в груди молока не было?!

– Эни, эни... – повторяет Муртаза глухо.

– Страшное было время. Тебе уже три, есть хочешь, как взрослый. Высосешь грудь до остатка, – сколько там было, молока этого жидкого? тебе на один зуб! – и мнешь ее остервенело, рвешь зубами: еще хочу, еще. А там уже – пусто. Хлеба, просишь, дай. Какой там хлеб! К концу лета всю солому с крыши съели, всю саранчу в округе переловили, лебеда была – лакомство. Да и где же ее было взять, лебеду? Люди с ума сходили, шатались, как шурале, по лесу, кору зубами с деревьев рвали. Шакирзян еще весной в город подался на заработки, а я с вами четырьмя – одна. Тебе-то хоть грудь доставалась, а старшим – ничего...

Муртаза мычит что-то невнятное, вжимаясь в мать. Упыриха берет его голову в ладони, поднимает и строго смотрит невидящими глазами в лицо сына.

– Даже думать про это не смей, слышишь? Тысячу раз тебе повторяла – и скажу в тысячу первый: я их не убивала. Сами умерли. От голода.

Тот молчит, лишь дышит – шумно, со свистом.

– Молока им не давала – это правда. Все, что было во мне, до последней капли, тебе оставляла. Они сначала пытались драться – силой хотели у тебя грудь отнять. Они были сильнее тебя. А я была сильнее их. И тебя в обиду не дала. Потом у них силы закончились, и ты стал сильнее. А они умерли. Все. Больше ничего не было.

Упыриха подтягивает подбородок к носу, смяв морщины на лице, прикрывает глазницы чуть подрагивающей рукой – в золотых перстнях тускло мерцают отражения керосиновых ламп.

– И слышишь, сынок? Мы их не ели. Мы их похоронили. Сами, без муллы, ночью. Ты просто был маленький и все забыл. А что могил их нет, так у меня уже язык отсох тебе объяснять, что тем летом всех хоронили – без могил. По кладбищам людоеды табунами ходили, чуть увидят свежую могилу – разроют и сожрут покойника. Так что поверь мне, поверь наконец, спустя полвека. Те, кто слухи эти мерзкие про нас с тобой распускал, уже давно сами землей стали. А мы с тобой – живы. Видно, не зря Аллах нам такую милость посылает, а?

– Мама, мама, – Муртаза хватает ее поднятую руку и начинает целовать.

– То-то же, – Упыриха наклоняется к сыну и накрывает его сверху телом, головой, руками. Две тощие белые косицы ложатся поверх спины Муртазы, протягиваются до пола. – Ты – самый сильный, Муртаза. Никому тебя не победить, не сломить. И сон мой вчерашний про это был, сам знаешь. Если кому и суждено покинуть этот дом или этот мир, так не тебе. Твоя мелкозубая жена не смогла родить тебе сына и скоро пропадет в преисподней. А тебе так мало лет – ты сможешь продолжить свой род. Будет у тебя еще сын. Ничего не бойся. Мы с тобой останемся в этом доме, сердце мое, и будем жить еще долго. Ты – потому что молодой. А я – потому что не смогу оставить тебя одного.

Становится отчетливо слышно, как медленно и неумолимо бьется в громадине напольных часов скрипучее механическое сердце.

– Спасибо тебе, мама, – Муртаза тяжело поднимается с колен. – Пойду.

Он гладит мать по лицу, волосам. Укладывает в постель, взбивает подушки, накрывает одеялом. Целует обе руки – в запястье, затем в локоть. Подкручивает фитили – становится темно. За ним хлопает дверь.

Скоро раздается полусонное сопение старухи, уплывающей на пышном ложе из воздушных перин и одеял обратно в призрачную страну сновидений.

Зулейха прижимает к себе руку с засохшими кусочками скорлупы на ладони, беззвучно прокрадывается к выходу и выскальзывает наружу.

Муртаза сидит на корточках у печи и мрачно колет щепу. Желтые отсветы пламени шныряют по лезвию топора: вверх-вниз, вверх-вниз. Зулейха, переваливаясь уткой, ходит по заветным половицам над тайниками с припасами: не сильно ли скрипят?

– Стой, – голос у мужа хриплый, словно треснувший.

Зулейха испуганно прислоняется к поставленным друг на друга сундукам у окна, рукой торопливо поправляя кружевную каплау (на покрывалах только гостям сидеть разрешается и мужу, конечно). Ох и злой он сегодня, гневливый – словно джинн вселился. Хоть и сходил к матери, а не успокоился. Ждет красноордынцев. Боится.

– Они за одиннадцать лет все наши тайники уже наизусть выучили. – Топор Муртазы режет полено мягко, как масло. – Захотят – весь дом по бревнышку разнесут, а что надо – найдут.

Гора белых щепок около Муртазы растет. Куда столько щепы? И за неделю не израсходовать.

– Только и остается гадать: корову возьмут или лошадь, – наконец Муртаза размахивается и со всей силы вгоняет топор в чурбак.

– Пахать скоро, – вздыхает Зулейха робко. – Пусть лучше корову забирают.

– Корову?! – вскидывается муж тотчас, словно обжегшись.

Дыхание – резкое, плотное, со свистом. Так дышит бык перед тем, как броситься на соперника.

Не вставая с колен, Муртаза кидается к Зулейхе. Та в страхе отшатывается. Алла сакласын... Могучим плечом Муртаза сдвигает сундуки – легко, словно картонные. Ногтями сковыривает постанывающую половицу. По локоть погружает руку в дышащую влажным холодом черную дыру – достает плоский железный ящик. Тускло звякает прихваченная морозом крышка. Муртаза торопливо всовывает в рот длинную загогулину конской колбасы, остервенело жует.

– Не отдам, – мычит с набитым ртом. – В этот раз – ничего не отдам. Я сильный.

Аромат конины плывет по комнате. Зулейха чувствует, как рот набухает сладкой слюной. В последний раз ела казылык еще в прошлом году. Она берет с печной приступки свежий каравай и протягивает мужу: ешь с хлебом. Тот мотает головой. Его челюсти работают быстро и сильно, как жернова на мельнице. Слышно, как скрипят под крепкими зубами упругие конские жилы. Блестящие нитки слюны падают из открытого рта на ворот мужниной кульмэк.

Муртаза, не вынимая колбасу изо рта, шарит рукой по углам ящика. Достает нежно белеющую в полутьме головку сахара, бьет по ней со всей силы обухом топора – сверкая на изломе острыми голубыми искрами, откалывается большой кусок, – затем сует руку в один из сундуков и находит граненый стеклянный флакон:

крысиный яд, в прошлом году привез из Казани. Поливает кусок сахара жидкостью из флакона.

– Поняла, женщина? – хохочет.

Зулейха испуганно пятится к стене. Муртаза кладет сочащийся тяжелыми длинными каплями сахар на подоконник, обтирает мокрые ладони о живот. Любуясь, откидывает голову с торчащей изо рта кызылык.

– Если придут за скотом, когда меня не будет, – дашь корове и лошади. Поняла?

Зулейха мелко кивает, прижимаясь спиной к выпуклым бревнам стены.

– Поняла?! – не услышавший ответа Муртаза хватает ее за косы и тычет лицом в подоконник, где сохнет в горько пахнущей лужице сахар, вблизи похожий на крупный, чуть подтаявший в тепле кусок льда.

– Да, Муртаза! Да!

Он отпускает ее, довольно смеется. Сидя на полу, топором отрубает куски кызылык и набивает ими рот.

– Ничего... – бормочет сквозь мерное чавканье. – Не отдам... Я сильный... Никому не победить, не сломить...

И Алла, что страх с мужем делает... Зулейха, опасливо озираясь, убирает подальше граненый флакон с жидкой смертью. Прибирает раскрытую половицу, задвигает сундуками. Когда поправляет складки узорчатой каплау поверх вновь аккуратно выстроенной на привычном месте пирамиды сундуков (словно и не было ничего), оконное стекло взрывается сотней мелких осколков. Что-то маленькое и увесистое влетает с улицы, глухо стукает об пол.

Зулейха оборачивается. В окне многоконечной звездой чернеет большая дыра, через которую в комнату летят медленные мохнатые снежинки. Мелкие куски стекла все еще осыпаются на пол с нежным позвякиванием.

Муртаза сидит на полу с набитым ртом. Между его расставленных ног – камень, завернутый в плотную белую бумагу. Продолжая ошеломленно жевать, Муртаза разворачивает ее. Это плакат: гигантский черный трактор давит крупнозубчатыми колесами расползающихся во все стороны противных человечков – как тараканов. Один из них очень походит на Муртазу: стоит, испуганно выставив на стальную махину трактора кривые деревянные вилы. Сверху падают тяжелые квадратные буквы: «Уничтожим кулака как класс!» Зулейха не умеет читать, тем более – по-русски. Но понимает, что черный трактор вот-вот раздавит крошечного Муртазу с его смешными вилами.

Муртаза сплевывает огрызок колбасы на сяке. Тщательно вытирает руки и губы смятым плакатом, швыряет его в печь, – и трактор, и противные человечки корчатся в оранжевых языках пламени, через мгновение оборачиваются пеплом, – затем хватает топор и выбегает на улицу.

Всевышний, на все твоя воля! Зулейха припадает к окну в сетке длинных трещин. Муртаза выскакивает на улицу в распахнутом на груди кульмэк, с непокрытой головой. Озирается, грозя разыгравшейся метели топором. Вокруг – никого. Слава Аллаху. А не то зарубил бы, грех на душу взял.

Зулейха садится на сяке, подставляет разгоряченное лицо порывам ветра из разбитого окна. Это проделки Мансурки-Репья и его нищебродов из *ящейки*, не иначе. Не раз они ходили по дворам, агитировали в *калхус*, ругались с народом. Плакатами весь Юлбаш завесили. Окна бить еще не осмеливались. А теперь вот – дожили. Видно, знают: что-то готовится. Шайтан их возьми. За новым стеклом в соседнее село ехать. Траты какие. И изба за ночь выстудится... Муртазы все нет. Не простыл бы – без тулупа в метель. Вот уж правда – джинн вселился...

От внезапной страшной мысли Зулейха подпрыгивает. Опрометью бежит из избы в сени. Распахивает дверь на улицу.

Муртаза и Кюбелек стоят посередине двора – лоб ко лбу. Он нежно гладит курчавую коровью морду, доверчиво приникшую к его лицу. Затем достает из-за спины топор и обухом шибает Кюбелек меж больших влажных глаз с длинными ресницами. Корова с тихим глубоким вздохом валится на землю, поднимая вокруг себя плотное снежное облако.

Зулейха громко кричит и ссыпается по ступеням крыльца – к Муртазе. Тот не глядя тычет в ее сторону кулаком. Она падает на спину – ступени ударяют по ребрам.

Свистит топор. Что-то горячее брызжет Зулейхе на лицо – кровь. Муртаза работает топором быстро и сильно, без остановки. Лезвие с равномерным стоном входит в теплую плоть. Шипит воздух, выходя из легких Кюбелек. С урчащим бульканьем хлещет кровь из трубочек сосудов. Плотный розовый пар окутывает неподвижную, быстро распадающуюся на куски говяжью тушу.

– Вот вам – реквизиции в шестнадцатом! – Муртаза перерубает кости легко, как ветки. – Продуктовые армии в восемнадцатом! Девятнадцатом! Двадцатом! Вот вам ссылка! Вот вам продуктовый налог! Вот вам хлебные излишки! Возьмите! Если! Сможете!

У двери в хлев встает на дыбы Сандугач, истошно ржет, бьет в воздухе тяжелыми копытами, выкатывая белки ошалелых глаз. Жеребенок мечется под ногами у матери.

Муртаза оборачивается к лошади: кульмэк красная, в распахнутом вороте – густо парящая грудь, в руке – черный от крови топор. Зулейха приподнимается на локтях, ребра обжигают спину. Муртаза перешагивает через коровью морду с оскаленными зубами и острым, чернильно-синим вывалившимся языком – направляется к Сандугач.

– Пахать? Пахать на ком будешь? – Зулейха бросается Муртазе на спину. – Весна скоро! Умрем с голода!

Он пытается стащить ее с загривка, размахивает руками – свистит зажатый в правой топор. Зулейха впивается зубами в мужнино плечо. Он вскрикивает и швыряет ее через себя – она летит, земля и небо меняются местами, затем еще и еще. Что-то большое, твердое, с крупными острыми углами толкает ее в спину – крыльцо? Она переворачивается на живот и, не поднимаясь, быстро перебирает руками и ногами – вскарабкивается на обледенелые ступени, юркает в дом. Муж топочет следом. Двери хлопают резко, как удары пастушьего кнута, – одна, вторая.

Зулейха бежит по комнате – под ногами звякает разбитое оконное стекло, – вскакивает на сяке, вжимается в угол избы, прикрывается попавшейся под руку подушкой. Муртаза уже – рядом. С бороды каплет пот, глаза – навыкате. Взмахивает рукой. Топор со свистом рассекает наволочку и наперник – подушка взрывается облаком птичьего пуха. Легкие белые перья тотчас наполняют комнату, зависают в воздухе.

Муртаза протяжно ухает и бросает топор – не в Зулейху, в сторону. Лезвие взблескивает в воздухе и втыкается в резной наличник.

Сверху медленной теплой метелью падает пух. Муртаза тяжело дышит, утирает залепленный белым лысый череп. Не глядя на Зулейху, выдергивает топор из наличника и выходит вон. Под его тяжелыми шагами стекло хрустит громко, как февральский наст.

Снежинки залетают в избу через разбитое окно и смешиваются с парящим пухом. Белая круговерть в избе – нарядная, праздничная. Зулейха осторожно, стараясь не порезаться, затыкает разрубленной подушкой дыру в окне. Видит на сяке огрызок конской колбасы, съедает. Вкусно. Хвала Аллаху, когда еще придется есть казылык. Облизывает жирные соленые пальцы. Идет на улицу.

Весь снег у крыльца – цвета сочной, давленной с сахаром земляники.

В дальнем углу, на топчане у бани, Муртаза рубит мясо. Сандугач с жеребенком не видно.

Зулейха проходит в хлев. Да вот же они оба, в загоне. Сандугач вылизывает детеныша длинным шершавым языком. Слава Аллаху – живы. Она гладит теплую бархатную морду лошади, треплет жеребенка по щекотно торчащей гривке.

А во дворе – тысячи снежных хлопьев ложатся на красный снег, покрывают его, превращают снова в белый.

Встреча

Схрон был в надежном месте. Все, что придумывал и делал своими руками Муртаза, было хорошо и крепко – на две жизни.

Сегодня они встали затемно. Позавтракали холодным, выехали со двора еще при свете полупрозрачного месяца и последних предрассветных звезд. К заре добрались. Небо из черного уже стало ярко-синим, а укрытые белым деревья налились светом, тронулись алмазным блеском.

В лесу по-утреннему тихо, и снег под валенками Муртазы хрустит особенно сочно – как свежая капуста, когда Зулейха рубит ее топориком в квашне. Муж с женой пробираются по глубоким, выше колена, плотным сугробам. На двух деревянных лопатах, как на носилках, – драгоценный груз: мешки с рассадным зерном, заботливо примотанные веревками к древкам. Несут осторожно, защищая от острых веток и коряг. Если мешковина порвется – Зулейхе несдобровать. Изнемогший в ожидании красноордынцев Муртаза стал совсем бешеный – зарубит ее, как Кюбелек вчера, и глазом не моргнет.

Впереди, меж прихваченных инеем елей, уже голубеет просвет. Березы расступаются, звенят крошечными сосулями на нитяных ветвях, открывают широкую, прибранную толстым покрывалом снега поляну. Вот и кривая липа с узким и длинным, как щель, дуплом, рядом озябший куст рябины – дошли.

На липовой ветке – синица. Синий хохолок – осколком неба, глазки – черным бисером. Не боится, смотрит на Зулейху внимательно, чвиркает.

– Шамсия! – Зулейха улыбается и протягивает ей руку в толстой меховой рукавице.

– Не болтай, женщина! – Муртаза швыряет пригоршню снега, и птица, порскнув в сторону, улетает. – Работать пришли.

Зулейха испуганно хватается за лопату.

Начинают разбрасывать сугроб под липой – скоро под ним проступают очертания небольшого темного бугорка. Зулейха скидывает рукавицы и быстро краснеющими на морозе руками расчищает его, оглаживает. Под холодом снега – холод камня. Ногти выскребают снежную крошку из округлой арабской вязи, пальцы растапливают лед в мелких ямках ташкиля над длинной волной букв. Зулейха не умеет читать, но знает, что здесь высечено: Шамсия, дочь Муртазы Валиева. И дата: 1917 год.

Пока Муртаза чистит могилу старшей дочери, Зулейха делает шаг в сторону, опускается на колени и нащупывает под снегом еще один таш, локтями расшвыривает снег. Онемевшие пальцы сами находят камень, скользят по заледеневшим буквам: Фируза, дочь Муртазы Валиева. 1920 год.

Следующий таш: Сабида. 1924.

Следующий: Халида. 1926.

– Отлыниваешь?! – Муртаза уже расчистил первую могилу и стоит, опираясь на древко лопаты, сверлит Зулейху глазами: зрачки желтые, холодные, а белки – темные, мутно-рубиновые. Морщина посереди лба шевелится, как живая.

– Со всеми поздоровалась, – Зулейха виновато опускает взгляд.

Четыре слегка покосившихся серых камня стоят в ряд и молча смотрят на нее – низкие, ростом с годовалого ребенка.

– Помоги лучше! – Муртаза крякает и со всей силы вонзает лопату в мерзлую землю.

– И Алла, подожди! – Зулейха бросается к ташу Шамсии и припадает к нему руками.

Муртаза дышит недовольно, шумно, но отставил лопату – ждет.

– Прости нас, зират иясе, дух кладбища. До весны не хотели тебя тревожить – да пришлось, – шепчет Зулейха в округлые узоры букв. – И ты прости, дочка. Знаю, не сердишься. Ты и сама рада помочь родителям.

Зулейха встает с колен, кивает головой: теперь можно. Муртаза долбит землю у могилы, пытаясь вставить лопату в еле видную, смерзшуюся щель. Зулейха ковыряет лед палкой. Щель постепенно ширится, растет, поддается – и наконец распахивается с протяжным треском, обнажая длинный деревянный ящик, из которого веет мерзлой землей. Муртаза бережно ссыпает туда солнечно-желтое, звонкое на морозе зерно, Зулейха подставляет руки под тяжелые рассыпчатые струи.

Хлеб.

Будет спать здесь, между Шамсией и Фирузой, в глубоком деревянном гробу, – ждать весны. А когда запахнет в воздухе теплом, когда обнажатся и прогреются луга, опять ляжет в землю – чтобы уже прорасти и подняться зелеными всходами на пашне.

Вырыть схрон на деревенском кладбище придумал Муртаза. Зулейха сначала испугалась: тревожить мертвых – не грех ли? Не лучше ли спросить дозволения муллы-хазрэта? И не рассердится ли дух кладбища? А потом согласилась – пусть дочери помогают по хозяйству. Дочери помогали исправно – не первый год стерегли до весны родительские припасы.

Крышка ящика захлопывается. Муртаза забрасывает снегом разворошенную могилу. Затем обматывает пустые мешки вокруг черенков лопат, закидывает на спину и направляется в лес.

Зулейха присыпает разрытые таши – как укрывает одеялом на ночь. До свидания, девочки. Увидимся весной – если предсказание Упырихи не сбудется раньше.

– Муртаза, – тихо зовет Зулейха. – Если что – меня здесь положишь, с девочками. Справа от Халиды – как раз свободно. Мне много места и не надо, сам знаешь.

Муж не останавливается, его высокая фигура мелькает меж березами. Зулейха тихо бормочет что-то камням на прощание, натягивает рукавицы на окоченевшие руки.

На ветке липы опять щебетание, юркая синица вернулась на свое место. Зулейха радостно машет ей – «Шамсия, я знала – это ты!» – и устремляется вслед за мужем.

Сани неспешно едут по лесной дороге. Сандугач всхрапывает, подгоняя жеребенка. Тот радостно скачет рядом, то утопая тонкими ножками в придорожных сугробах, то тыкаясь горбоносой мордой в материнский бок. Увязался сегодня за ними. И то дело: пусть привыкает к поездкам в лес.

Солнце еще не достигло полудня, а дело уже сделано. Слава Аллаху, их никто не заметил. Не сегодня завтра пурга заметет следы на кладбище – как и не было ничего.

Зулейха сидит в санях, как всегда, спиной к Муртазе. Затылком чувствует, как тяжелые мрачные мысли шевелятся в его голове. Надеялась, что, схоронив зерно, муж немного успокоится и крупная морщина на лбу, похожая на зарубку от топора, разгладится. Нет, морщина не ушла, стала еще глубже.

– Ночью ухожу в лес. – говорит он куда-то вперед, обращаясь не то к хомуту на шее Сандугач, не то к лошадиному хвосту.

– Как же? – Зулейха поворачивается и утыкается жалобным взглядом в неумолимую спину мужа. – Январь ведь...

– Много нас будет. Не замерзнем.

Муртаза еще ни разу не уходил в лес. Другие мужчины уходили – в двадцатом году, в двадцать четвертом. Сбивались в группы, прятались по лесам от новой власти. Скот забивали или уводили с собой. Жены с детьми оставались дома – ждать и надеяться, что мужья вернутся. Бывало, что возвращались, хотя чаще – нет. Кого красноордынцы пристрелят, кто сам без вести пропадет...

– До весны не жди, – продолжает Муртаза. – За матерью приглядывай.

Зулейха смотрит на шершавую ноздреватую овчину, туго натянутую меж мощных лопаток мужа.

– Лошадь заберу. – Муртаза причмокивает, и Сандугач послушно прибавляет шаг. – Жеребенка можете съесть.

Малыш спешит за матерью, забавно выкидывая ноги то вперед, то назад – играется.

– Она не переживет. – говорит Зулейха спине Муртазы. – Мать твоя не переживет, говорю.

Спина угрюмо молчит. Копыта Сандугач глухо стучат по снегу. Где-то в лесу насмешливо трещат сороки. Муртаза снимает с головы лохматый малахай и вытирает блестящий бугристый череп – от гладкой розовой кожи поднимается еле видный пар.

Разговор окончен. Зулейха отворачивается. Ни разу в жизни она не оставалась одна. Кто же ей будет говорить, что делать и чего не делать? Ругать за плохую работу? Защищать от красноордынцев? Кормить, в конце концов? А что же Упыриха – ошиблась? И останется старуха в доме не со своим любимым сыном, а с презираемой невесткой? И Алла, как же это все?..

Пение настигает их внезапно, как порыв ветра. Только что в ушах звучал жалобный скрип полозьев, а вот уже – уверенный мужской голос. Красивый, глубокий, где-то далеко в лесу. Слова русские, мелодия незнакомая. Зулейха хочет послушать, но Муртаза отчего-то суетится, подгоняет Сандугач.

Никто не даст нам избавленья,
ни бог, ни царь и ни герой.
Добьемся мы освобожденья
своею собственной рукой.

Зулейха неплохо знает русский. Она понимает, что слова в песне хорошие – про свободу и спасение.

– Лопаты спрячь, – бросает ей Муртаза сквозь зубы.

Зулейха торопливо кутает лопаты мешками, сверху прикрывает юбками.

Сандугач трусит ходко, но все же недостаточно быстро – подстраивается под неровный бег жеребенка. И голос приближается, настигает.

Чтоб свергнуть гнет рукой умелой,
отвоевать свое добро,
вздувайте горн и куйте смело,
пока железо горячо.

Песня работящего человека, решает Зулейха, – кузнеца или плавильщика. Уже понятно, что едет этот человек по лесной дороге вслед за ними и скоро покажется из-за деревьев. Каких он лет? Наверное, молод – в голосе много силы, много надежды.

Это есть наш последний
и решительный бой.
С Интернационалом
воспрянет род людской.

Вдали меж деревьев дрожат темные быстрые силуэты. И вот уже небольшой конный отряд показался на дороге. Впереди мужчина – посадка легкая, прямая, издалека понятно: не кузнец и не плавильщик – воин. Когда подъезжает поближе, становятся видны широкие зеленые нашивки на серой шинели, на голове – остроконечный суконный шлем с бурой звездой. Красноордынец. Он-то и поет.

Лишь мы, работники всемирной
Великой армии труда,
Владеть землей имеем право.
А паразиты – никогда.

Аллах наградил Зулейху прекрасным зрением. В ярком солнечном свете она разглядывает непривычно гладкое для мужчины лицо красноордынца (ни усов, ни бороды – как девушка, одно слово). Глаза под козырьком шлема кажутся темными, а ровные белые зубы – сделанными из сахара.

И если гром великий грянет
над сворой псов и палачей,
для нас все так же солнце станет
сиять огнем своих лучей.

Красноордынец уже совсем близко. Щурится от солнца, морщинки бегут из уголков глаз под длинные суконные уши буденовки. Улыбается Зулейхе, бесстыжий. Она опускает глаза, как и положено замужней женщине, прячет подбородок глубже в шаль.

– Эй, хозяин, до Юлбаша далеко? – красноордынец, не отводя настырных глаз от Зулейхи, подъезжает вплотную к саням – она чувствует горячий соленый запах его коня.

Муртаза, не оборачиваясь, продолжает подгонять Сандугач.

– Оглох ты, что ли? – конный легко сжимает пятками круп коня и в два скачка обгоняет сани.

Муртаза внезапно хлещет поводьями по спине Сандугач, и та резко подает вперед, сталкивается грудью с конем военного. Конь взволнованно ржет, оступается – и увязает задними ногами в придорожном сугробе, месит снег.

– Или ослеп?! – голос красноордынца звенит от гнева.

– Испугался, мужичок, к мамке под юбку торопится, – конный отряд нагоняет сани, и чернявый мужичок с ярким золотым зубом под смешливо приподнятой верхней губой дерзко шарит глазами по саням. – Пугливый контингент!

Сколько же их тут? Как пальцев на обеих руках, не больше. Мужики крепкие, здоровые. Кто в шинели, кто просто в тулупе, затянутом на поясе широким рыжим ремнем. У каждого за спиной – винтовка. Штыки то и дело всверкивают на солнце, аж в глазах рябит.

А одна – баба. Губы – брусникой, щеки – яблоками. В седле сидит ровно, высоко подняв голову и выставив вперед грудь – позволяет собой любоваться. Даже под тулупом видно: такая грудь – на троих бы хватило. Одно слово – кровь с молоком.

Конь красноордынца наконец выбирается обратно на твердую дорогу, и всадник хватает Сандугач под уздцы. Сани останавливаются, Муртаза бросает вожжи. На конных не смотрит, прячет угрюмый взгляд.

– Ну? – грозно спрашивает красноордынец.

– Да они тут по-русски ни бельмеса, товарищ Игнатов, – подает голос пожилой военный с длинным шрамом через пол-лица.

Шрам белый и очень ровный, как натянутая веревка. От сабли, догадывается Зулейха.

– Ни бельмеса, значит... – красноордынец Игнатов внимательно оглядывает лошадь, спрятавшегося у нее под брюхом жеребенка и самого Муртазу.

Тот молчит. Малахай надвинут на лоб – глаз не видно. Кудрявые облачка плотного пара вылетают из побелевших ноздрей, покрывая мохнатым инеем усы.

– Что-то ты, брат, хмурый, – задумчиво произносит Игнатов.

– А его жена отругала! – блестит чернявый золотым зубом, подмигивая Зулейхе сначала одним глазом, затем другим. Белки у него мутные, как овсяная затируха, а зрачки мелкие, комочками. В отряде смеются. – Татарочки – они ох и суровые! Спуску не жди! Так, зеленоглазая?

Зеленоглазой ее в детстве называл отец. Давно это было. Зулейха уже успела забыть, какого цвета у нее глаза.

В отряде смеются громче. Десяток пар дерзких и насмешливых глаз пристально разглядывает ее. Она укрывает вмиг потеплевшие щеки краешком шали.

– Суровые – да не больно красивые, – лениво роняет грудастая баба, отворачиваясь.

– Куда уж им до тебя! – улюлюкают красноордынцы.

Зулейха слышит, как сипло, с натугой дышит муж за ее спиной.

– Отставить! – Игнатов продолжает придирчиво разглядывать Муртазу. – Куда ж ты ездил спозаранку, хозяин? Да еще и с женой. Дров не нарубил, вижу. Что потерял в лесу? Да не прячь глаза-то. Вижу, что все понимаешь.

Громко фыркают в тишине кони, перебирают копытами. Зулейха не видит – чувствует, как морщина на лбу Муртазы углубляется, врезается ему в череп, а ямка на подбородке мелко трясется, как поплавок над вцепившейся в крючок рыбой.

– А они грибы под снегом копали, – чернявый приподнимает штыком юбку Зулейхи – из-под мешков показываются лезвия лопат. – Да не много набрали! – подхватывает один из мешков на острие штыка и трясет им в воздухе.

Смешки в отряде перерастают в заливистый смех. Несколько крупных желтых зерен падает из мешка Зулейхе на юбку – и смех обрывается, как ножом срезали.

Зулейха, глядя в подол, сбрасывает рукавицу и торопливо собирает зерна в кулак. Конные молча объезжают сани, окружая. Муртаза медленно передвигает руку к топору, заткнутому за пояс.

Игнатов бросает поводья подъехавшему военному и спрыгивает на землю. Подходит к Зулейхе, обеими руками берет ее кулак и силой разжимает. Вблизи видно, что глаза у него вовсе не темные, а светло-серые, как речная вода. Красивые глаза. А пальцы – сухие, неожиданно горячие. И очень сильные. Кулак Зулейхи поддается, раскрывается. На ее ладони – длинные, гладкие, медом светящиеся на солнце зерна. Сортовая посевная пшеница.

– Грибы, значит... – тихо говорит Игнатов. – А может, ты, кулацкая гнида, что другое в лесу копал?

Сидевший истуканом Муртаза вдруг резко поворачивается к саням и с ненавистью смотрит Игнатову в глаза. Сдавленное дыхание клокочет в глотке, подбородок ходуном. Игнатов расстегивает кобуру на поясе и достает черный револьвер с длинным хищным стволом, наставляет на Муртазу, взводит курок.

– Не отдам! – хрипит Муртаза. – В этот раз – ничего не отдам!

Взмахивает топором. Дружно лязгают винтовки. Игнатов нажимает на спуск – выстрел грохает, эхом рассыпается в лесу. Сандугач испуганно ржет. С елей падают сороки и с громкими криками уносятся в чащу. Тело Муртазы валится в сани: ногами к лошади, лицом вниз. Сани крупно вздрагивают.

На Зулейху глядит дюжина винтовок: черные дыры стволов под сверкающими иглами штыков. От револьвера поднимается синий дымок. Горько пахнет порохом.

Игнатов ошеломленно смотрит на распростертое в санях неподвижное тело. Вытирает рукой с револьвером верхнюю губу, убирает оружие в кобуру. Берет выпавший из рук хозяина топор и с размаху всаживает его в задок саней – в пальце от головы Муртазы. Затем вскакивает в седло, рывком трогает коня и, не оглядываясь, во весь опор уносится по дороге вперед. Снежная пыль брызжет из-под копыт.

– Товарищ Игнатов! – кричит ему вслед военный со шрамом. – С бабой-то что?

Игнатов лишь машет рукой: оставь!

– Вот тебе, зеленоглазая, и грибы, – выпячивает напоследок широкую губу чернявый.

Конные спешат за командиром. Отряд обтекает сани, как волны – остров. Тулупы с курчавыми воротниками, лохматые шапки, серые шинели, красные лампасы проплывают мимо, уносятся вслед за всадником в остроконечной буденовке. Скоро топот копыт стихает. Зулейха остается одна посреди лесного безмолвия.

Она неподвижно сидит, сложив руки на коленях и сжимая в кулачке пшеничные зерна. Перед ней раскинулось могучее тело Муртазы. Он вольно разметал руки и ноги, голову удобно повернул набок, разложив длинную бороду по доскам. Спит, как обычно на сяке, – занимая все пространство. Даже маленькой Зулейхе рядом не поместиться.

Ветер перебирает верхушки деревьев. Где-то в лесу скрипят сосны. Через пару часов жеребенок, проголодавшись, находит губами материнское вымя и сосет молоко. Сандугач умиротворенно склоняет голову.

Солнце неспешно тянется по небосклону, затем медленно тонет в больших снежных тучах, наплывающих с востока. Вечереет. С неба швыряет снегом.

Не дождавшись привычного окрика хозяина и удара вожжей по крупу, Сандугач делает несмелый шаг вперед. Затем второй, третий. Сани, громко скрипнув, трогают с места. Лошадь шагает по дороге в Юлбаш, рядом скачет веселый сытый жеребенок. Место возницы пустое, на передке лежат вожжи. В санях, спиной к лошади, сидит Зулейха и смотрит невидящим взглядом на остающийся позади лес.

На дороге, где весь день простояли сани, виднеется небольшое, размером с каравай, пятно густо-красного цвета. Снег падает на пятно и быстро засыпает его.

Позже, несмотря на все усилия, Зулейха не сможет вспомнить, как доехала до дома. Как оставила нераспряженную лошадь во дворе, а сама ухватила Муртазу под мышки и потащила в дом. Как тяжело было огромное, неповоротливое мужнино тело, как громко стучали его пятки о ступени крыльца.

Она взбила ему подушки (повыше, как он любит), раздела, уложила на сяке. Сама легла рядом. Они пролежали так долго, всю ночь. Уже давно дотлело в печи брошенное туда утром Муртазой полено, уже звонко хрустнули на морозе бревна остывающей избы. Уже треснуло и осыпалось с плоским стеклянным звоном разбитое вчера окно, и в голый квадрат хлестнуло злым ветром вперемешку с колкой снежной крупой. А они все лежали, плечо к плечу, и смотрели широко открытыми глазами на потолок – сначала темный, затем густо залитый белым лунным светом, затем вновь темный. Впервые Муртаза не гнал ее на женскую половину. Это было совершенно удивительно. И чувсто безмерного удивления будет единственным, что останется в памяти Зулейхи от той ночи.

А когда край неба тревожно заалел предчувствием морозного рассвета, в ворота застучали. Стук – громкий, сердитый, настойчивый. Так зло и неумолимо стучит усталый хозяин, вернувшийся домой и внезапно обнаруживший свой дом кем-то запертым изнутри.

Зулейха слышит шум – далекий, еле различимый, будто сквозь пуховую перину. Но нет сил оторвать глаза от потолка. Пусть Муртаза встанет и отворит. Не женское это дело – открывать двери по ночам.

Засов на воротах брякает, впуская непрошеных гостей. Двор наполняется голосами, ржанием лошадей. Несколько высоких силуэтов проплывают по темному еще двору. Хлопает дверь в сенях, дверь в избу.

– Ну и холод! Вымерли тут все, что ли?

– Подтопи-ка печь! Околеем, к чертовой матери.

Топот кованых сапог по мерзлым доскам. Половицы скрипят громко, истошно. Лязг печной заслонки. Чирканье спички и резкий запах серы. Треск разгорающегося огня в печи.

– Где хозяева-то?

– Найдем, не полошись. Осмотрись пока.

Фитилек лампы мигает, разгораясь, – по стенам пляшут кривые черные тени, – и вот уже мягкий теплый свет наполняет избу. Над Зулейхой склоняется широконосое лицо, порченное крупными оспинами.

Председатель сельсовета – Мансурка-Репей. Держит керосинку у самого лица, и оттого круглые оспяные шрамы кажутся глубокими, как выеденными ложкой. Он деловито смотрит на Зулейху. Переводит взгляд на осунувшееся лицо Муртазы, озадаченно разглядывает черное запекшееся пятно на его груди, растерянно присвистывает.

– Мы, Зулейха, к мужу твоему пришли...

У рта Мансурки расцетает кудрявое морозное облачко. Он говорит по-русски с сильным акцентом, но бойко, складно. Лучше, чем Зулейха. Навострился с красноордынцами болтать.

– Вставай, разговор есть.

Зулейха не знает, сон это или явь. Если сон – почему свет так режет глаза? Если явь – почему звуки и запахи доносятся издалека, словно из подпола?

– Зулейха! – председатель трясет ее за плечо, сначала легонько, потом сильнее. – Вставай, женщина! – громко и зло кричит наконец по-татарски.

Тело откликается на знакомые слова, как лошадь – на удар вожжей. Зулейха медленно опускает ноги на пол, садится на сяке.

– Ну вот, – Мансурка удовлетворенно переходит обратно на русский. – Товарищ уполномоченный, готово!

В центре избы, заложив руки за пояс ремня и широко расставив сапоги, стоит Игнатов. Не глядя на Зулейху, достает из твердого кожаного планшета мятый лист бумаги, карандаш. Раздраженно оглядывается:

– Да что ж это такое?! В котором доме – ни стола, ни лавки. Протокол как писать?

Председатель торопливо хлопает ладонью по крышке верхнего сундука у окна:

– Вот, здесь можно.

Игнатов кое-как устраивается на сундуках, льняная каплау под его большим телом сминается, сползает на пол. Он согревает дыханием руки, слюнявит кончик карандаша, царапает им по бумаге.

– Не привили еще социалистический быт, – извиняющимся тоном бормочет Мансурка, придерживая норовящие разъехаться в разные стороны сундуки. – Язычники – что с них возьмешь.

На женской половине вдруг – грохот бьющихся горшков, звон падающих медных тазов. Заполошно кудахчут куры. Кто-то громко, с оттягом чертыхается, путаясь в складках чаршау, – и из-за них выскакивает чернявый в облаке птичьего пуха и перьев, под мышками – по истошно вопящей курице.

– Вот тебе и на! Зеленоглазая! – радостно восклицает он, увидев Зулейху. – Разрешите-позвольте! – Не выпуская трепыхающихся куриц из-под мышек, на ходу быстрым движением фокусника аккуратно выдергивает из-под Игнатова кружевную паутину каплау. – А сундучочки – попозже заберу... – Под сердитым взглядом Игнатова наконец пятится к двери и исчезает, оставляя за собой высокий перьевой вихрь.

Игнатов заканчивает писать и со стуком кладет карандаш на заполненный протокол:

– Пусть распишется.

Лист бумаги на сундуке белеет, как сложенная тастымал.

– Что это? – Зулейха медленно переводит взгляд на председателя. – Мансурка, это зачем?

– Сколько раз повторял: называть меня надо – товарищ председатель! Ясно? – Мансурка грозно приподнимает просвечивающий сквозь рыжеватую бороденку подбородок. – Учишь их новой жизни, учишь... Выселяем вас... – Он недовольно оглядывается на сяке, где темнеет могучее тело Муртазы. – ...Тебя. Как кулацкий элемент первой категории. Контрреволюционный актив. Партсобрание утвердило. – Мансурка тычет коротким пальцем в бумагу на сундуке. – А избу забираем под сельсовет.

– Ты словами новыми меня не путай. Скажи толком, товарищ Мансурка, – что случилось?

– Это ты мне скажи! Почему у твоего Муртазы собственность до сих пор не коллективная? Против власти идете, единоличники?! Язык отсох вас агитировать. Корова – почему не в колхозе?

– Нет коровы.

– А лошадь?! – Мансурка кивает за окно, где во дворе стоит не распряженная до сих пор Сандугач, под ногами у нее вьется жеребенок. – Две лошади.

– Так ведь наши.

– Наши... – передразнивает. – А мукомолка?

– Как же без нее в хозяйстве? Вспомни – сам сколько раз у нас одалживал.

– То-то и оно, – щурит и без того узкие глаза. – Сдача в аренду инструментов труда. Верный признак махрового, закоренелого, неисправимого кулака! – сжимает мелкую руку в злой жилистый кулак.

– Простите-извините, – вернувшийся чернявый выдергивает из-под головы Муртазы стопку подушек в расшитых наволочках (голова со стуком падает на сяке), сдирает с окон занавески, со стен – полотенца, на вытянутых руках выносит из избы огромный ворох белья, подушек, одеял. Ничего не видя перед собой, пинком распахивает жалобно охнувшую входную дверь.

– Осторожней – не у себя дома! – огрызается ему вслед Мансурка. Нежно гладит выпуклые бревна, резные узоры наличников. Нащупывает на них глубокую зарубку от топора и цокает языком, сокрушаясь. – Прикладывай руку, Зулейха, не тяни время, – вздыхает по-дружески, душевно, не отрывая влюбленного взгляда от толстых гладких бревен, щедро проложенных добротной лохматой паклей.

В дверь опять просовывается голова чернявого с возбужденно блестящими глазами:

– Товарищ Игнатов, там от коровы это... одно мясо осталось. Берем?

– Под опись, – хмуро бросает Игнатов и встает с сундука. – Долго мы еще тут будем... политпросвещением заниматься?

– Что же ты, Зулейха, – укоризненно сводит редкие брови к переносице Мансурка. – Товарищи за тобой из самой Казани приехали. А ты задерживаешь.

– Не подпишу. – произносит она в пол. – Никуда не поеду.

Игнатов подходит к окну, стучит костяшками пальцев по стеклу и кивает кому-то снаружи. Половицы под его сапогами тонко и длинно стонут. На колбасе стоит – и не знает, думает Зулейха.

Скоро в избу вваливается военный со шрамом. От долгого стояния на морозе лицо у него стало темно-красным, а шрам – совершенно белым.

– На сборы – пять минут, – указывает Игнатов подбородком на Зулейху.

Неугомонный чернявый осматривает напоследок голую, словно нежилую избу в поисках незамеченной добычи. Наконец поддевает лезвием штыка висящую высоко над входом ляухэ – пытается снять. Витиеватое кружево арабских букв тянется и морщится под стальным острием.

– Это у них вместо икон, – словно в сторону, тихо бросает военный со шрамом.

– Молиться собрался? – Игнатов пристально смотрит на чернявого, крылья носа брезгливо вздрагивают, – и выходит вон.

– Ну вот, а говорили – язычники... – шмыгает носом чернявый, спешит за командиром.

Истерзанная ляухэ остается висеть на своем месте. Мулла-хазрэт однажды объяснил Зулейхе смысл этого изречения: «Не подобает душе умирать иначе, как с дозволения Аллаха, по писанию с установленным сроком».

– Не подпишешь – та́к поедешь, – говорит Мансурка Зулейхе.

И со значением указывает на высокую фигуру военного. Тот прогуливается по избе, осматриваясь и задевая штыком оголившиеся жерди киштэ под потолком.

Зулейха падает на колени у сяке, припадает лбом к холодной и жесткой руке Муртазы. Муж мой, данный Всевышним, чтобы направлять, кормить и защищать, – что делать?

– А Муртазу похороним, как и полагается, по советскому обычаю, – успокаивает председатель, любовно оглаживая тщательно беленые, шершавые бока печи. – Все-таки какой хороший был хозяин...

Стальное лезвие касается Зулейхи – подошедший сзади военный легонько стучит штыком по плечу. Она мотает головой: не пойду. И тут же сильные руки подхватывают ее, поднимают в воздух. Зулейха дрыгает руками и ногами, как капризный младенец на руках у взрослого, из-под юбок сверкают шаровары, – но военный держит крепко, до боли.

– Не тронь! – кричит Зулейха из-под потолка. – Грех!

– Сама поедешь? Или понести? – спрашивает откуда-то снизу заботливый голос Мансурки.

– Сама.

Военный осторожно опускает Зулейху. Ноги приземляются на пол.

– Аллах тебя накажет, – бросает она Мансурке. – Он вас всех накажет.

И начинает собирать вещи.

– Потеплее оденься, – советует Мансурка, подкидывая дрова в печь и по-хозяйски шуруя в огне кочергой. – Как бы не застудилась.

Скоро вещи увязаны в узел. Зулейха туго заматывает голову шалью, плотно запахивает тулуп. Берет с печной приступки закутанный в тряпицу остаток каравая – в один карман. С подоконника отравленный сахар – в другой. У окна остается лежать крошечная мертвая тушка – мышонок полакомился ночью.

Готова в дорогу.

Останавливается у двери и окидывает взглядом разоренную избу. Нагие стены, неприкрытые окна, на грязном полу – пара затоптанных тастымал. Муртаза лежит на сяке, вперившись заостренной бородой в потолок. На Зулейху не смотрит. Прости меня, муж мой. Не по своей воле тебя покидаю.

Громкий треск материи – Мансурка срывает чаршау, отделявшую мужскую половину избы от женской, и довольно отряхивает ладони. Разбитые горшки, выпотрошенные сундуки, остатки кухонной утвари бесстыже открываются взору любого входящего. Срам какой.

Зулейха, краснея от невыносимого стыда, опускает глаза и выскакивает в сени.

В небе пылает рассвет.

Посреди двора высится огромная куча утвари: сундуки, корзины, посуда, инструменты... Чернявый, пыхтя от натуги, тащит из амбара тяжелую долбленую колыбель.

– Товарищ Игнатов! Гляньте – брать?

– Дурак.

– Я думал – под опись... – обижается тот, затем, решившись, все же швыряет колыбель на самый верх кучи. – Вот нажили добра – мама не горюй!

– Зато теперь все – колхозное, – Мансурка заботливо подбирает выпавшую корзину и аккуратно кладет обратно.

– Ага. Наше. Народное, – Чернявый широко улыбается и незаметно засовывает в карман маленькую льняную каплау.

Зулейха спускается с крыльца, садится в сани – по привычке спиной к лошади. Застоявшаяся за ночь Сандугач вскидывает голову.

– Зулейха-а-а! – раздается вдруг из дома низкий хриплый голос.

Все оборачиваются к двери.

– Покойник ожил, – громко шепчет в тишине чернявый и мелко крестится тайком, пятясь к амбару.

– Зулейха-а-а! – вновь несется из дома.

Игнатов поднимает револьвер. Колыбель сверзается с кучи и грохается об землю, с треском раскалывается на части. Дверь с протяжным скрипом распахивается, в проеме – Упыриха. Длинная ночная рубаха развевается, губы зло дрожат. Уперлась в гостей круглыми белыми глазницами, в одной руке – клюка, в другой – ночной горшок.

– Где тебя шайтан носит, мокрая курица?!

– Вот черт, – переводит дух чернявый. – Чуть не поседел.

– Смотри-ка – жива, старая ведьма, – Мансурка вытирает ладонью испарину со лба.

– Это еще кто? – Игнатов засовывает револьвер обратно в кобуру.

– Мать его, – Мансурка разглядывает старуху, восхищенно присвистывает. – Ей лет сто, не меньше.

– Почему нет в списках?

– Так кто же знал, что она еще...

– Зулейха-а-а! Ну дождешься – Муртаза тебе покажет! – Упыриха гневно вздергивает подбородок, трясет клюкой. Размашистым жестом швыряет содержимое горшка перед собой. Сверкают голубые васильки на молочном фарфоре. Мутная жидкость летит метким плевком – на шинели Игнатова расползается большое темное пятно.

Военный вскидывает винтовку, но Игнатов взмахивает рукой: отставить! Мансурка торопливо открывает ворота, и Игнатов, дернув лицом, вскакивает на коня, едет прочь со двора.

– Взять ее? – кричит вслед военный.

– Только живых покойников в обозе не хватало! – доносится уже с улицы.

– Что расселась? – военный вскакивает в седло и нетерпеливо смотрит на Зулейху. – Поехали!

Недоуменно оглядываясь, она перебирается на место возницы и берет в руки тяжелые вожжи. Оборачивается на свекровь.

– Мой Муртаза шкуру-то с тебя спустит! – хрипит с крыльца Упыриха, и ветер развевает тощие веревки ее легких белых кос. – Зулейха-а-а!

Сандугач трогает с места, жеребенок – следом. Зулейха выезжает со двора.

Чернявый едет последним. Поднимает голову и видит на створе ворот желтые обледенелые черепа: скалит длинные редкие зубы лошадь, упрямо пялится черными глазницами бык, баран изогнул змеями волнистые рога.

– Нет, все-таки язычники, – решает он и спешит за остальными.

– Мой Муртаза тебя убьет! Убьет! Зулейха-а-а! – несется вслед.

Мансурка-Репей усмехается. Он запирает ворота снаружи, нежно обхлопывает ладонью крепкие, хорошо подогнанные створки (нет, засовы надо будет сделать покрепче!) и торопится домой – высыпаться. Шутка ли: пятнадцать дворов – за одну-то ночь. Он еще не знает, что в засаде у дома его поджидают двое – прижмут к забору, жарко дохнут в лицо и исчезнут, а он так и останется недвижным кульком висеть на досках, проколотый двумя кривыми серпами, тараща изумленные стеклянные глаза в утреннее небо...

Сани Зулейхи вливаются в длинный караван с другими раскулаченными. Поток течет по главной улице Юлбаша к околице. Конные с винтовками – с обеих сторон. Среди них и пышнощекая грудастая баба, встреченная утром в лесу.

– Что, товарищ Игнатов, – задорно кричит она, оглядывая Зулейху, – баб-то легче раскулачивать?

Игнатов, не обращая внимания, рысью скачет вперед.

Ворота мужниного дома удаляются, уменьшаются, растворяются в темноте улицы. Зулейха выворачивает шею и смотрит, смотрит на них, не в силах оторваться.

– Зулейха-а-а! – несется оттуда.

В окнах по обеим сторонам улицы – бледные лица соседей с широко раскрытыми глазами.

Вот и околица.

Выехали из Юлбаша.

– Зулейха-а-а! – раздается еле слышный голос.

Санный караван въезжает на холм. Россыпь домов Юлбаша темнеет вдали.

– Зулейха-а-а! – воет ветер в ушах. – Зулейха-а-а!

Она поворачивает голову вперед. С вершины холма раскинувшаяся внизу равнина кажется гигантской белой скатертью, по которой рука Всевышнего разметала бисер деревьев и ленты дорог. Караван с раскулаченными тонкой шелковой нитью тянется за горизонт, над которым торжественно восходит алое солнце.

Часть вторая

В дорогу

Хороша баба.
Игнатов едет в голове каравана. Временами останавливается и пропускает отряд вперед, пристально оглядывая каждого – и угрюмых кулаков в санях, и своих раскрасневшихся на морозе молодцов. Затем вновь обгоняет – любит скакать первым. Чтобы впереди – только широкий, зовущий простор и ветер.

На бабу старается не смотреть, чтобы не подумала лишнего. А как не посмотришь, если формы у ней такие, что сами в глаза прыгают?! Сидит как не на коне – на троне. При каждом шаге покачивается в седле, круто изгибая поясницу и подавая обтянутую белым тулупом грудь вперед, будто кивая и приговаривая: да, товарищ Игнатов, да, Ваня, да...

Он привстает на стременах, придирчиво рассматривая протекающий мимо караван из-под козырька ладони, – словно защищая глаза от солнца. На самом деле – прикрывая взгляд, который то и дело непослушно липнет к Настасье. Так ее зовут.

Сани плывут, громко скрипя по снегу. Изредка фыркают лошади, и у заиндевелых морд причудливыми цветами вырастают облачка пара.

Свирепого вида мужик с черной патлатой бородой правит кобылой зло и нервно. За его спиной – закутанная в платок по брови жена, в руках – по кульку-младенцу, и пестрая стайка ребятишек. «Убью!» – кричал мужик, когда пришли к нему в дом, с вилами кидался на Игнатова. Наставили винтовки на жену с детьми – одумался, охолонул. Нет, вилами Игнатова не возьмешь...

Пожилой мулла держит вожжи неумело, вывернув шерстяные рукавицы. Видно: за всю жизнь ничего тяжелее книги в руки не брал. Упругие завитки дорогой каракулевой шубы лоснятся на солнце. Такую шубу до места не довезешь, равнодушно думает Игнатов: снимут – или в распределительном пункте, или еще где в дороге. А нечего наряжаться – не на свадьбу едем... Жена муллы грузной печальной кучей сидит позади. В руках – изящная клетка, укутанная попонкой: любимую кошку с собой взяла. Дура.

Смотреть на следующие сани Игнатову неловко. Казалось бы: ну убил мужика, оставил бабу без мужа. Не раз уже бывало. Тот сам виноват – кинулся с топором как бешеный. Всего-то хотели поначалу дорогу спросить... Но Игнатова не отпускает какое-то противное, сосущее в животе чувство. Жалость? Больно уж мелкая эта баба, тонкая. И лицо бледное, нежное – словно бумажное. Ясно: дорогу не выдержит. С мужем, глядишь, пережила бы, а так... Получается, будто Игнатов не только мужа – и саму ее убил.

Кулачье жалеть начал. Докатился.

Мелкая баба, проезжая мимо, поднимает взгляд. Ох и зелены глазищи-то, мать моя!.. Конь бьет копытом, пританцовывает на месте. Игнатов поворачивается в седле, чтобы получше разглядеть – но сани уже миновали. На задке чернеет полоса – глубокая зарубка от топора, оставленная вчера Игнатовым.

Он смотрит на этот след, а затылком уже чувствует приближение рыжего лохматого коняги, к гриве которого то и дело склоняется пышная, рвущаяся из-под одежд грудь Настасьи, каждым своим движением кричащая на всю равнину: да, Ваня, да, да, да...

Он присмотрел эту Настасью еще на сборах.

Мобилизованные новобранцы обычно собирались утром во дворе, прямо под его окнами: два дня слушали агитационные речи и тренировались с винтовками, на третий – справку в зубы и вперед, в подчинение сотруднику для особых поручений органов ГПУ, на задание. А следующим утром во дворе уже новая партия. Много добровольцев приходило, всем хотелось к правому делу прислониться. Женщины тоже случались, хотя бабы почему-то больше в милицию записывались. И правильно, ГПУ – дело мужское, серьезное.

Взять Настасью, к примеру. Как пришла – вся работа во дворе встала. Новобранцы глаза на нее повыпучивали, шеи посворачивали, как цыплята дохлые, инструктора слушают вполуха. Тот и сам измаялся, вспотел весь, пока ей устройство винтовки объяснял (Игнатову из кабинета хорошо было видно). Кое-как выучили отряд, спровадили на работы, вздохнули с облегчением. А воспоминание о красивой бабе сладким холодком в животе – осталось.

Тем вечером Игнатов не пошел к Илоне. Вроде всем хороша девка – и не слишком молода (уже битая жизнью, не гордая), и не слишком стара (еще приятно смотреть), и телом вышла (подержаться есть за что), и в рот ему глядит, не налюбуется, и комната у нее в коммуналке большая, двенадцать метров. В общем, живи – не хочу. Она ему так и сказала: «Живите со мной, Иван!» А вот получается: не хочу!

Ворочаясь на жесткой общежитской койке, он слушал храп соседей по комнате и размышлял о жизни. Не подлость ли: думать о новой бабе, когда старая еще надеется, ждет его, небось, подушки взбивает? Нет, решил, не подлость. Чувства – они на то и даны, чтобы человек горел. Если нет чувств, ушли – что ж за угли-то держаться?

Игнатов никогда не был бабником. Статный, видный, идейный – женщины обычно сами приглядывались к нему, старались понравиться. Но он ни с кем сходиться не торопился и душой прикипать тоже. Всего-то и было у него этих баб за жизнь – стыдно признаться – по пальцам одной руки перечесть. Все как-то не до того. Записался в восемнадцатом в Красную армию – и поехало: сначала Гражданская, потом басмачей рубил в Средней Азии... До сих пор бы, наверное, по горам шашкой махал, если бы не Бакиев. Он к тому времени в Казани уже большим человеком стал, из долговязого рыжего Мишки превратился в степенного Тохтамыша Мурадовича с солидным бритым черепом и золотым пенсне в нагрудном кармане. Он-то Игнатова и вернул в родную Татарию. Возвращайся, говорит, Ваня, мне свои люди позарез нужны, без тебя – никак. Знал, хитрец, чем взять. Игнатов и купился – примчался домой выручать друга.

Так началась его работа в Казанском ГПУ. Не сказать, чтобы интересная (так, бумажки всякие, собрания, то да се), но что уж теперь вздыхать... Скоро познакомился с машинисткой из конторы на Большой Проломной. У нее были полные покатые плечи и печальное имя – Илона. Только сейчас, в полные тридцать, Игнатов впервые познал радость долгого общения с одним человеком – он захаживал к Илоне уже целых четыре месяца. Не то что влюблен был, нет. Приятно с ней было, мягко – это да. А чтобы *любить*...

Игнатов не понимал, как можно любить женщину. Любить можно великие вещи: революцию, партию, свою страну. А женщину? Да как вообще можно одним и тем же словом выражать свое отношение к таким разным величинам – словно класть на две чаши весов какую-то бабу и Революцию? Глупость какая-то получается. Даже и Настасья – манкая, звонкая, но ведь все одно – баба. Побыть с ней ночь, две, от силы полгода, потешить свое мужское – и все, довольно. Какая уж это любовь. Так, чувства, костер эмоций. Горит – приятно, перегорит – сдунешь пепел и дальше живешь. Поэтому Игнатов не употреблял в речи слово *любить* – не осквернял.

Утром вдруг вызывает Бакиев. Дождался, говорит, ты, друг Ваня, настоящего задания. Поедешь в деревню с врагами революции воевать, их там еще много осталось. У Игнатова аж сердце захолонуло от радости: опять на коня, опять в бой! В подчинение дали ему пару красноармейцев и отряд мобилизованных. А среди них – в белом тулупе да на рыжем коне – она, она, родимая... Судьба их сводит, не иначе.

Перед отъездом заскочил к Илоне, попрощался сухо. Та, чувствуя холод в его глазах, сразу в слезы: «Вы меня не любите, Иван?» Он рассердился, аж зубами скрипнул: «Любят – мамки детей!» – и вон от нее. А она ему вслед: «Я буду ждать вас, Иван, слышите! Ждать!» Театр устроила, одним словом.

То ли дело – Настасья. Эта не будет заламывать руки и вздыхать. Эта знает, для чего мужикам бабы нужны, а бабам – мужики...

Вот она проезжает мимо: улыбается широко, не стыдясь, глядит прямо в глаза. Острыми зубками стягивает с пухлой ладони рукавицу, треплет нежными пальцами гриву коня, перебирает пряди. Ласкает.

Игнатов чувствует, как внезапные горячие мурашки бегут от затылка к шее и ниже, за шиворот, стекают по позвоночнику. Отводит взгляд, хмурится: не годится красноармейцу на посту о бабах думать. Никуда она от него не денется. И пришпоривает коня, скачет в начало каравана.

Ехали долго. Видели хвосты других караванов, так же медленно и неумолимо тянувшихся по бескрайним холмам когда-то Казанской губернии, а теперь Красной Татарии, к столице – белокаменной Казани. Кому-то, видно, маячил и их хвост, но Игнатов этого не знал – назад смотреть не любил. Изредка проезжали через деревни, и деревенские выносили из домов хлеб, совали в руки понуро сидевшим в санях раскулаченным. Он не запрещал: пусть себе, меньше казенных харчей в Казани съедят.

Остался позади очередной холм (Игнатов уже сбился их считать, бросил). Вдруг – в монотонном скрипе полозьев – громкий крик чернявого Прокопенко: «Товарищ Игнатов! Сюда!»

Игнатов поворачивается: ровная лента каравана разорвана посередине, словно ножом разрезана. Передняя часть продолжает медленно двигаться вперед, а задняя стоит. Темные фигурки конных суетятся в месте разрыва, нервно гарцуют, машут руками.

Подъезжает ближе. Вот она, причина, – сани мелкой бабенки с зелеными глазищами. Впряженная в них лошадь стоит, низко опустив голову, а под брюхом у нее пристроился жеребенок: торопливо сосет материнское вымя, постанывает – проголодался. Задним не проехать – дорога узка, в одни сани.

– Кобыла бастует, – растерянно жалуется Прокопенко, сводит домиком черные брови. – Я уж ее и так, и сяк...

Старательно тянет лошадь за уздцы, но та встряхивает гривой, отфыркивается – не хочет идти.

– Ждать надо, пока не накормит, – тихо говорит женщина в санях.

Вожжи лежат у нее на коленях.

– Ждут мужа домой, – жестко отвечает Игнатов. – А нам – ехать.

Спрыгивает на землю. Достает из кармана шинели припасенные для своего коня хлебные корки, пересыпанные камешками крупной серой соли, сует упрямой лошади. Та шлепает черными блестящими губами – ест. То-то же, смотри у меня... Он гладит длинную, поросшую жесткими серыми волосами морду.

– Ласка – она и лошадь берет, – подъехавшая Настасья широко улыбается, собирая в ямочки полукружия щек.

Игнатов тянет за уздечку: давай, милая. Лошадь дожевывает последнюю корку и строптиво опускает голову к земле: не пойду.

– Ее сейчас не сдвинешь, – подает голос молчаливый Славутский и задумчиво трет длинную нитку шрама на лице. – Пока не накормит – не пойдет.

– Не пойдет, значит... – Игнатов тянет сильнее, затем резко дергает уздечку.

Лошадь жалобно ржет, показывая кривые желтые зубы, бьет копытом. Жеребенок торопливо сосет вымя, кося на Игнатова темными сливами глаз. Игнатов размахивается и наотмашь бьет кобылу ладонью по крупу: пшла! Та ржет громче, мотает головой, стоит. Еще раз по крупу: пшла, говорю! пшла, лешего за ногу! Стоящие рядом кони волнуются, подают настороженные голоса, встают на дыбы.

– Не пойдет, – упрямо повторяет Славутский. – Хоть до смерти забей. Тут такое дело – мать...

Вот заладил, офицерская морда. Десять лет как в Красную армию переметнулся, а образ мыслей все еще не наш, не советский.

– Придется уступить кобыле, а, товарищ Игнатов? – Настасья поднимает бровь, оглаживает шею своего коня, успокаивая.

Игнатов хватает жеребенка сзади за круп и тянет, пытаясь оторвать от вымени. Тот дрыгает ногами, как саранча, и проскакивает у лошади под брюхом – на другую сторону. Игнатов валится спиной в сугроб – жеребенок продолжает есть. Настасья заливисто хохочет, ложась грудью на лохматую холку своего коняги. Славутский смущенно отворачивается.

Игнатов, чертыхаясь, поднимается на ноги, отряхивает снег со шлема, с шинели, с шаровар. Взмахивает рукой ушедшим вперед саням:

– Сто-о-ой!

И вот уже конные скачут вдогонку голове отряда: сто-о-ой! До команды – отдыха-а-ай!

Игнатов снимает буденовку, вытирает раскрасневшееся лицо, зыркает на Зулейху сердито.

– Даже кобылы у вас – сплошная контрреволюция!

Караван отдыхает, дожидаясь, пока полуторамесячный жеребенок напьется материнского молока.

Когда на поля упал густо-синий вечер, до Казани еще оставалось полдня ходу. Пришлось заночевать в соседнем кантоне.

Местный председатель сельсовета Денисов – коренастый мужик с крепкой походкой опытного моряка – принял их тепло, даже радушно.

– Гостиницу вам организую – по высшему разряду. «Астория»! Да что там, бери выше – «Англетер»! – пообещал он, щедро обнажая в улыбке крупные зубы.

И вот уже – бараны оглушительно блеют, толкаются, вскакивают друг на друга, тряся вислыми ушами и лягаясь тонкими черными ногами. Денисов, растопырив ладони, сгоняет всех в загон – за длинную ситцевую занавеску, разделяющую пространство на две половины. Последний юркий ягненок все еще носится, дробно стуча копытцами, по деревянному полу. Председатель хватает наконец его за кучерявую шкирку и швыряет к остальным; довольно озирается, пинает сапогом пахучие бараньи катышки, гостеприимно распахивает руки (в проеме ворота сверкают полоски тельняшки):

– А я что говорил?!

Игнатов задирает голову – осматривается. Яркий свет керосинки освещает высокий деревянный потолок. Длинные узкие окна – хороводом по круглому куполу. На темных, смолой запекшихся стенах – мелкие волны полустершихся арабских надписей. Пещерами зияют ниши, в которых едва заметными светлыми квадратами мерцают следы от недавно снятых ляухэ.

Сначала Игнатов не хотел ночевать в бывшей мечети – ну его к лешему, этот очаг мракобесия. А теперь вот думается: и правда, почему бы и нет? Молодец Денисов, соображает. Что зданию зря простаивать?

– Места всем хватит, – продолжает нахваливать председатель, задергивая пеструю чаршау. – Баранам на женской половине, людям – на мужской. Пережиток, конечно. Но удобно – факт! Хотели сначала убрать занавеску, а потом решили оставить. У нас тут, считай, что ни вечер – то гости.

Мечеть передали колхозу недавно. Даже острый запах бараньего навоза не мог перебить ее особого, еще сохранившегося по углам аромата – не то старых ковров, не то запыленных книг.

У входа сгрудились озябшие переселенцы, испуганно пялятся на занавеску, за которой все еще ревут и толкаются бараны.

– Располагайтесь, граждане раскулаченные, – Денисов открывает заслонку печи, подкидывает несколько поленьев. – У меня колхозницы тоже поначалу боялись на мужскую половину заходить, – заговорщически шепчет Игнатову. – Грех, говорят. А потом ничего – привыкли.

Мулла в каракуле первым входит в мечеть. Идет к высокой нише михраба, встает на колени. Несколько мужчин проходят следом. Женщины по-прежнему толпятся у порога.

– Гражданочки! – весело кричит председатель от печки, и золотые блестки огня сверкают в его темных зрачках. – Вот бараны – не боятся. Берите пример с них.

Из-за занавески несется в ответ пронзительное блеяние.

Мулла встает с колен. Поворачивается к переселенцам и делает ладонями приглашающий знак. Люди несмело входят, рассыпаются вдоль стен.

Прокопенко, присев у груды хлама в углу, раскопал там книгу и ковыряет ногтем красивый матерчатый переплет, украшенный металлическими узорами, – к знаниям тянется.

– Книги прошу не брать, – замечает председатель. – Уж больно для растопки хороши.

– Ничего не тронем, – Игнатов сурово смотрит на Прокопенко, и тот бросает книгу обратно в кучу, равнодушно дергает плечом: не больно-то и хотелось.

– Слышь, уполномоченный, – Денисов поворачивается к Игнатову, – а солдатики твои барашка на ужин не уведут? У меня что ни караван с раскулаченными, так утром – недостача. За январь-то уже полстада – тю! Факт.

– Колхозное добро! Как можно?!

– Ну ладно... – Денисов улыбается и шутливо грозит Игнатову крепким узловатым пальцем в черных пятнах мозолей. – А то ведь порой за всем и не усмотришь...

Игнатов успокаивающе хлопает Денисова по плечу: не дрейфь, товарищ! Надо же: бывший питерский моряк (балтиец!) и ленинградский рабочий (ударник!), теперь вот двадцатипятитысячник (романтик!) приехал по зову партии поднимать советскую деревню, – словом, наш человек по всем статьям – а так плохо думать о своих...

Настасья тягучим, ленивым шагом идет по мечети, разглядывая жмущихся по углам переселенцев. Стягивает с головы лохматую папаху, и тяжелая пшеничная коса льется по спине к ногам. Женщины охают (в мечети, при мужчинах, при живом мулле – с непокрытой головой!), зажимают ладонями глаза ребятишкам. Настасья подходит к разжарившейся печи и забрасывает на нее тулуп. Складки на гимнастерке тугими струнами тянутся от высоко стоящей груди под широкий ремень, схваченный на поясе так крепко, что кажется, вот-вот – зазвенит и лопнет.

– Здесь детей положим, – говорит Игнатов, не глядя на нее. «Опять жалею?» – подумалось зло. Тут же успокоил себя: хоть и кулацкие, а все ж – дети.

– Ой замерзну, – весело вздыхает та и забирает тулуп.

– Давай-ка я тебе сена организую, раскрасавица, – подмигивает ей Денисов.

Ребятня, с возней и сдавленными криками, кое-как размещается на широкой печи: кто сверху, кто рядом. Матери ложатся на полу вокруг, широким плотным кольцом. Остальные ищут себе местечки вдоль стен – на завалявшейся в углу ветоши, на обломках книжных шкафов и лавок.

Зулейха находит полуобгоревший ошметок ковра и устраивается на нем, привалившись спиной к стене. Мысли в голове до сих пор – тяжелые, неповоротливые, как хлебное тесто. Глаза – видят, но будто сквозь завесу. Уши – слышат, но как издалека. Тело – двигается, дышит, но словно не свое.

Весь день она думала о том, что предсказание Упырихи сбылось. Но – каким страшным образом! Три огненных фэрэштэ – три красноордынца – увезли ее с мужниного двора в колеснице, а старуха осталась со своим обожаемым сыном в доме. То, чему Упыриха так радовалась и чего так хотела, свершилось. Догадается ли Мансурка похоронить Муртазу рядом с дочерьми? А Упыриху? В том, что старуха после смерти сына долго не протянет, Зулейха не сомневалась. Аллах Всемогущий, на все твоя воля.

Впервые в жизни она сидит в мечети, да еще на главной – мужской – половине, недалеко от михраба. Видно, и на это есть воля Всевышнего.

Мужья пускали женщин в мечеть неохотно, лишь по большим праздникам: на Уразу и на Курбан. Муртаза каждую пятницу, крепко попарившись в бане, румяный, с тщательно расчесанной бородой, спешил в юлбашскую мечеть на большой намаз, положив на выбритый до розового блеска череп зеленый бархатный тюбетей. Женская половина – в углу мечети, за плотной чаршау – по пятницам обычно пустовала. Мулла-хазрэт наказывал мужьям передавать содержание пятничных бесед оставшимся дома на хозяйстве женам, чтобы те не сбивались с пути и укреплялись в истинной вере. Муртаза послушно выполнял наказ: придя домой и усевшись на сяке, дожидался, пока на женской половине стихнет шорох мукомолки или лязганье посуды, и бросал через занавеску свое неизменное: «Был в мечети. Видел муллу». Зулейха каждую пятницу ждала эту фразу, ведь она означала гораздо больше, чем ее отдельные слова: все в этом мире идет своим чередом, порядок вещей – незыблем.

Завтра – пятница. Завтра Муртаза не пойдет в мечеть.

Зулейха находит взглядом муллу-хазрэта. Тот продолжает молиться, сидя лицом к михрабу.

– Дежурным занять посты, – командует Игнатов. – Остальным – спать.

– А если не хочется, товарищ Игнатов? – полногрудая баба, так бесстыже обнажившая голову в храме, раздобыла охапку сена и стоит, обнимая ее.

– На заре – подъем, – сухо отвечает тот, и Зулейхе отчего-то приятно, что командир так строг с бесстыдницей.

Баба громко вздыхает, еще выше поднимая и без того торчащую вперед грудь, бросает охапку на пол недалеко от Зулейхи.

Дежурные устраиваются у входа на перевернутом книжном шкафу, бодро сверкая штыками в полутьме. «От зорьки и до зорьки моряки на вахте зорки!» – козыряет им на прощание председатель, желает спокойной ночи переселенцам и баранам. Игнатов дает знак – и керосинка втягивает оранжевый язычок, лишь кончик фитиля тлеет в темноте едва заметно.

Зулейха нащупывает в кармане хлеб, отламывает кусок, жует.

– Куда ты везешь нас, комиссар? – раздается в темноте звучный, нараспев, голос муллы.

– Куда партия послала – туда и везу, – так же громко отвечает Игнатов.

– Куда же послала нас твоя партия?

– Спроси у всезнающего Аллаха, пусть шепнет тебе на ушко.

– Дорогу выдержат не все. На смерть везешь, комиссар.

– А ты постарайся выжить. Или попроси у Аллаха быстрой смерти, чтоб не мучиться.

Переселенцы возбужденно перешептываются: куда? куда? – Неужели в Сибирь? – А куда ж еще? Ссылали – всегда туда. – А далеко ли это? – Сказал же мулла-хазрэт: так далеко, что дорогу не выдержать. – И Алла! Лишь бы доехать. – Верно. Кто доедет – выживет...

Дежурные звонко лязгают винтовками, заряжая их перед сном. Шорох голосов стихает. Печное тепло расползается по мечети, веки наливаются усталостью, смыкаются – Зулейха засыпает. Жена муллы, выпустив из клетки любимую серую кошку, кормит ее с руки, роняя крупные слезы на мягкую полосатую спинку.

– Зулейха-а-а! – голос Упырихи слышится издалека, словно из подпола. – Зулейха-а-а!

Сейчас, лечу, мама, лечу...

Зулейха открывает глаза. Вокруг, в густом полумраке, едва разведенном дрожащим керосиновым светом, спят переселенцы. Потрескивает огонь в печи, изредка сонно взблеивают в закутке бараны. Дежурные сладко дремлют, прислонясь к стене и свесив головы на опустившиеся плечи.

Уф, показалось.

И вдруг громкий шорох – совсем близко. Прерывистый шепот – мужской или женский? – горячий, быстрый, путаный, смешанный с громким частым дыханием: на том месте, где вчера устроилась на охапке сена бесстыжая баба, темнота дрожит, волнуется, дышит. Движется – сначала медленно, затем быстрее, резче, стремительнее. Уже и не темнота – два тела, укутанные тенью. Что-то вздрагивает, всхрипывает, выдыхает глубоко и долго. И – сдавленный женский смех: «Погоди ты, бешеный, загнал совсем». Голос знакомый – это она, пышнощекая срамница. Зулейха, кажется, видит во тьме желтые волосы, рассыпавшиеся тяжелым снопом. Та дышит широко раскрытым ртом, с облегчением, громко – словно не боясь быть услышанной. Склоняет голову на чью-то грудь, и оба замирают, затихают.

Зулейха напрягает зрение, пытаясь рассмотреть лицо мужчины. И различает два глаза, глядящие из темноты: он давно и внимательно смотрит на нее – Игнатов.

– Салахатдин! – вдруг раздается где-то в глубине мечети истошный крик. – Муж мой!

Резко вспыхивает керосинка. Люди вскакивают, озираются, плачет спросонья ребенок, мявкает кошка под чьим-то нечаянным сапогом.

– Салахатдин! – продолжает кричать жена муллы.

Игнатов, чертыхаясь, высвобождается из сети Настасьиных русалочьих волос, торопливо застегивает ремень, на ходу натягивает сапоги. Бежит туда, где уже сгрудились плотной кучкой переселенцы.

Люди расступаются. На полу, устремив седую голову к михрабу и вытянув длинные ноги из-под кудрявой шубы, лежит мулла-хазрэт. Рядом на коленях, лбом в пол – рыдает его огромная жена. Открытые глаза муллы застыли и смотрят вверх, скулы обтянуло кожей, бегущие от носа к подбородку морщины сложили губы в бледную сухую улыбку. Игнатов поднимает взгляд. В узких оконцах – жидкий голубой свет. Утро.

– Всем собираться, – говорит он застывшим лицам вокруг. – Выезжаем.

И идет к выходу.

Настасья провожает его взглядом, сидя на охапке сена и заплетая распущенные волосы в толстую пшеничную косу.

Собрались быстро. Тело муллы было решено оставить в кантоне для захоронения. Шубу – Игнатов настоял – опухшая от слез жена хазрэта накинула на себя. Дети помогли поймать спрятавшуюся от страха за печкой кошку и усадить обратно в клетку.

Когда Зулейха уже сидела на месте возницы, держа наготове вожжи, – ждали команды на выезд, – к ней, озираясь, подскочил чернявый и торопливо закинул в сани что-то тяжелое, белое, лохматое – ягненка. Накрыл мешковиной и прижал кривой палец к губам: тс-с-с...

Громко, на весь двор, раздается: поехали! Отфыркиваются кони, перекрикиваются конвоиры. И сани, как медленный косяк крупных рыб, тянутся со двора.

Улыбающийся председатель Денисов стоит у ворот, провожает.

– Ну, – говорит ему Игнатов дружески, крепко жмет жесткую, как подошва, ладонь, – держись, брат!

– Слышь, Игнатов, – тот немного смущенно ведет бровями, понижает голос. – А как считаешь – если на мечети красный флаг повесить?

Игнатов оглядывает высокую башню минарета с острой, в небо уткнувшейся вершиной, на которой темнеет жестяная загогулина полумесяца.

– Издалека будет видно, – одобряет он. – Красиво!

– Все-таки – здание культа. Винегрет какой-то получается.

– В голове у тебя винегрет, – похлопывает по шее нетерпеливо танцующего коня Игнатов. – А это – настоящий колхозный хлев. Понял, ударник?

Тот улыбается, машет рукой: как не понять!

Игнатов пропускает перед собой последние сани, окидывает взглядом опустевший двор и скачет вслед за караваном, брызжа из-под копыт звонким утренним снегом.

Когда деревня остается далеко позади, Зулейха оборачивается. Над тонкой свечкой мечети уже вьется горячим огоньком красный флаг.

Председатель сельсовета Денисов отработает в деревне еще полгода. К весне он организует колхоз и хорошо, на совесть, поднимет процент коллективизации во вверенном ему населенном пункте.

Бороться с религией будет от всей души, по-балтийски: во время священного месяца Рамазан организует агитационные шествия вокруг мечети, самолично выступит оппонентом трех служителей культа на публичном диспуте «Нужна ли религиозность в советском обществе?», соберет и сожжет все деревенские кораны.

Венцом его карьеры на селе станет добыча трактора «Коммунар» для своего колхоза – на зависть всем пока еще безмашинным соседним деревням кантона. Трактор ста-

нет самым ценным и самым охраняемым объектом денисовского хозяйства.

Он выступит с новаторской инициативой: переименовать языческий праздник Сабан-туй – Праздник Плуга, отмечаемый в татарских селах в конце весны, – в Трактор-туй. Инициативу поддержат в центре; на торжество приедет делегация ЦИК из самой Казани и десант газетных корреспондентов. Однако праздник сорвется из-за неисправности самого трактора. Позже выяснится, что местная старушка-абыстай из добрых побуждений решила задобрить духа трактора и тайно скормила мотору некоторое количество яиц и хлеба, что и послужило причиной поломки. Недовольные товарищи из ЦИК и корреспонденты уедут в Казань ни с чем, а карьера Денисова стремительно пойдет на спад.

Его отзовут из деревни и отправят домой. По возвращении в Ленинград он найдет свою комнату в коммуналке намертво занятой расплодившимися соседями. В отчаянной затяжной борьбе с управдомами за жилплощадь начнет прикладываться к бутылке, и через пару лет его выселят из общежития за пьянство. В тридцать третьем году, во время паспортизации, Денисова как лицо без прописки и просто запойного пьяницу вышлют из Ленинграда – сначала за 101-й километр, затем в Усть-Цильму, а потом и вовсе – под Душкачан, где его след навсегда затеряется среди прибайкальских сопок.

Кофе

Кто ж не любит кофе из маленьких фарфоровых чашек?!

Вольф Карлович прячет лицо под одеяло, продолжая ощущать на лбу горячее прикосновение солнечного луча. Еще пара мгновений и – вставать. Дела не ждут.

Скоро в кабинет шумно ворвется Груня, неся на старательно вытянутых руках поднос с крошечной дымящейся чашкой. С утра – только кофе и маленький ломтик шоколада, никакой еды, от нее тяжелеют мысли и члены. Сам он встанет и широким движением распахнет портьеру, позволяя солнечному свету залить комнату. Груня придирчивым взглядом окинет висящий наготове синий мундир, осторожно снимет с рукава несуществующую пылинку (ее застенчивое преклонение перед его форменным профессорским облачением с годами становится все сильнее). И покатится новый день: лекции, экзамены, тысячи возбужденных студенческих лиц...

Вольф Карлович энергичным взмахом посылает одеяло на пол, пальцы ног нащупывают гладкую прохладную кожу домашних туфель. Портьера, шурша, отлетает в сторону и открывает знакомый с детства вид. Эркер в три высоких окна – как огромный живой триптих, в котором вот уже много лет зеленеют, цветут, облетают, покрываются инеем и снова цветут, отражаясь в зеркале Черного озера, старые ветвистые липы.

Сейчас стекла покрыты тонкими морозными росписями. Januar, как сказал бы отец, посылая ежеутренний величественный взгляд за окно, словно по-дружески здороваясь с зимним месяцем.

Раньше это был кабинет отца, и маленькому Вольфу не разрешалось бывать в нем. Тайком он пробирался сюда и, забравшись за складки портьеры, расплющивал нос о холодное стекло – любовался озером.

Теперь здесь работает он сам. Даже спать предпочитает тут же, на жестком диване у старинного отцовского секретера. На столе приготовлены перо и бумага – хорошие мысли имеют обыкновение прилетать по ночам. Он уже и забыл, когда последний раз ночевал в спальне. Наверное, это было еще до начала ремонта.

Ремонтом заведовала Груня, как и всем, что происходило в старой профессорской квартире. Большая, шумная, коса вокруг головы – толщиной с руку, а сами руки – толщиной с ногу, Груня тяжелой солдатской поступью вошла в этот дом двадцать лет назад, и Вольф Карлович мгновенно капитулировал, с безропотной радостью отдал ей бразды правления своим невеликим хозяйством, чтобы с головой погрузиться в упоительный мир загадок человеческого тела.

Профессор Казанского университета в третьем поколении, Вольф Карлович Лейбе был практикующим хирургом. Практика его была обширна, люди дожидались очереди на операцию месяцами. Каждый раз, занося скальпель над мягким бледным телом пациента, он ощущал прохладный трепет в самой глубине живота: *имею ли право*? Нож касался кожи – и холодок превращался в тепло, разливался по членам: *не имею права не попытаться.* И пытался: вел мысленный диалог с кожными покровами, мышечными и соединительными тканями, через которые пробирался к цели, уважительно приветствовал внутренние органы, шептался с сосудами. Он *разговаривал* с телами больных посредством скальпеля. И тела отвечали ему. О своих *диалогах* никому не рассказывал – со стороны это могло показаться похожим на душевную болезнь.

И вторая тайна была у Вольфа Карловича: его донельзя, до зуда в кончиках пальцев, волновала тайна человеческого рождения.

По молодости, упоенный лекциями легендарного профессора Феноменова, он даже хотел остаться работать на кафедре акушерства и женских болезней. Отец отговорил («Всю жизнь – у крестьянок роды принимать?»). Юный Вольф покорился – ушел на кафедру благородной хирургии.

Уже став хирургом и препарируя в анатомическом театре никем не востребованные тела нищих и проституток, доставленные из полицейского участка в качестве учебных трупов, он иногда обнаруживал в женском чреве маленький плод. Эти находки каждый раз приводили его в состояние смутного волнения. Мелькала нелепая мысль: а вдруг этот крошечный зверок с морщинистой мордочкой и карикатурно мелкими конечностями – жив?

Hic locus est ubi mors gaudet succurrere vitae, гласила надпись над круглым зданием университетского анатомического театра. *Это место, где смерть с радостью помогает жизни.* Так оно и было. Нерожденные младенцы в утробах зарезанных из ревности сонечек и случайно убитых в бандитских перестрелках мусечек жаждали открыть Вольфу Карловичу свои маленькие тайны – их тонкие голоса постоянно роились в голове, шептали, бормотали, иногда кричали.

И он сдался. В тысяча девятисотом году, на рубеже веков, в возрасте двадцати пяти лет провел свою первую гистеротомию. К тому времени на его счету было уже несколько десятков чревосечений, и эта новая операция – *кесарево сечение* – не была для него чем-то особенно сложна. Но совершенно особенным было чувство после: одно дело – вырезать из чрева больного скользкий кровавый шмат опухоли и швырнуть его в таз; совсем другое – достать живого, трепещущего младенца.

Операция прошла блестяще. Затем – еще одна, и еще. Слава о молодом хирурге «от Бога» полетела по Казанской губернии. Так он и жил: клинической хирургией занимался для отца, гинекологией (немного смущаясь и не афишируя) – для себя.

Кстати, когда он последний раз оперировал? Вольф Карлович задумывается. Казалось бы – совсем недавно, а вспомнить точную дату или предмет операции – затруднительно. Преподавание отнимает так много сил и времени, что некоторые события стираются из памяти. Надо будет спросить у Груни.

Вольф Карлович берет с подоконника лейку и поливает свою пальму. Это единственное, что Груне не разрешается делать в доме. Этот полив – особый ритуал: когда профессор поит свою пальму, он успокаивается. Огромное дерево с блестящими мясистыми листьями в деревянной кадушке на полу – его полный ровесник. В день его рождения, пятьдесят пять лет назад, отец посадил в кадку косточку и забыл о ней – а через месяц с удивлением обнаружил упрямый коренастый росток. Пальма росла и постепенно превратилась в высокое мощное дерево, правда, ни разу не цветшее. День, когда оно зацветет, станет для Вольфа Карловича праздником.

С треском распахивается дверь – в комнату врывается Груня: шумно и неумолимо, как летящий по рельсам паровоз. «Доброе утро», – произносят ее пухлые, тронутые яркой помадой губы. Значит, утро и вправду – доброе. Как и день впереди.

Комнату наполняет запах гречневой каши с луком.

Груня ставит на краешек стола серебряный поднос с маленькой фарфоровой чашкой.

– Пожалуйста, попросите рабочих начать свой бедлам попозже, – Вольф Карлович просительно улыбается, стоя у пальмы. – Хочу поработать в тишине.

Груня молча кивает высокой прической из толстых, корабельными канатами перевитых кос.

– И когда же... – Вольф Карлович заботливо перебирает гладкие прохладные листья. – ...когда же закончится этот бесконечный ремонт?

– Скоро, – произносит Груня низким голосом, направляясь к выходу. – Недолго ждать осталось.

– И еще. Груня...

Та останавливается у двери, оборачивается.

– Вы не вспомните: когда я последний раз оперировал? Как-то вылетело из головы...

Груня собирает в складки низкий лоб.

– Вам зачем?

Вольф Карлович жмется под ее грозным взглядом.

– Чувствую себя неуютно, когда не могу вспомнить такой простой факт своей биографии.

– Пойду вспоминать, – Груня решительно кивает, словно бодает воздух перед собой, и выходит.

Через приоткрывшуюся дверь в комнату доносится бряцание посуды, возбужденные женские голоса и детский плач.

– Я же просил тишины! – Вольф Карлович мученически прикладывает ладонь ко лбу.

Груня идет на кухню за завтраком для себя и Степана.

Три огромных окна без штор. Веревки с бельем разделяют пространство на два неровных треугольника. Шесть столов – хороводом, по стенкам. Шесть керосинок – на столах. Шесть пузатых комодов. Вообще-то комнат в квартире семь, но у Вольфа Карловича нет своего стола. Ну и керосинки, значит, тоже нет.

Завидев Груню, что-то горячо обсуждавшие женщины притихают, разбредаются по своим углам. Становится отчетливо слышно, как у кого-то на сковороде шкворчит яичница. Груня берется рукой за бельевую веревку и сдвигает по ней тщательно развешанные простыни, сминает их в гармошку.

– Говорила: мою половину не занимать, – произносит в потолок.

– Так у тебя ж сегодня нет стирки, – одна из женщин упирает в бока руки с закатанными рукавами.

Груня молча развязывает на поясе тряпичный фартук и вешает его на освобожденную веревку: теперь есть! Потом отпирает буфет, достает хлеб, вновь запирает на ключ. Снимает со своей керосинки кастрюлю с кашей и идет к выходу. Женщины провожают ее глазами. Клокочет вода в тазу с кипящим бельем. Шипит, убегая, молоко.

В коридоре темно: газовые рожки не работают уже лет десять. Шкафы и сундуки перегородили некогда широкий коридор – не пройти. Вот она, коммунальная жизнь: темнота, теснота и запах жареного лука. То ли дело раньше...

Груня толкает могучим задом дверь и входит к себе.

– Что так долго? – Степан за столом в одной майке ковыряется отверткой в большом амбарном замке. Его руки – в блестящих черных пятнах масла.

– Он хочет вспомнить, когда последний раз оперировал. – Груня ставит кастрюлю на стол и задумчиво разглядывает узор на скатерти.

Степан кладет отвертку и берет замок в руки. Клац! – и дужка хищно защелкивается. Берет лежащий рядом ключ, вставляет, проворачивает с ладным механическим звуком – дужка замка послушно открывается.

– Готово, – он обнажает в улыбке прокуренные, хороводом пляшущие во рту зубы.

– Он хочет вспомнить, когда последний раз оперировал, – громче повторяет Груня. – А вдруг он захочет вспомнить что-то еще?

– Думаешь, это так просто: захотел – и вспомнил? Десять лет не помнил, а потом захотел – и нате? – Степан вытирает руки о майку, отламывает хлеб и начинает жевать.

– Откуда я знаю?! – Груня достает половник и швыряет в тарелку ком плотной дымящейся каши.

– Ты когда письмо отправила? – Степан ест исходящую паром гречу большими ложками, не обжигаясь.

– С месяц уже.

– Значит, придут скоро. Недолго ждать осталось. Там тоже люди работают, им разобраться время нужно. – Степан мизинцем достает застрявшую в недрах верхней челюсти крупинку, обтирает палец о скатерть. – Наше дело – не пропустить... Во! – он встает из-за стола, потрясает в воздухе тяжелым замком и вешает его на гвоздь у двери. – Они все опечатают, а ты сразу: шасть! и поверх бумажки – замок. Если кто спросит – скажешь, управдом велел.

Груня, сидя на табуретке, мелко трясет головой – соглашается.

– Управдом-то – не передумает? – она исподлобья глядит, как Степан садится обратно за стол и продолжает работать ложкой; по плечам буграми катаются мускулы.

– Не боись. – Степан широко улыбается, в щелях между зубами – темные пятна гречки. – Со мной – ничего не боись! Будешь по утрам кофий пить: в прохвесорской комнате, из прохвессорских чашек.

Ее мясистые губы вздрагивают в смущенной улыбке, потом опять тревожно приоткрываются:

– А все-таки жалко мне его. Такой человек был...

Степан тщательно вылизывает ложку. Потом подходит к Груне сзади и кладет жилистые руки на ее круглые плечи. Пышная грудь под тонким застиранным ситцем вздрагивает и медленно поднимается в глубоком вдохе, как дрожжевое тесто на печи.

– Чего жалеть-то? – одними губами шепчет Степан Груне в ухо. – Был, да закончился.

От Степана идет сильный мужской дух, смешанный с запахом гречки и машинного масла. Груня сжимает пальцы на коленях – ткань платья морщится.

– Ты свое отработала. За двадцать-то лет... Заслужила. И так уже: кормишь его, поишь, обстирываешь. Заметь – бесплатно. Подумаешь – работала на него когда-то. Подумаешь – важная была птица. Без тебя бы давно уже помер твой прохвессор. Так что пусть спасибо тебе скажет, что жив.

Ладони Степана – тисками на Груниных плечах. Слышно, как тикают на стене ходики.

– А мы с тобой потом, глядишь, – и еще расширимся. Что нам – всю жизнь в двух комнатенках ютиться?

Она закрывает глаза и прижимается ухом к жесткой волосатой руке. Его пальцы двигаются к основанию шеи, и дальше – к разрезу платья.

– Ну-ка, Грушенька, – шепчет он тихо. – Ну-ка, яблонька моя...

Пронзительно верещит колокольчик у входной двери. Один раз – это к профессору. Последний раз к нему приходили лет пять или шесть назад, какой-то худой старичок проездом из Москвы в Сибирь (звал профессора преподавать в Томск, но Лейбе отказался).

Груня вскакивает. Встречается глазами с напряженным взглядом Степана, прижимает руку ко рту: неужели *они*? Степан сердито ведет подбородком: открывай, чего застыла. Она бежит в коридор, на ходу вдевая в петли расстегнувшиеся пуговицы на вороте платья. Спиною чувствует тяжелый взгляд Степана, бьющий в затылок из приоткрытой двери. Долго гремит замками и цепочками, наконец пальцы справляются с волнением. Груня прерывисто выдыхает и толкает рукой тяжелую входную дверь.

Илона стоит, переминаясь на каблучках-рюмочках и пониже опустив на глаза краешек шляпки. Стыдно, Бог мой, как стыдно...

Женщина-гора открывает дверь. Дышит глубоко и грозно, как дракон. Смотрит на Илону бусинками глаз, молчит.

– Мне – к профессору Лейбе, – беспомощно выдыхает Илона.

Женщина-гора бодает подбородком воздух, указывая на белую дверь в полутьме коридора. Но с места не сходит – стоит, загораживая проход. Илона прижимает к груди плоскую сумочку, как щит, и, обмирая от щедрого горячего запаха лука и каши, идущего от женщины, бочком просачивается в квартиру. Хочет нырнуть за белую дверь, но грозная хранительница порога перекрывает рукой проход. «Доложу», – басом, с ненавистью сообщает она и уходит в комнату. Илона остается одна в душных коричневых сумерках прихожей.

Где-то далеко впереди – светлый прямоугольник хода на кухню, откуда несет стиркой и обедом, слышится гул женских голосов, детский смех и дребезжание велосипедного звонка. Вдоль коридора – высокие, в чешуйках полуоблетевшей белой краски, еле различимые во тьме комнатные двери. Илоне кажется, что за ними кто-то прячется – наблюдает. И когда профессорская дверь наконец распахивается и низким голосом дородной женщины приглашает войти, она юркает туда с благодарным облегчением.

«Вольф Карлович Лейбе, проф. мед. по жен., светило!» Именно такую запись Илона обнаружила в дневнике своей матери, разбирая ее вещи после похорон. Слово «светило» было подчеркнуто дважды. Краснея от догадок, зачем матери понадобился «проф. мед. по жен.», она убрала рассыпающийся на листки блокнот на антресоль. Вспомнила лишь через несколько лет, привычно ворочаясь без сна на кровати, остывающей после ухода Ивана, и мучаясь догадками: почему, дожив до двадцати пяти лет, она еще ни разу не?.. Как бы это сформулировать, соблюдая приличия...

Ее подруги жили насыщенной комсомольской жизнью: влюблялись, заводили ухажеров (комсомольцев и партийцев, в крайнем случае – ударников труда), меняли их, выходили замуж и разводились, сбивались со счета абортам. Некоторые – даже рожали маленьких, розовых, противными голосами кричащих детей.

Илона наблюдала все эти водовороты и хитросплетения женских судеб со стороны, в перерывах между стучанием по клавишам старого доброго ундервуда, за махиной которого она ловко и незаметно пряталась от жизни в мелкой конторе.

Ухажеров было мало, замуж не звали. Нет, почему же мало? Были, конечно. И счастье женское ей дарили – как и сколько могли. Она жадно пила это счастье до капли. Но не беременела (какое ужасное слово!). Ее лоно было бездонным сосудом, принимавшим все, что в него попадало, но ничего не могущим дать этому миру. Милиционер Федорчук, обаятельный крепыш – смуглый, кудрявый, черноглазый и – беспоборотно женатый; счетовод Зельдович, рано полысевший и поседевший, любивший спать, уткнувшись ей в грудь; студент-химик со смешной фамилией Обида и следами вечной ипохондрии на лице... Все они проплывали через ее железную кровать с блестящими шариками в изголовье и через ее жизнь – не оставляя следа. И это ничуть ее не заботило.

Как вдруг – Иван. Ваня.

Каким шальным ветром занесло этого высокого, плечистого, с надменным взглядом и строгой выправкой красавца в ее пыльную, надежно защищенную пишущей машинкой жизнь? Илона схватилась за него – цепко, во всю силу бледных, изможденных в постоянных боях с клавишами пальцев. В синематографе хохотала, высоко закидывая голову; пламенея от стыда, надевала на вечернюю прогулку мамину шифоновую блузку, прозрачную в ярком свете; ночами старалась быть страстной и неутомимой; пришила две пуговицы к его гимнастерке и даже освоила бабушкин рецепт приготовления воскресных оладушков.

В пылу недавней ссоры он бросил ей в лицо какие-то малопонятные слова про любовь к детям – как по щеке хлестнул. Неужели этот строгий военный с холодными серыми глазами хочет семейного уюта, хочет детей?

Мамин фотоснимок на комоде смотрел неумолимо: не сдавайся! Илона разыскала заброшенный в пыльную бездну антресолей блокнот, дрожащим от волнения пальцем нашла в складках пожелтевших страниц заветный адрес и отправилась к «проф. мед. по жен.». Ваня хочет детей – она их ему родит. Если сможет, конечно.

Светило могло за прошедшие годы закрыть практику, сменить адрес, да и просто – состариться и умереть. Но – какое огромное, невероятное счастье! – по-прежнему жило здесь, охраняемое цепным псом – гороподобной женщиной со взглядом голодной медведицы.

И вот робко потупившаяся Илона уже стоит посреди комнаты, а чудаковатый профессор спешит ей навстречу – полы стеганого атласного халата развеваются, лохматые кудри полукругом – подумалось: нимбом! – вокруг высокого блестящего лба, переходящего в такой же гладкий затылок. Припадает губами к ее мгновенно и густо краснеющей от смущения руке (пальцы Илоне еще никто и никогда не целовал, даже любвеобильный милиционер Федорчук, да еще так запросто, при посторонних).

– Спасибо, Груня, – нараспев говорит профессор.

Женщина-медведица разочарованно выпускает воздух из объемной груди, медленно разворачивается и выносит свое грузное тело из комнаты.

Профессор любезно указует сухонькой ладошкой на стул с гнутыми деревянными ножками и лакированными подлокотниками, напоминающими эклеры из кондитерской Горзина. Илона, все еще не смея поднять утяжеленные черной тушью ресницы, приседает на краешек обитого цветочным атласом сиденья. Что-то маленькое, острое вонзается в основание ноги: гвоздь? Она решает не подавать виду и терпеть.

– Простите мне мой затрапезный вид, – журчит голос Лейбе. – Обычно я принимаю после обеда. Но раз уж вы пришли – чему я рад, искренне рад! – побеседуем сейчас о вашем... м-м-м... вопросе.

Стыдно, Боже, как стыдно... Илона сглатывает комок слюны и поднимает глаза. Светило уютно устраивается за большим письменным столом, кладет руки на светло-серый бархат столешницы:

– Слушаю вас самым внимательным образом.

Нежно-голубые глаза профессора ласковы. Из-под распахнувшегося халата на груди видна впадина, от которой солнечными лучами расходятся в стороны тонкие ребра. Илона опускает взгляд. Светилу позволено многое, даже иметь странности и принимать пациентов в таком экстравагантном виде.

– М-м-м? – подбадривает Лейбе.

– Мне нужно завести ребенка, – выдыхает она. – Во что бы то ни стало.

Профессор берет со стоящего на столе подноса серебряную ложку и задумчиво постукивает по чашке – по изящной кофейной чашечке молочно-белого фарфора, тонкой, с плавно изогнутыми боками и кокетливой ручкой. Звон получается неожиданно глухой и дешевый: ляц-ляц... ляц-ляц...

– Как давно вы этого хотите?

– Хочу не так давно... Но могла бы уже давно... То есть чисто теоретически... Впрочем, и практически тоже... – окончательно запутывается Илона и упирается подбородком в наглаженные рюши на груди. – Семь лет.

– Итак, на протяжении семи лет вы состоите в отношениях с мужчинами, но ни одного раза не были беременны. Это вы хотели сказать?

Илона глубже всаживает голову в плечи: да, именно это. Гвоздь в обивке стула колет ногу сильно, настойчиво. Ерзать Илона боится – вдруг порвется платье?

– Что ж, необходимо осмотреть вас для начала, заполнить медицинский опросник. После этого станет понятно, смогу ли я помочь. Или хотя бы попытаться помочь.

– Я готова к осмотру, – шепчет Илона рюшам на груди.

– Милая моя, но я не готов! – смеется профессор. – Где прикажете вас принять – на этом столе?! Да, я веду практику на дому, но сейчас в моей квартире идет ремонт. Ужасный, нескончаемый ремонт! Столовая, гостиная, спальня, библиотека, смотровая, приемная – все заняли эти несносные рабочие, которые целыми днями беспрестанно шумят. Они мешают мне думать, работать, жить, в конце концов! Только и остается – выкрадывать спокойные часы по ночам, когда они прекращают свою бесконечную возню. В собственном доме – я вынужден работать по ночам, при свете лампы. Как мышь! – он кивает на лежащий перед ним лист бумаги. – К счастью, этот кошмар скоро закончится. Груня обещала, что ждать осталось совсем недолго.

– Груня? – Илона никак не может сообразить, что происходит: светило отказывается помочь?

Гвоздь впился в тело до невозможности глубоко – ее словно насадили на шампур.

– Груня все знает, – профессор берет со стола чашку, подносит ко рту и в предвкушении чмокает губами. – Мой ангел-хранитель, без нее бы я – пропал. Выясните у нее, когда этот бедлам закончится, – через неделю, через месяц, – и приходите.

Вконец измученная стыдом и непониманием Илона поднимает взгляд.

– Я не могу ждать, профессор.

– Тогда... – он растерянно помахивает чашкой в воздухе, – ...приходите ко мне в клинику. Я принимаю там по четвергам... или по пятницам... Уточните у Груни.

Илона вскакивает со стула (а вернее – с гвоздя) и бросается на колени перед профессорским столом.

– Не отказывайте, профессор! Помогите! Вы – моя последняя надежда!

– Нет-нет! – кричит вдруг Лейбе неожиданно тонким голосом. – Я ничего не знаю! Груня знает! Идите к Груне!

– Только вы можете спасти! Вы же гений! Светило!

Илона на коленях подползает к столу, роняет заломленные руки на столешницу. Светло-серый вихрь поднимается из-под ее рук – становится видно, что под слоем пыли обивка стола имеет насыщенный зеленый цвет. Пыль покрывает все: столешницу, письменные приборы, открытую чернильницу с засохшим озерцом чернил в глубине, девственно-белый лист бумаги и лежащее на нем перо с обломанным концом.

Испуганно отпрянувший профессор выставил перед собой кофейную чашку, словно защищаясь. Чашка – с широкой трещиной и абсолютно пуста.

– Простите, ради Бога, – Илона медленно отползает на коленях обратно.

Солнце бьет сквозь грязные разводы на трехстворчатом окне, и пушисто-кудрявый нимб вокруг лысины профессора наливается ярким золотом. Он ставит чашку на поднос, восстанавливает учащенное дыхание. Затем выбирается из-за стола и, все еще настороженно поглядывая на Илону, берет в руки большую жестяную лейку. Струи воды льются из дырчатого жерла в большую деревянную кадку, из которой торчит сухая, ощетинившаяся обломками высохших ветвей корявая палка – скелет давно умершего дерева.

– Простите меня, ради Бога, простите, – шепчет Илона, поднимаясь с колен и отряхивая платье. – Простите, простите...

– Хороша? – профессор смущенно улыбается и ведет пальцем с длинным обломанным ногтем по морщинистому стволу. Откидывается назад, любуясь. Распахнутыми ладонями оглаживает несуществующие листья.

– Всего доброго, – Илона пятится к двери.

– Жду вас в клинике, – Лейбе прощально кивает, не отрывая взгляда от пальмы.

Дверь открывается на секунду раньше, чем Илона ее толкает. В проеме – гигантское тело Груни, подает пальто и шляпу. Подслушивала, понимает Илона.

– Правда ли профессор Лейбе принимает в клинике по четвергам? – спрашивает она в темноте коридора.

– Вольф Карлович не выходит из своей комнаты вот уже десять лет, – отвечает Груня.

Гений.

Вольф Карлович мотает головой. Каждый раз ему неловко выслушивать подобные восторженные эпитеты от пациентов и студентов.

Светило.

Какое там!.. Маленький мальчик, стоящий на берегу океана, – вот кем он себя ощущает в науке. И не стыдится признаться в этом с кафедры, глядя в широко распахнутые глаза учеников.

Только вы можете спасти.

Увы, и это неправда. Организм пациента спасает себя сам. А врач только помогает, направляет его силы в нужное русло, иногда убирает лишнее, ненужное, отжившее. Путь к выздоровлению врач и больной проходят рука об руку, но главная партия, решающий ход всегда – за пациентом, за его волей к жизни, за силами его организма. Студенты старших курсов, уже приобщившиеся к тайнам фармацевтики и имеющие за плечами пару элементарных хирургических операций, иногда решаются спорить с ним об этом. Милые оперившиеся птенцы...

А не пора ли в университет? Визит экзальтированной девицы выбил его из привычной жизненной колеи, и Вольф Карлович растерялся, запутался. Во сколько у него сегодня первая лекция? Зависит от того, какой сегодня день недели.

А какой, собственно, день?

Лейбе смотрит на часы – стрелки неподвижно застыли на циферблате.

Он берет со спинки стула профессорский мундир – и понимает, что это старый отцовский халат. А где же мундир? Тот самый – плотного сукна, глубокого синего цвета, с форменными пуговицами – на каждой расправил крылья строгий двуглавый орел? Тот самый – где на груди сияет белоснежной эмалью узкий ромб – значок профессора Казанского университета? Тот самый – с которого Груня каждое утро сдувает пылинки? Верно, она и унесла его чистить.

Вольф Карлович делает шаг к двери. Гладкая ручка податливо ныряет в ладонь. Он долго теребит ее – словно дружески пожимает двери латунную руку – потом резко тянет вниз и шагает в открывшуюся черную бездну коридора...

Груня истово трет мыльной тряпкой закопченный бок кастрюли, и белая пена пузырится на жирной керосиновой саже, чернеет. С появлением Степана в ней проснулось желание оттирать посуду до нестерпимой, зеркальной чистоты, и профессорские тазы и сковороды засверкали в ее мощных руках невиданным доселе, глаза режущим блеском.

Спиной ощущает уткнувшиеся ей промеж лопаток недружелюбные взгляды соседок. Пусть смотрят, стервы. Не любят ее в коммуналке крепко – за то, что ведет себя в квартире как хозяйка. А кто же она? Хозяйка и есть. Здесь каждая стена, каждая половая доска, каждый плинтус, каждая загогулина на резных белых дверях знает ее руки – все ими сотни раз подметено, вычищено, отмыто и натерто.

Когда в тысяча девятьсот двадцать первом в профессорскую квартиру стали подселять жильцов, она держала оборону крепко: тщательно отобрала самые ценные вещи и перетащила в свою комнату (обеденные и чайные сервизы, столовое серебро, тяжелые подсвечники, бархатные портьеры – им, что ли, оставлять, полуграмотной деревенщине?!); заняла на кухне лучший стол, а в коридоре – самый большой шкаф, да еще и антресоли в придачу; темным осенним вечером отнесла управдому огромный, как подушка, увесистый, как камень, тускло сверкающий серебром чернильный прибор с именной надписью «Профессору медицинских наук В.К. Лейбе с глубочайшим уважением от ректора Казанского Императорского университета Г.Ф. Дормидонтова» – не пожалела (с управдомами нужно дружить, дураку ясно).

И стала ждать.

Профессору, к тому времени уже надломленному произошедшими в стране переменами, сильно досталось в войне с белочехами, он впал в немилость у новых университетских ректоров (а их в первые годы Гражданской сменилось немало), практику в клинике прикрыли... И однажды утром Вольф Карлович не вышел из комнаты. Его никто не хватился. Одна только Груня, принеся ему на завтрак чашку травяной бурды, которую профессор приноровился пить по утрам вместо привычного кофе, посмотрела в его радостные, не замутненные более земными печалями голубые глаза и тихо охнула. Сначала испугалась. Потом поняла: вот оно, дождалась. Быть ей в квартире хозяйкой.

Она терпела жильцов стойко, как клопов. Просто не знала, чем травить. Степан, возникший в ее жизни пару месяцев назад, – знал. Начать решил с самого легкого – с профессора.

Груня сомневалась недолго. Ухаживать за полубезумным бывшим хозяином ей уже до смерти надоело.

А быть для Степана грушенькой, яблонькой, смородинкой, изредка (прости, Господи! грешна, каюсь...) даже черешенкой, хотелось – тоже до смерти.

И вот уже – *письмо* написано и опущено в почтовый ящик (Груня тогда вспотела щедро, по-лошадиному, выводя под Степанову диктовку длинные и заковыристые слова, значения которых не понимала: буржуазный – через *у* или *о*? германский – через *е* или *и*? шпион – через *о* или *е*? контрреволюция – с одним или двумя *р*? слитно или раздельно?..). Если Степан прав – скоро *они* придут, чтобы освободить профессорский кабинет с трельяжем чудных окон, смотрящих на старинный парк, с пахнущими воском полами и тяжелой ореховой мебелью. Освободить для Груни, ждущей своей очереди на счастье уже долгие десять лет. А потом – как там Степан утром сказал? – не век же им в двух комнатах ютиться...

Груня ополаскивает кастрюлю в тазу. На кухне вдруг становится очень тихо. Соседки в ее присутствии обычно не разговаривают, лишь переглядываются. Но сейчас тишина за Груниной спиной – тягучая, непривычно тяжелая. Истошно, будто захлебываясь, булькает чей-то суп.

Груня оборачивается.

На коммунальной кухне стоит профессор Лейбе.

Соседская девчонка, все время путавшаяся под ногами на своем хромом трехколесном велосипеде, испуганно тренькает в звонок – дзынь! – и спрашивает в тишине: «Мама, это кто?»

Женщины застыли, кто – с поварешкой, кто – с утюгом, кто – с тряпкой в руках. Смотрят на Лейбе во все глаза. А он смотрит только на Груню.

– Где мой профессорский мундир? – спрашивает высоким от волнения голосом.

Ее рука сжимает тряпку, и мыльная пена сочится меж пальцев, звонко капает в таз.

– Где мой профессорский мундир? Груня, я вас спрашиваю.

– Давайте поищем в комнате, профессор, – говорит она внезапно севшим голосом. – Пройдемте в комнату.

– Я там уже искал, – упрямится Лейбе. – Немедленно подайте мне мундир. Я опаздываю.

Соседки ощупывают огромными от любопытства глазами тщедушную фигурку профессора, переводят взгляды на Груню, затем обратно.

Неужели так бывает – десять лет не помнил, и вот... Именно сейчас, когда со дня на день должны прийти *они*... Не пить Груне кофе из профессорских чашек, ой не пить... И нужна ли она будет Степану такая – с одной малюсенькой комнатенкой в коммунальном муравейнике... Толстые Грунины пальцы, покрытые белой, лопающейся на воздухе пеной, холодеют.

– Так вы дадите мне мундир?!

Под прицелами внимательных соседских глаз она залезает на табурет и тянет с антресолей огромный фанерный чемодан. Роется в нем и достает со дна измятый, местами кружевной от моли и белый от пыли мундир.

Лейбе радостно смеется и надевает его, ласково оглаживает. Трещит на рукаве шов, расползаясь и ощеряясь зигзагами ниток. Почерневшая пуговица срывается и звонко прыгает по полу куда-то в угол.

– Я так и знал, что вы забрали его в чистку, – довольно улыбающийся профессор поправляет затертый ромбик на груди и разворачивается.

– Куда вы? – обмирает предчувствием катастрофы Груня.

– В университет, на лекцию, – удивленно пожимает плечами тот и выходит, стуча тапками без пяток.

– Обулся бы, – обретает наконец дар речи одна из соседок. – Застудится...

К счастью, застудиться Вольф Карлович не успел. Его взяли ровно минуту спустя – тут же, у подъезда, на глазах у половины квартиры, пялившейся из окон на выход странного соседа в свет. Он только начал сбегать по ступенькам – ноги сами летели вниз, легко, по-юношески, – а навстречу ему по тем же ступенькам уже бежали вверх другие ноги, в черных начищенных сапогах.

– Вольф Карлович Лейбе? – спросили.

– Да! – восхитился он в ответ. – Вы за мной? Из университета?

– Оттуда, – успокоили. – Пройдемте в машину.

– С каких это пор за профессорами стали присылать такие роскошные автомобили?! – восторгался Вольф Карлович, усаживаясь на заднее сиденье и с детским любопытством ощупывая шелковую кожу салона.

С обеих сторон подсели люди в форме, прижались к нему твердыми плечами. Лейбе улыбался, все норовил пожать руки. Дверца черного «Форда» захлопнулась, и профессор лихо и радостно махнул шоферу ладонью: поехали!

В то же мгновение, едва увозящий Вольфа Карловича воронок, брызнув на прощание снегом из-под колес, скрылся за поворотом, на двери бывшего профессорского кабинета сцепил челюсти тяжелый амбарный замок. Степан, сунув в карман давно заготовленную пузатую бутыль темного стекла, отправился к управдому. Груня взглядом царицы обвела столпившихся у закрытой двери соседей (профессорской мебелью хотели поживиться, шакалы!) и, ничего не сказав, ушла к себе.

Профессора Лейбе отвезут недалеко – прямиком в здание областного управления ГПУ. Пару недель следователь Бутылкин будет колоть немецкого шпиона, так удачно косящего под дурачка, но под конец сдастся и решит отправить в психиатрическую лечебницу на Арском поле – пусть сами разбираются, косарь это или вправду – дурка. Но не успеет.

В середине февраля тысяча девятьсот тридцатого года ЦИК и СНК Татарской АССР примут постановление «О ликвидации в Татарии кулачества как класса». Уже через неделю на оперативном совещании в ЦИК выяснится, что темпы коллективизации и раскулачивания в республике – ужасающе низкие.

И как-то само собой, без ведома партийных руководителей и высших чинов ГПУ, получится так, что некоторых не особо нужных следствию гостей областного управления ГПУ переведут в кулаки. Дела их затеряются, запылятся по шкафам и сейфам, сгорят при пожарах. А сами они будут переведены из одиночек и следственных изоляторов в густонаселенные раскулаченным крестьянством казематы пересыльной тюрьмы. И Красная Татария уже к середине марта выйдет по темпам коллективизации на третье место в стране.

Попадет в легендарный пересыльный дом и Вольф Карлович Лейбе. Он ничуть не удивится, скорее, даже обрадуется – за десять лет затворничества уже успел соскучиться по людям. Его будет слегка тревожить лишь один вопрос: все ли в порядке с Груней?

А у Груни жизнь пойдет на лад. По утрам она будет пить кофе из профессорских чашек. Правда, сами чашки окажутся чрезвычайно неудобными – мелкими и хрупкими, одно мучение. Через год Степан освободит для них еще одну комнату, а через два – областное управление ОГПУ переедет на Черное озеро, в соседний дом. Степан подумает немного – да и поступит туда на работу. Карьера сложится, и очень быстро, освобождать испытанным способом следующую комнату не придется – им выделят роскошную отдельную жилплощадь на Почтамтской.

Оставшись полноправной хозяйкой в большой и пустой новой квартире, Груня заскучает: воевать будет не с кем, Степан – днями и ночами на работе. Поэтому, обнаружив у себя беременность, сорокашестилетняя Груня решит ее выносить. При родах скончается, доктора из университетской клиники лишь сокрушенно разведут руками: слишком тяжелый случай.

Казань

Лохматая морда скалит желтые зубы и вопит, тряся вывернутыми губищами. Зулейха крепче сжимает вожжи. Алла сакласын, что за адово чудище?

– Верблюд! – кричат где-то сзади. – Настоящий!

Диковинный зверь, покачивая сидящим меж горбов хозяином в цветном стеганом чыба, проплывает мимо. Острый запах специй тянется следом.

Сани едут по центральной улице. Караван подобрался, подтянулся – возы идут плотно, один за другим. Каменные дома – голубые, розовые, белые – как огромные резные шкатулки. На крышах то громоздятся башенки, одна другой меньше, то жестяными цветами распускаются флюгеры, то разноцветной чешуей блестит под пятнами снега черепица. Хитрые завитушки ползут по фронтонам, щекочут пятки полуголым мужикам и девицам (и Алла, срам какой!), держащим на своих мускулистых плечах тяжелые карнизы. Чугунными кружевами вьются заборы.

Казань.

Барышни в каблукастых башмачках (и как они только не падают с таких!), военные в мышиного цвета шинелях (в точности как у красноордынца Игнатова), продрогшие в заплатанных пальто служащие, торгующие пирожками тетки в огромных валенках (а запах-то какой чудный, запах...), дородные няньки с закутанными в шали детьми на деревянных санях... В руках – папки, портфели, тубусы, ридикюли, букеты, торты...

Ветер вырывает из рук худенького очкастого юноши стопку нот и швыряет в печальную морду проходящей мимо коровы, которую ведет на поводке тщедушный крестьянин.

Громыхая шестеренками тяжелых колес, катит громадина агитационного трактора, тащит за собой большой треснутый колокол, вокруг которого обвилась кумачовая змея транспаранта: «Перекуем колокола на тракторы!»

Грязный снег на дороге взрывается косыми фонтанами – то под копытами несущегося мимо отряда конной милиции, то под колесами мчащихся ему навстречу блестящих черных автомобилей.

Оглушительно звеня, летит огненно-красный, сверкающий латунными ручками трамвай, в окнах без стекол – гроздья лиц. Из подворотни выпархивает стайка беспризорников и с оголтелыми криками виснет на поручне. Свирепый кондуктор, бранясь, машет кулаками, а наперерез через дорогу уже бежит, свиристя в свисток, милиционер.

Зулейха щурится. Много домов, много людей. Все громко, ярко, быстро, пахуче. Оно и понятно – столица. Казань щедро мечет свои сокровища в глаза ошеломленных переселенцев, не дожидаясь, пока они придут в себя.

Торжественен красно-белый шпиль церкви Святой Варвары, проем колокольного окна сиротливо пуст, над входом надпись желтой краской: «Привет работникам Первого трамвайного парка!» Наряден, как торт, бывший дом генерал-губернатора, где ныне разместился туберкулезный госпиталь. Звенит детским смехом каток на Черном озере. Нежно белеют колонны Казанского университета, каждая толщиной с вековой дуб.

Острые башенки кремля – как сахарные головки. Из круглого часового створа Спасской башни вместо циферблата смотрит на Зулейху строгое лицо: мудрый прищур глаз под соколиными бровями, широкая волна усов. Кто это? На христианского бога не похож (Зулейха видела его однажды на картинке, мулла-хазрэт показывал).

И вдруг неожиданно крик: «Приехали!» Как? Куда приехали? Зулейха растерянно озирается. Перед ней – приземистое грязно-белое здание, крошечные квадраты окон – цепью по стене, каменный забор вокруг высокий, в три ее роста.

– Слазь давай, зеленоглазая! – морщит щеки в улыбке чернявый, подмигивает и ощупывает взглядом барашка под мешковиной в санях: цел ли?

Зулейха прижимает к себе узел с вещами, прыгает на землю. Навстречу ей уже щерятся штыки – живой коридор из молоденьких солдатиков ведет к распахнутой металлической дверце. Сюда, значит.

Чернявый берет под уздцы Сандугач, и та пронзительно ржет, дергаясь под чужой рукой. Зулейха роняет узел и бросается к лошади, припадает лицом к родной морде.

– Не положено! – встревоженный окрик сзади, в спину упирается что-то острое – лезвие штыка.

– Ладно тебе, – улыбчивый голос чернявого. – Дай попрощаться. Жалко, что ли?

– Считаю до трех! – сурово произносит встревоженный голос. – Раз!

Сандугач пахнет здоровым потом, сеном, хлевом, молоком – домом. Прижимается к хозяйке, радостно выдыхает, и теплая влага ее нежных ноздрей ложится Зулейхе на щеку. Та сует руку в карман и достает отравленный сахар. Большой и тяжелый кусок оттягивает ладонь, как камень. Все предусмотрел Муртаза; уже и к праотцам отправился, а мысль его все еще направляет верную жену.

– Два!

Зулейха раскрывает вспотевшую ладонь, поднимает к морде Сандугач. Та благодарно и радостно кивает. Из-под ног ее выскакивает жеребенок. Отталкивая мать и жадно вытягивая длинную шею, сопит, шлепает вытянутыми губами, торопится взять лакомство.

– Три! – штык больно втыкается меж лопаток.

Зулейха сжимает пальцы и опускает руку с сахаром в карман. Достает из другого кармана обломок каравая, сует хлеб в доверчиво вытянутые губы Сандугач и жеребенка.

Прости, Муртаза, что не исполнила твой наказ. Не смогла. Впервые в жизни ослушалась тебя.

А сзади уже – недовольный голос Игнатова: «В чем дело? Почему задержка?»

Зулейха подбирает с земли узел и ныряет в распахнутую дверь.

Долго семенит по лысому обледенелому двору, затем по узкому коридору – вслед за нескладным солдатиком, что шагает впереди, освещая закопченной керосинкой сочащиеся влагой, бугристые каменные стены. Еще один стучит коваными сапогами позади.

Зулейха зябко ведет плечами – даже холод здесь особый: стылый, влажный, прилипчивый. Из-за тяжелых дверей с крошечными окнами в крестах решеток несутся голоса – русская, татарская, марийская, чувашская речь; песни, брань, детский плач...

– Воды бы, начальник! Пить-то хоца...

– Я настоятельно прошу, нет, требую адвоката! Советский суд должен...

– Бабу хочу, командир. Заведи ее к нам, а?

– Очень вас прошу: телефонный номер два – тридцать пять. Просто скажите: от Павлуши Семеныча...

– Я вспомнил! Все вспомнил! Вызовите следователя Ивашова! Так и скажите ему: Сидорчук подпишет признательное...

– И гореть вам в геенне огненной до скончания веков...

– Умоляю вас – аспирин! У ребенка жар...

– На Дерибасовской открылася пивная-а-а-а, там собиралася компания блатная-а-а-а...

– Выпустите, сукины дети! Сволочи! Гады! А-а-а-а...

Тяжело скрипит дверь, отъезжая в сторону. Солдатик кивает: сюда. Зулейха шагает в чернильную темень, дышащую запахом давно не мытых тел, холодное железо двери толкает в спину. Снаружи щелкает замок. Она ждет, пока глаза привыкнут к темноте, слушая дыхание множества ртов. Из зарешеченного квадрата окна сочится тусклый свет – Зулейха начинает различать силуэты.

Нары в два этажа облеплены людьми. Народ сидит и на каких-то ящиках, на кучах тряпья, просто на полу. Людей так много, что некуда ступить. Кто с треском почесывается, кто храпит, кто переговаривается вполголоса. Мать шепотом рассказывает ребенку сказку. В одном углу бормочут: «Господи Иисусе, помилуй нас, грешных». «Аузу билляхи мин ашайтани арраджим», – несется из другого.

На Зулейху никто не обращает внимания. Стараясь не наступать на чужие руки и ноги, она пробирается вглубь. Добравшись до нар, стоит, не зная, куда пристроиться: спины, животы, головы располагаются здесь густо, будто в несколько слоев. Вдруг кто-то (не поймешь сразу – мужчина или женщина) сдвигается вбок, освобождая кусок нар размером с ладонь. Зулейха садится, шепчет в темноту благодарное «спасибо». Человек поворачивается лицом – светлые кудри вокруг высокого лба, острый носик – и покровительственно сообщает:

– Я распоряжусь выдать вам чистое белье и сменную обувь.

Зулейха с готовностью кивает, соглашаясь. По голосу слышно – человек уже немолодой, почтенный. Кто знает, что у них тут за порядки...

– Вы не знаете, куда нас везут, ага? – почтительно спрашивает она.

– Завтра – ко мне на первичный осмотр, – продолжает тот. – Натощак.

Зулейха не знает, что такое первичный осмотр, но на всякий случай кивает еще раз. В животе противно ноет – не ела со вчерашнего дня. Она достает из кармана остаток каравая. Странный сосед шумно втягивает ноздрями воздух, поворачивает голову и вонзается глазами в хлеб. Зулейха ломает кусок пополам и протягивает половину. Сосед молниеносно засовывает свою долю в рот и глотает, почти не жуя.

– Строго натощак! – грозно мычит он, пальцами придерживая грозящие выпасть изо рта крошки.

Так остаток черствого каравая положил начало необычной дружбе. Зулейха и Вольф Карлович Лейбе стали странными, но все же собеседниками. Он изредка, в моменты вспышек мерцающего сознания, говорил – сыпал бессвязными медицинскими терминами, вспоминал и уточнял диагнозы бывших пациентов, задавал не требующие ответа профессиональные вопросы; она благодарно слушала, не понимая и малой толики этой смеси мудреных русских и латинских слов, но чувствуя кроющийся за ними важный смысл и радуясь общению с таким ученым мужем. Большую часть времени они молчали, но молчание это не было утомительным ни для того, ни для другого.

В камеру скоро поселили и земляков из Юлбаша: жену муллы с неизменной клеткой с кошкой в руке и угрюмого чернобородого крестьянина с его многочисленным потомством. Кошку через неделю отобрали и съели затесавшиеся к переселенцам воронежские зэки, а каракулевую шубу присвоил начальник смены, заставив жену муллы поставить подпись в соответствующем протоколе сдачи имущества. Потери она почти не заметила – целыми днями рыдала, не то по мужу, не то по кошке.

Смерть была везде. Зулейха поняла это еще в детстве. И трепетно-мягкие, покрытые нежнейшим солнечно-желтым пухом цыплята, и курчавые, пахнущие сеном и теплым молоком ягнята, и первые весенние мотыльки, и румяные, налитые тяжелым сахарным соком яблоки – все несли в себе зачаток будущего умирания. Стоило случиться чему-то – иногда явному, иногда вовсе незаметному глазу, случайному, мимолетному, – как биение жизни в живом останавливалось, уступая место распаду и гниению: бездыханными комками плоти валились в ярко-зеленую траву двора цыплята, скошенные куриной болезнью; распахивали бледно-красные внутренности освежеванные к Курбану ягнята; бабочки-однодневки густым теплым снегом сыпались с неба, заметая порошей упавшие на землю и уже помеченные с боков лиловыми пятнами ссадин яблоки.

И судьба ее собственных детей была тому подтверждением. Четыре младенца, рожденные лишь для того, чтобы умереть. Каждый раз после родов, поднося к губам для поцелуя крошечное сморщенное личико дочери, Зулейха с надеждой вглядывалась в прикрытые еще припухшими веками полуслепые глазки, в дырочки носа, в створ кукольных губ, в едва различимые поры на нежно-красной еще коже, в редкую поросль пуха на головке. Ей казалось, что она видит жизнь. Позже оказывалось, что видела смерть.

Она привыкла к этой мысли, как бык привыкает к ярму, а лошадь – к голосу хозяина. Кому-то было отпущено жизни с щепотку, как ее дочерям; кому-то – с горсточку; кому-то – неизмеримо щедро, целыми мешками и амбарами, как свекрови. Но смерть ждала каждого – таилась в нем самом или ходила совсем рядом, кошкой ластилась к ногам, пылью ложилась на одежду, воздухом проникала в легкие. Смерть была вездесуща – хитрее, умнее и могущественнее глупой жизни, которая всегда проигрывала в схватке.

Пришла и забрала могучего, будто для ста лет жизни рожденного Муртазу. Видно, скоро прибрала и гордую Упыриху. Даже зерно, которое они с мужем схоронили между могил дочерей в надежде спасти для нового урожая, – и то сгниет по весне, запертое в тесном деревянном ящике, станет добычей смерти.

Казалось, что и время Зулейхи пришло. Той памятной ночью, лежа на сяке рядом с мертвым уже Муртазой, она готовилась принять смерть – и удивлялась, что еще жива. Когда в дом ворвались красноордынцы и разорили домашний очаг, она ждала. И когда Зулейху везли по заснеженным просторам родного края – ждала. И когда ночевали в оскверненной мечети, под сонное блеяние баранов и бесстыжие вскрики желтоволосой срамницы. Ждала и сейчас, в сыром и холодном каменном мешке, впервые в жизни коротая время за столь долгими размышлениями.

Примет ли ее смерть облик молоденького солдата с длинным и острым штыком? Какого-нибудь подселенного в камеру вора с настороженно-хищной улыбкой и спрятанным в сапоге самодельным ножом, что позарится на ее теплый овчинный тулуп? Или смерть придет изнутри, обернется болезнью, – выстудит легкие, проступит на лбу жаркой и липкой испариной, заполнит горло тяжелой зеленой слизью и, наконец, сожмет сердце в ледяной кулак, запретит биться? Зулейха не знала.

Незнание это было тягостно, долгое ожидание – мучительно. Иногда ей мерещилось, что она уже мертва. Эти люди вокруг – истощенные, бледные, целые дни проводившие в шептаниях и тихом плаче, – кто они, как не мертвецы? Это место – стылое и тесное, с мокрыми от сырости каменными стенами, глубоко под землей, без единого солнечного луча, – что это, как не могильный склеп? Только когда Зулейха пробиралась к отхожему месту, устроенному в углу камеры из большого и гулкого жестяного ведра, и чувствовала, как теплеют от стыда щеки, она убеждалась – нет, еще жива. Мертвым стыд неведом.

Казанский пересыльный дом – место заслуженное, легендарное, пропустившее через себя множество светлых умов и темных душ. Недаром расположен у кремля, впритирочку (наиболее удачливые арестанты могли любоваться из камер на синие, в золотых звездах луковки Благовещенского собора и буро-зеленый шпиль Сторожевой башни внутри посада). Как отменно здоровое, не знающее усталости сердце, работал пересыльный без перебоев вот уже добрые полтора века – перегонял кровь большой страны с запада на восток.

В той самой камере, где сейчас Зулейха слушает полубезумный монолог профессора Лейбе, украдкой выскребая из-под мышки первую вошь, ровно сорок три года назад сидел молодой студент Императорского Казанского университета. Вихры на макушке у него были еще по-юношески непослушные, буйные, а взгляд серьезный, угрюмый. Посажен он был за организацию антиправительственной студенческой сходки. Поначалу, оказавшись в камере, колотил сердитыми кулачками в заиндевевшую дверь, выкрикивая что-то дерзкое и дурацкое. Пел «Марсельезу» синими непослушными губами. Усердно выполнял гимнастические фигуры, стараясь согреться. Затем сидел на полу, подложив под себя свернутую в комок и безвозвратно испорченную жирной тюремной грязью форменную студенческую шинельку, и, обхватив колени онемевшими от холода руками, плакал злыми горячими слезами. Звали студента Владимир Ульянов.

С тех пор здесь ничего не изменилось. Сменяли друг друга сначала императоры, затем революционные вожди – пересыльный дом служил власти неизменно верно, как и полагается добрым старым тюрьмам. Здесь содержали ссыльных перед отправкой в сибирские и дальневосточные, а позже и казахстанские каторги. Уголовников и политических обычно селили отдельно, во избежание смешения преступных идей. Но в последнее время установленный веками порядок стал нарушаться.

В конце тысяча девятьсот двадцать восьмого тоненький ручеек раскулаченных потянулся с широких просторов тогда еще Казанской губернии в столицу. Переселенцев надлежало собрать, погрузить в вагоны и отправить в места следования согласно предписанию. Содержать этот вроде бы и не совсем преступный, но все же подлежащий охране контингент было решено здесь же, в пересыльной тюрьме, тем более что направлялись раскулаченные все по тем же извечным маршрутам (Колыма, Енисей, Забайкалье, Сахалин...), часто в тех же составах, что и зэки, – в соседних вагонах.

Постепенно ручеек полнел, крепчал, рос. И зимой тридцатого года превратился в могучую реку, которая затопила не только саму тюрьму, а и все привокзальные подвалы, административные постройки и нежилые помещения – везде теперь ютились голодные, злые, ничего не понимающие крестьяне, ожидая своей участи, надеясь и одновременно боясь ее скорого наступления. Эта река сметала на пути все – рушились вековые тюремные устои (и раскулаченных селили вместе с уголовниками, а потом уже – и с политическими); целыми ящиками (читай – деревнями и кантонами) путались и терялись документы, делая невозможным хоть какой-то учет контингента, а позже – установление личности; летели со своих постов разных калибров начальники областных и транспортных отделов ГПУ.

Зулейха и ее спутники провели в пересыльном доме целый месяц, до первого дня весны тысяча девятьсот тридцатого года. К тому времени камеры были набиты раскулаченными так плотно, что начальник тюрьмы в отчаянных попытках освободиться от навязанного ему крестьянского спецконтингента заработал инсульт. По счастливой случайности Зулейху и ее спутников отправили в путь немногим раньше того, как в тюрьме разразилась эпидемия сыпного тифа, которая выкосила больше половины заключенных и естественным образом освободила помещения, к вящему облегчению идущего на поправку в Шамовской больнице начальника.

Февраль тридцатого года выдался урожайным – Игнатов привез в Казань четыре партии раскулаченных. Каждый раз, наблюдая за тем, как кулаки исчезают за крепкими воротами пересыльного дома, он вздыхал с облегчением и тихой внутренней радостью: еще одно полезное дело сделано, еще одна песчинка брошена на весы истории. Так одна за другой, по крупинкам, народ создает будущее своей страны. Будущее, которое обязательно обернется мировой победой, непременным торжеством революции – и лично для него, Игнатова, и для миллионов его советских братьев, таких как неунывающий двадцатипятитысячник Денисов или интеллигентный умница Бакиев.

Постоянные разъезды избавили Игнатова от необходимости объясняться с Илоной. Заскочил один раз ненадолго («Дела, дела...») – и на том пусть спасибо скажет. Ночевать не остался. Сама поймет, что к чему. Да и какая уж тут личная жизнь, когда на дворе – такое!

Сотни, тысячи семей плыли в бесконечных санных караванах по просторам Красной Татарии. Их ждал дальний путь. Куда – не знали ни они, ни их конвоиры. Одно было ясно – далеко.

Игнатов не задумывался о дальнейшей судьбе своих подопечных. Его дело – доставить. Когда Илона поинтересовалась, куда отправят этих замученных бородатых мужиков, целыми днями тянувшихся в санях по улицам Казани, он отрезал: туда, где кровопийцы и эксплуататоры честным трудом до седьмого пота наконец-то смогут искупить свое черное прошлое и заслужить – за-слу-жить! – право на светлое будущее. Точка.

Вот Настасья бы никогда такого не спросила. Настасья... Ягода спелая, соком исходящая. Весь февраль Игнатову было жарко, как в мае, – одна мысль о ней согревала. И хотелось верить, что экспедиции в деревни «на раскулачку» – эти поездки с песнями и шутками по тихим заснеженным лесам, эти жаркие вечерние споры с местным партактивом в сельсоветах под треск огня и пару стаканов самогона, эти наполненные жаром Настасьиного тела ночевки в старых мечетях и амбарах – будут всегда.

Как вдруг – словно шашкой по темечку: сопровождать эшелон будешь ты. Как я?! Почему я?! За что?! Слушаюсь, конечно, товарищ руководитель, но, Бакиев, друг, объясни: я же здесь, из седла не вылезая, с кулачьем воюю. Они же, враги, не знают, что время сейчас мирное – они и с вилами, и с топорами, и с ружьями. Это же – настоящий фронт! Я здесь нужен! А ты меня – в сопровождение, в обоз, можно сказать...

Непривычно тяжелый взгляд Бакиева сквозь золотые кольца пенсне. Люди нужны для этого дела надежные – как ты, Игнатов. И зря считаешь, что в обозе легче. Да и какой такой обоз?! Двадцать вагонов, битком набитых человеческими жизнями. И каждый – кулак махровый, обиду на власть затаивший размером со свинью, а то и с корову. Попробуй-ка их провези через полстраны – доставь до места, чтобы между собой не передрались и не разбежались в пути. Еще вопрос – сможешь ли?

Да что тут мочь, Бакиев! Не знаешь меня, что ли? Дело нехитрое: охрану – позлее, замки на вагоны – покрепче. Бровью в сторону повел – штыком в глаз получил.

Ой ли? Бакиев прищуривается – становится видно, как сильно он постарел за эти полгода. Вот он что с боевыми товарищами делает, теплый кабинет с дубовым столом и сладким чаем в кружевных подстаканниках. А ведь Бакиеву сейчас, как и Игнатову, – тридцать годков.

Доедут, никуда не денутся. Знаю, что говорю. Уж мне-то поверь, сколько их я за этот год перевидал, кровопийц. Только подумай еще раз, Бакиев, друг. И скажи окончательно – нельзя ли кого другого отправить? Стыдно мне – нянькой при поезде...

Нянькой?! Комендант эшелона, выходит, по-твоему, – нянька?! А тыща человеческих голов – бирюльки?! Когда ж ты повзрослеешь, Иван! Тебе бы лишь – на коне верхом да с шашкой наголо. И чтобы ветер в ушах свистел посильнее! А куда скакать, зачем – без разницы?! И (вот вам и спокойный Бакиев) – жах! – кулаком по столу.

И Игнатов в ответ кулаком – жах! Но-но! Как это без разницы?! Я скачу, куда партия велит!

Она тебе и велит – отставить демагогию! Сегодня же принять дела по эшелону К-2437. Завтра – отправка!

Слушаюсь...

Отдышались. Помолчали. Закурили.

Пойми, Бакиев, друг: сердце у меня за партию... даже не болит – горит. Оно ведь и должно гореть –

у каждого. Потому как если вместо сердца – огарок, если взгляд – потухший, то зачем мы такие своей стране нужны, а?

Да понимаю я тебя, Ваня. И ты меня – постарайся. Может, позже поймешь, спасибо скажешь. Я ж тебя, дуру стоеросовую... Чтобы тебя... Бакиев умолкает и сильно трет платком стекла пенсне, словно хочет их выдавить, – стекла скрипят. Странный он сегодня.

Куда везти-то, эшелон твой? Игнатов выпускает струю дыма в пол.

Пока – до Свердловска. Там встанешь в отстойник и будешь ждать распоряжений. Сейчас всех так отправляем – до востребования.

Так точно. Игнатов думает о том, успеет ли до завтра попрощаться с обеими. Сначала – непременно к Настасье. А уж потом, если времени хватит, – к Илоне, чтоб уж развязаться с ней окончательно, поставить точку.

Жмут друг другу руки. Бакиев отчего-то вдруг распахивает ручищи и прижимает Игнатова к груди. Так и есть – странный он сегодня.

Завтра перед отъездом еще забегу попрощаться. – Не надо, Ваня. Считай, что уже попрощались.

Бакиев нацепляет пенсне на нос и продолжает разбирать документы в папках. Стол у него от этих бумаг – как сугроб.

Игнатов уходит, от двери оборачивается: Бакиев неподвижно сидит, по шею в бумажном сугробе. Глаза, увеличенные выпуклыми стеклами пенсне, устало закрыты.

К Илоне он, конечно, не успел. Черт с ней, догадается, что уехал по срочному заданию. Он и раньше пропадал на неделю-две без предупреждения. В этот раз его не будет месяц–полтора. Или сколько ему там по железным дорогам мотаться? Ладно, велено комендантом – будет комендантом. Поест харчей казенных, выспится – дорога долгая. Отвезет этот чертов эшелон, раз уж Бакиеву позарез нужно. А потом скажет: все, друг, возвращай меня на настоящую работу, душа измаялась, – дела просит...

Ранним утром первого весеннего дня тысяча девятьсот тридцатого года, жадно глотая колючий морозный воздух, Игнатов бежит на вокзал. Трамваи в это время еще не ходят, а тратить целый пятак на извозчика – жалко. Путь от женского общежития, где живет Настасья, неблизкий, поэтому пришлось встать рано, до фабричных гудков.

В чемодане громыхает, бьется о фанерные стенки кружка. Сапоги хрумкают по утоптанной тропинке вдоль длинного, стрелой пронзившего город озера Булак. Сонный город зажигает первые огни, выпускает редких заспанных прохожих на улицы. Брешут хриплыми спросонья голосами собаки, тренькает где-то вдалеке первый трамвай.

Растворенные в синей утренней дымке, проплывают свечки минаретов – Юнусовская мечеть, Апанаевская, Галеевская. Хорошо тогда придумал Денисов, по-революционному – поднять алое знамя на бывшей деревенской мечети. Почему здесь, в столице, до этого еще не дошли? И торчат казанские минареты бестолковыми оглоблями, дырявят небо почем зря.

Игнатов поворачивает к базару. На пригорке вспыхивают бумажно-белые зубцы кремля. На треугольниках башен золотыми лучиками горят пятиконечные звезды. Вот это настоящая красота, правильная, наша...

Здание вокзала – как печатный пряник: шоколадно-красное, вкусно облепленное башенками и окошками, украшенное гербами и вазами, обсыпанное блестками черепицы, утыканное шпилями и флюгерами. Игнатов морщится: казанский вокзал – окно в Сибирь для всей России, а выглядит как дворец культуры или музей какой. Тьфу, одним словом.

На привокзальной площади уже суета, толкотня подвод, бодрая ругань носильщиков. Игнатов переходит с бега на шаг, успокаивает дыхание (не годится коменданту эшелона самому пыхтеть, как паровоз). Строго оглядывает по пути бранящихся извозчиков – и те притихают, косясь на его серую шинель и красные ромбы на левом рукаве. То-то же.

Игнатов толкает высокую и тяжелую, как шкаф, дверь вокзала. В нос бьет запах людского пота, хлеба, чищеного оружия, пороха, овчины, немытых волос, машинного масла, солдатских сапог, бездомных собак, скипидара, древесины и медикаментов. Воздух плотный – хоть ножом режь. Звенит от криков, лая, ржания, лязга, блеяния, грохота. Перекрывая на мгновение все звуки, снаружи оглушительно свистит паровоз. Здесь – не утро. Здесь нет времени дня. Здесь всегда – непрекращающийся бедлам. Толкаясь локтями и вытягивая шею в поисках нужного кабинета, Игнатов ввинчивается в толпу.

– За мной! Не рассыпаться! Держаться в кучу! В кучу, мать вашу растудыть! – группа мобилизованных в штатском, с красными повязками на рукавах и винтовками наготове, ведет дюжину испуганно озирающихся узкоглазых крестьян, одетых по-летнему, в пестрые чыба и тюбетейки; начальник отряда рвет глотку, выкрикивая команды, и после тихо шипит сквозь зубы: – Бар-р-р-раны узбекские, на мою голову...

– На местах! Всем оставаться на местах! За попытку побега – стреляю на месте! – надрывается с другой стороны тонкий солдатик, размахивая револьвером и пытаясь в одиночку остановить нескольких баб: вроде бы только что сидели покорно на своих узлах, а увидели крестьян – повскакивали, запричитали, затараторили не то по-марийски, не то по-чувашски.

– Посторони-и-и-ись! – орут грузчики, тараня шевелящуюся толпу громоздкими тележками, на которых раскачиваются, грозя упасть, высокие горы остро пахнущих апельсинами и жареной говядиной ящиков. – Провизия для второго скорого! Посторони-и-и-ись!

С высоты своего богатырского роста, поверх толкающихся малахаев, платков, ушанок, тюбетеек, шляпок и бушлатов Игнатов находит глазами нужную дверь – кабинет начальника транспортного узла «Казань». Она беспрестанно громко хлопает, впуская и выпуская потоки людей, – сердце вокзала бьется. Ругаясь и извиняясь, наступая на чьи-то ноги и чемоданы, Игнатов пробирается внутрь и вцепляется руками в расшатанную деревянную конторку. С обеих сторон подпирают такие же, как он, просители.

Игнатов достает из чемодана документы – новенькая, еще вкусно хрустящая на сгибах серая папка со строгой надписью «Дело» и старательно выведенными буквами «К-2437» (внутри – пара тонких листков, на которых убористым шрифтом впечатаны имена раскулаченных, всего чуть больше восьмисот человек) – и протягивает маленькому человечку с бесконечно усталыми красными глазами. Тот не замечает – в кабинете стоит непрекращающийся крик, то и дело прерываемый трелями телефонного аппарата.

– Да! Да! – хрипло орет человечек в трубку. – Отправляй Тайшет! На семнадцатом уже – затор! И Читу – туда же, к свиньям собачьим!

– Десятый – на Оренбург? – несется откуда-то снаружи поверх голов.

– Вы еще здесь?! Какой тебе Оренбург?! На Ташкент, к свиньям собачьим вашу мать! – лает в ответ начальник.

Игнатов перегибается через конторку и втыкает папку, как шпагу, прямо в зеленый мундир. Едва взглянув на нее, начальник выцепляет из груды документов на столе смятый листок с фиолетовой чернильной надписью наискосок «Ленинград – остатки» и сует Игнатову:

– Еще и этих возьмете. Распишитесь.

– Ну куда же?.. – Игнатов не успевает договорить.

Телефон опять взрывается противной трелью – начальник хватает трубку так, словно хочет ее загрызть.

– Что значит – вагон не резиновый?! – плюется он слюной в отверстия трубки. – Сказано – грузите по шестьдесят! Нары широкие – подвинутся!

Игнатов хватает начальника за лацкан:

– Ну куда мне еще людей?! Ленинград какой-то... У меня и так эшелон – под завязку.

– Под завязку?! – взвивается начальник, и его голос становится удивительно похожим на трель телефона. – Пятьдесят голов на вагон вы называете под завязку? А шестьдесят – не хотите, как на самаркандский? А семьдесят – как на читинский? А скоро будет – по девяносто! Стоймя поедут, как лошади! Вот это – действительно под завязку! – он хватает со стола кипу толстых, разваливающихся на листки папок и шваркает ими об стол. – Одних раскулаченных – восемь тыщ голов! И всех – отправить в недельный срок! Это – каково? И каждый день, каждый же день – новые! Скоро на путях будем класть. А вы – лишнюю дюжину ртов взять не хотите?

– Ладно, – сдается Игнатов, угрюмо черкая карандашом в накладной. – Давайте эти ваши... ленинградские остатки.

– Да не переживай ты так, – внезапно тихо говорит начальник, с чувством дышит на подошву большого синего штампа и ставит на папку жирное синее «ТУ Казань». – Через пару недель рассосутся, к свиньям собачьим. Налегке покатишь.

И вписывает дату: «01 марта 1930 г.».

Перед отправкой Игнатов все же решил заскочить к Бакиеву. Входя в здание на Воздвиженской, почувствовал тревогу. Вроде бы и все как обычно: дотошный солдатик проверяет пропуска у входа, хлопают двери кабинетов, секретарши цокают вверх-вниз по мраморным ступеням. Но в воздухе *что-то* висит.

Что?

Игнатов замедляет шаг. Вот – у пробегающей мимо девицы из третьего отдела глаза под густо накрашенными тушью ресницами испуганные и красные, как у кролика. Вот – несколько незнакомых солдат тащат, надрываясь, тяжелые коробки с документами. Вот – чей-то осторожный косой взгляд из-за колонны.

Что-то случилось? Бакиев наверняка знает.

Не заходя к себе, Игнатов спешит на третий этаж, в его кабинет. Туда ведет длинный, как кишка, коридор. Вдоль – узкие прямоугольники дверей, тускло мерцают загогулины латунных ручек. Обычно здесь людно и накурено. Сейчас – все двери закрыты плотно, словно на замок.

Что-то определенно случилось.

Игнатов шагает по разъезжающемуся в стороны темно-серому от времени паркету, и щербатые доски пронзительно скрипят под его сапогами. Замечает: одна из дверных ручек медленно и бесшумно наклоняется, замирает, а затем вновь встает на место (словно внутри кто-то хотел выйти, но передумал).

Да что за черт?!

Дверь в кабинет Бакиева распахнута. Рядом – двое незнакомых солдат с винтовками. Смотрят на Игнатова внимательно, не мигая.

Неужели что-то с Бакиевым?

Не может быть.

Не может – а случилось.

Игнатов опускает взгляд. Не останавливаться. Ноги несут его мимо кабинета. Солдаты неохотно сторонятся, пропуская. Краем глаза он замечает в глубине кабинета несколько перевернутых стульев на заваленном бумагами полу, широко распахнутый рот сейфа и темно-серый силуэт у окна, погруженный в чтение документов.

Не смотреть. Не ускорять шаг. В конце коридора – выход на черную лестницу. По ней – вниз и вон отсюда. На вокзал! Игнатов шагает по коридору.

– Эй! – раздается окрик сзади.

Останавливается и оборачивается. Темно-серый силуэт вышел из кабинета и смотрит Игнатову вслед.

– Вы к Бакиеву?

– Никак нет.

– Из какого отдела?

– Из пятого, – зачем-то врет Игнатов.

Если что – неужели бежать? От своих? Пристрелят ведь как собаку... Зачем бежать, если ни в чем не виноват? Разберутся и отпустят. А если – не отпустят? Так все-таки – бежать?..

Силуэт молча уходит обратно в кабинет. Солдаты отворачиваются. Игнатов открывает дверь на черную лестницу и скатывается по ступеням на первый этаж. Ни на кого не глядя, выходит из здания. Не чувствуя холода, шагает к вокзалу с непокрытой головой.

Стыд накатывает горячей волной, плавит уши. Чего испугался-то, дурак? Своих же товарищей, честно выполняющих работу. С Бакиевым вышла ошибка. Определенно – чудовищная, невероятная, смешная ошибка. Возможно, из-за чьей-то клеветы. А может, просто – опечатка, нелепый казус? Бывает такое: перепутали фамилии и взяли не того. По халатности.

Почему ж ты убегаешь, как трус, как последняя крыса? Почему не вернешься? Не ворвешься в развороченный кабинет? Не крикнешь в лицо темно-серому: «Бакиев ни в чем не виноват! Я за него ручаюсь!»?

Игнатов останавливается и сжимает в руке буденовку. А эшелон останется без коменданта? Отправление – через час. За неявку к месту несения службы могут и дезертирство вкатать. А это – расстрел на месте. Сам такие приговоры в исполнение приводил, знает. Он нахлобучивает шлем на голову и спешит к вокзалу.

Все знают: Мишка Бакиев – умница, партиец, революционер. Наш человек – до последней капли крови, до последнего вздоха. Непременно разберутся и отпустят. Не может такого быть, чтобы не отпустили. Отпустят и извинятся, перед всем коллективом. А виновных – накажут.

Наверняка.

До востребования

– Зулейха Валиева!
– Я.
За всю жизнь она не произнесла столько раз «я», как за месяц в тюрьме. Скромность украшает – не пристало порядочной женщине якать без повода. Даже язык татарский устроен так, что можно всю жизнь прожить – и ни разу не сказать «я»: в каком бы времени ты ни говорил о себе, глагол встанет в нужную форму, изменит окончание, сделав излишним использование этого маленького тщеславного слова. В русском – не так, здесь каждый только и норовит вставить: «я» да «мне», да снова «я»...

Солдат у входа выкрикивает фамилии громко, старательно. Она видит его впервые. Новенький?

– Вольф Ле... Лей... Лей-бе!

– Сколько раз просил медперсонал называть меня по имени-отчеству!

Эту фразу Вольф Карлович слово в слово повторяет каждый день при перекличке. Остальные конвойные ее уже выучили, а этот удивленно вглядывается в темноту. А затем вдруг:

– На выход! С вещами!

Зулейха вскакивает, как от удара хлыстом. Прижимает к груди узелок. Человеческая масса вокруг шевелится, волнуется, разевает рты, вытягивает руки.

– Куда? Куда их? А нас? Нас куда?

– Остальным оставаться на местах!

Вольф Карлович с достоинством встает, отряхивает с себя пыль, пропускает Зулейху вперед. Они пробираются к выходу, перешагивая через тела, головы, мешки, чемоданы, руки, свертки, запеленатых младенцев... Вместе с ними неизвестный солдат забирает из камеры вдову муллы и семью угрюмого крестьянина с его бесчисленными детьми.

После многодневной темноты свет керосинки кажется ярким, как обломок солнца. Холодный воздух коридора после спертого духа камеры – пьянит. Уставшие от постоянного сидения ноги ослабли, еле плетутся, но тело радуется движению. Сколько они пробыли в казематах? Соседи утверждали, что несколько недель – вели отсчет по ежедневным перекличкам.

Они идут по коридору, спереди и сзади – конвой. Иногда останавливаются и вызывают из других камер еще людей. На выходе из тюрьмы их уже много, не сосчитать. Деревенские, понимает Зулейха, разглядывая на ходу лица и одежду спутников. Некоторые – со свежими, даже румяными лицами (недавно привезли). А некоторые – как и ее земляки – еле держатся на ногах. Вдова муллы постарела, посерела, но упрямо тащит за собой оставшуюся от кошки пустую клетку. Жена крестьянина высохла до желтизны, по-прежнему прижимает к себе два запеленатых кулька-младенца.

– Наконец-то! – дрожит у самого уха радостный шепот Лейбе. – Госпиталь перебрасывают в тыл!

Зулейха кивает. В тыл – так в тыл. Она впервые видит Лейбе при свете: черты лица – изящные, как у юноши; кудрявая седина – яркая, серебряная; и даже морщины – тонкие, умные. Длинная многонедельная щетина закрывает щеки, придает благородства. Он не так уж и стар, как показалось вначале, пожалуй, моложе Муртазы. Только одет странно, как нищий, – в очень ветхий, проеденный молью и рваный во многих местах старинный мундир синего цвета, на обмотанных тряпьем ногах – домашние тапочки без задников.

– Сбиться плотней! Вперед трусцой – марш! – командует солдат впереди и распахивает дверь на улицу.

Дневной свет ударяет в лицо, как лопата. Глаза взрываются красным за вмиг зажмуренными веками. Зулейха хватается за качающуюся стену и ложится на нее. Стена хочет сбросить Зулейху, но она лишь сползает на пол. Приходит в себя от крика:

– Встать! Всем встать, сволочи! Обратно в камеру захотели?!

Она лежит на грязном каменном полу, у выхода из казематов. В косом проеме распахнутой двери – до боли синее мартовское небо, большая и плоская тарелка тюремного двора в зеркальных кляксах луж. Рядом валяются еще несколько человек, стонут, прижимая руки к глазам. Кто-то прислонился к стене, кто-то присел на корточки, встал на колени, мычит...

– Я сказал: вперед! трусцой! марш!

По одному, щурясь, как кроты, люди выбираются на улицу. Шатаясь от свежего воздуха, держась друг за друга, сбиваются в рыхлую, хромую, то и дело расползающуюся по дороге кучу, неровной трусцой бегут по улице Ташаяк к вокзалу. Со всех сторон их окружают бодрые конвоиры. Винтовки в руках наперевес – в полном соответствии с параграфом семь инструкции номер сто двадцать два бис четыре от семнадцатого февраля тысяча девятьсот тридцатого года «О режиме конвоирования бывших кулаков, уголовников и других антисоветских элементов».

Скоро глаза привыкают к дневному свету, и Зулейха оглядывается. С обеих сторон гигантскими змеями – составы из десятков вагонов. Под ногами – бесконечные ленты рельсов и ребра шпал, по которым торопливо шагают размокшие от липкого снега валенки, разбитые башмаки, измазанные грязью сапоги переселенцев. Сильно пахнет мазутом. Впереди раздается гудок – приближается поезд. «Пропускаем!» – команда спереди.

Конвойные останавливаются, штыками показывают: сойти с путей. А навстречу уже несется, дыша горячими мохнатыми парами, громадина паровоза. Огненно-красная юбка – клином вперед, режет воздух. Маховики – как взбесившиеся мельничные жернова. Грохот, лязг – страшно. Зулейха впервые в жизни видит поезд. Мелькают намалеванные белой краской на боку неровные буквы «К счастью – вперед!», плотный воздух хлещет по лицам, – и паровоз уже уносится прочь, таща за собой длинную цепь громыхающих вагонов.

Один из сыновей многодетного крестьянина, долговязый мальчонка лет двенадцати, неожиданно срывается с места – прыгает, цепляется за поручни, болтается, как котенок на ветке, уезжает вместе с эшелоном. Конвоир вскидывает винтовку. Грохот выстрела сливается с гудком паровоза, облако густого клочковатого пара окутывает состав. Шум поезда удаляется так же быстро, как и настиг. Пар рассеивается – на путях остается лежать маленькое тельце, утонувшее в тулупе не по размеру.

Мать успевает только беззвучно открыть рот – и руки ее виснут веревками. Кульки-младенцы чуть не падают на землю. Зулейха подхватывает одного, крестьянин – второго. Старшие дети испуганно жмутся к ногам отца.

– Шагаем дальше! Не задерживаемся!

Стальные пальцы штыков указывают путь. Один из них трогает женщину в плечо: сказано же – вперед! Крестьянин берет жену за плечи. Она не сопротивляется: голова вывернута назад, как у мертвой курицы, неотрывно глядит на раскинувшееся между рельсов тельце сына. Все еще не закрывая рот, послушно шагает вместе со всеми прочь, переставляя ноги по шпалам. Долго шагает.

Вдруг кричит низким голосом, бьется в руках мужа, бестолково размахивая руками и ногами, – хочет вернуться. Но наперерез уже летит, грохоча, новый состав, и крик тонет в могучем железном хоре маховиков, поршней, молотков, вагонов, рельсов, колес...

Зулейха прижимает к себе теплый мягкий кулек. Чужой младенец – кукольно-розовый, щекастый, с крошечной пуговкой носа и нежным пушком вместо бровей. Посапывает во сне. От роду – месяца два, не больше. Ни одна дочь Зулейхи до этого возраста не доживала.

Переселенцы широким длинным ручьем текут по рельсам. Навстречу им, от вокзала, бежит другой, маленький ручеек озябших, не по погоде одетых людей. А через пути, наискосок, стремительно шагает одинокая фигура в остроконечном шлеме, с серой папкой в руке. Все встречаются у большого вагона, сбитого из кривоватых, плохо оструганных, покрытых рыжей краской досок.

– Стой! – негромко произносит человек с папкой.

Зулейха узнает его: красноордынец Игнатов – убийца Муртазы.

Начальник конвоя уже спешит к нему, шепчет что-то на ухо, указывая на продолжавшую выть жену крестьянина. Игнатов слушает, изредка кивая и хмуро оглядывая сбившуюся перед ним толпу. Встречается взглядом с Зулейхой. Узнал? Или показалось?

– Слушай меня внимательно! – говорит наконец. – Я – ваш комендант...

Она не знает, что такое комендант. Он сказал: ваш? Значит, надолго вместе?

– ...И повезу вас, граждане раскулаченные, и вас, граждане бывшие люди, в новую жизнь...

Бывшие люди? Зулейха не понимает: бывшие люди – это мертвецы. Она оглядывает горстку людей, только что присоединившихся к ним. Бледные усталые лица. Дрожат, жмутся друг к другу – одеты по-осеннему: в легкомысленные драповые пальто и глупые тонкие ботинки. Посверкивает золотом оправа треснувшего пенсне, ярким изумрудным пятном горит нелепая дамская шляпка с вуалью – горожане, сразу видно. Но не мертвецы, нет.

– ...В жизнь трудную, полную лишений и испытаний, но также – честного труда на благо нашей горячо любимой родины...

– А куда? Куда повезешь-то, командир? – перебивают вдруг нахально из толпы.

Игнатов стреляет глазами по лицам, ища наглеца. Не находит.

– Доедешь – узнаешь, – говорит он веско поверх голов. – Так вот...

– А если не доеду? – раздается опять дерзкое, с вызовом.

Игнатов переводит дыхание. Затем достает из-за пазухи огрызок карандаша, тщательно слюнявит.

– Как фамилия убитого при побеге? – спрашивает громко.

Услышав ответ, раскрывает папку и зачеркивает одно имя в списке.

– Один – уже не доехал. – Поднимает папку и машет ею в воздухе: – Всем видно?

Жирная кривая черта на истерзанном пишущей машинкой листе плывет над толпой.

Игнатов откашливается.

– ...Долго вы пили кровь трудового крестьянства. Пришла пора искупить свою вину и доказать ваше право на жизнь в нашем нелегком настоящем, а также – в прекрасном светлом будущем, которое настанет, без всяких сомнений, очень и очень скоро...

Слова длинные, сложные. Зулейха понимает совсем немного – лишь обещание Игнатова, что все закончится хорошо.

– ...Моя задача – доставить вас в эту самую новую жизнь целыми и невредимыми. Ваша задача – помочь мне в этом. Вопросы будут?

– Да! – торопливо, извиняющимся тоном говорит из кучки «бывших» сутулый мужчина с печальными глазами; кожа под ними оплыла мешками, как огарок свечи (пьяница, понимает Зулейха). – Будьте любезны. Питание в дороге предусмотрено? А то мы, понимаете ли, уже которую неделю...

– Питание, значит... – зловеще произносит Игнатов, вплотную подходит к сутулому, подрагивая мгновенно побелевшими ноздрями. – Скажите спасибо, что советская власть вас не расстреляла! Что продолжает думать о вас, заботиться! Что поедете в теплых вагонах, со своими родными!

– Спасибо, – испуганно лепечет тот зеленым нашивкам на груди Игнатова. – Спасибо.

– Вы едете освобождаться от оков старого мира – навстречу новой свободе, можно сказать! – продолжает греметь Игнатов, шагая вдоль неровного, вжавшего головы в плечи строя. – А думаете только о том, как набить брюхо! Будет вам... и рябчик в шампанском, и фрукты в шоколаде!

Резко машет конвойному у вагона: давай! Тот оттягивает дверь, и она, визжа, отъезжает в сторону: вагон раскрывает черную прямоугольную пасть.

– Добро пожаловать в гранд-отель! – усмехается конвойный.

– С превеликим удовольствием, гражданин начальник! – Юркий человечек с собачьими повадками и цепким взглядом первым подскакивает к вагону, с размаха забрасывает ногу в высокий проем (становятся видны махровые края широких брюк) и исчезает внутри.

Опасный человек, тюремный, догадывается Зулейха. От такого нужно – подальше.

И вот уже переселенцы, пихая друг друга локтями, лезут в вагон, чтобы занять места. Мужики крякают, пружинисто толкаются ногами, заскакивают с разбегу. Бабы кряхтят, задирая валенки в ворохе юбок, взбираются кое-как, тянут за собой визжащих ребятишек.

– А тех, кто не умеет по-обезьяньи, на руках будете заносить? – раздается среди гама спокойный голос.

Статная дама с высокой прической, на закрученных башней полуседых волосах – та самая ярко-зеленая шляпка с вуалью. Стоит, подняв могучие руки в стороны, – будто приглашает взять себя на руки. Такую не поднять, решает Зулейха, слишком уж тяжела.

Игнатов в упор смотрит на даму – та не отводит взгляд, лишь поводит тонкой бровью: так как? Ее испуганно теребит за плечо старичок в треснувшем пенсне, но она строптиво смахивает его руку. Игнатов ведет подбородком – конвойный вытаскивает из скоб на двери вагона толстую доску и кладет трапом от вагона к земле. Дама, милостиво качнув шляпкой в сторону Игнатова, направляется в вагон. Ее большие ноги в шнурованных ботинках ступают решительно и неумолимо – доска гнется, дрожит.

– Votre Grand Hôtel m'impressionne, mon ami[1], – говорит она конвойному, и тот недоуменно застывает, слыша незнакомую речь.

Зулейха осторожно идет следом, – в одной руке узелок с вещами, в другой спящий ребенок. И Алла, где же это видано: перечить мужчине, да еще военному, да еще начальнику... Старая какая дама, а смелая. Или оттого и смелая, что старая? Но подниматься по доске действительно удобней.

За спиной с визгом едет по полозьям дверь. Опять становится темно, как в камере. Тяжелый лязг одного засова, второго. Вот и все: телячий вагон (или, по-народному, теплушка) номер КО 310048, грузоподъемностью двадцать тонн, плановой вместительностью сорок человеческих или десять конских голов, укомплектованный пятьюдесятью двумя переселенцами, к отправке готов. Превышение плановой комплектации на двенадцать голов можно считать

---

[1] Ваш гранд-отель впечатляет, друг мой (*фр.*).

несущественным – как мудро заметил утром начальник ТУ «Казань», скоро по девяносто поедут, стоймя, как лошади.

Пока помогала устроиться несчастному крестьянину и его онемевшей от горя жене – укладывала на нарах поудобнее кульки с младенцами (как жаль было отрывать от себя теплый, дышащий нежным младенческим запахом сверток!), размещала непоседливых старших детей, – свободных мест не осталось: люди заполнили двухэтажные нары плотно, не втиснуться. Выручил, как и в прошлый раз, Лейбе. Свесился откуда-то и потянул за руку наверх, к потолку, в густую темноту – на второй этаж.

– Попрошу соблюдать размещение в палате, – ворчит сердито.

Зулейха благодарно соглашается, на ощупь втискиваясь между холодной, как камень, стенкой и профессором и слегка пригибая голову, чтобы не подпирать теменем покрытый инеем потолок. Стягивает с головы шаль, прокладывает между своей ногой и жестким бедром Лейбе – грешно сидеть так близко к чужому мужчине. Стыдно – праотцам до третьего колена, укоризненно сказала бы мама. Да, мама, знаю. Но правила твои были хороши для старой жизни. А у нас – как там сказал Игнатов? – *новая* жизнь. Ах, какая у нас теперь жизнь...

Тюремный человек с песьими повадками выковыривает из неприметной щели в стене глубоко запрятанную спичку. Чиркает о подошву и склоняется над пузатой железной печкой, гремит углем – и вот уже в буржуйке трещит, разгораясь и заливая все вокруг теплым дрожащим светом, жаркий огонь.

Зулейха оглядывается: дощатые стены, дощатый пол, дощатый потолок. В центре вагона, горячим сердцем, – кривая печурка, местами в кружевах ржавчины. По краям – потемневшие от времени, натертые сотнями рук и ног до тусклого бурого блеска нары.

– Ну что притухли, хрустьяне? – сипит тюремный, сверкая крупными серыми зубами. – Не гоношись, буду вашим смотрящим. В обиду не дам – я бродяга честный, Горелова все знают.

Волосы у Горелова – длинные, лохматые, как у женщины. Тяжелые сальные пряди то и дело падают на лицо, и от этого взгляд становится диким, звериным. Он идет вдоль нар разболтанной, словно танцующей, походкой и заглядывает в хмурые лица.

– Без смотрящего вам тут – амба, голуби. Ехать-то долго. – И внезапно громко, с оттягом поет: – Цыц, вы, шкеты, под вагоны-ы-ы, кондуктор схавает вас вра-а-аз...

– Вам-то откуда знать? – Сутулый пьяница с печальными глазами («Иконников Илья Петрович, художник», как представится он позже соседям) присел у раскалившейся уже буржуйки и греет озябшие руки. – Может, до Урала добросят и высадят.

Горелов подходит к печке. Оценивающим взглядом окидывает сгорбленную фигуру Иконникова: пальто – мешком, шарф на шее – удавкой. Снимает с ноги грязный, расползающийся на швах ботинок и протягивает: подержи-ка. Долго разматывает портянку и наконец достает бычок, спрятанный между пальцами ног. Вставляет в рот, любовно накручивает портянку обратно, обувается. Прикуривает из буржуйки и пускает дым Иконникову в лицо.

– А оттуда мне знать, – говорит он, продолжая разговор как ни в чем не бывало, – что я – калач тертый.

Две ходки имею, зема. На Сахалине чалился, в Соловках мочалился.

Тот кашляет, отворачивается от дыма. Горелов встает и окидывает грозным взглядом притихший вагон: может, кто сомневается?

– Это вам не воля вольная. Порядки надо соблюдать, – произносит назидательно. – А уж я пригляжу, чтоб никто не дурковал.

Резким движением Горелов ловит за ухом вошь, щелкает на ногте и швыряет в печь.

– Менты оравой кипишнули с ходу-у-у... – поет он, и большая золотая фикса сверкает в широком оскале. – Жиганам вилы, к жучке не ходи-и-и. Линять уж некуда, кругом полно народу-у-у. Процесс, тюрьма и вышка впереди-и-и... – Он стоит в центре вагона, вставив руки в карманы и откинув плечи назад, как крылья. – Или кому на вышку не терпится-жжется?

Настороженные лица молча смотрят с нар. Горелов делает шаг за печку и откидывает ногой деревянную крышку. Воинственно озираясь, расстегивает штаны и пускает тугую звонкую струю в открывшуюся в полу дыру. В свете разгоревшихся свечей длинная блестящая струя кажется хрустальной дугой. Несколько женщин ахают, завороженно глядят не мигая. Мужья дергают их за рукава, и они опускают взгляды, прикрывают глаза детям.

Зулейха, опомнившись, тоже отворачивается. Звук льющейся воды звенит в ушах, заставляя лицо теплеть от стыда. Это и есть отхожее место? А женщинам – как быть? В камере по нужде ходили в ведро, но там было темно, а здесь...

Горелов победно улыбается, стряхивая капли и не торопясь вернуть мужское достоинство в штаны.

– Herpes genitales, если не ошибаюсь, – раздается спокойный голос Лейбе рядом с Зулейхой – профессор задумчиво смотрит на оголенную плоть Горелова. – Три доли эфирного масла лаванды, одна доля серы. Втирать трижды в день. И никаких половых контактов – до полного выздоровления, – решительно кивает, окончательно соглашаясь с самим собой, и равнодушно отворачивается.

Горелов с изменившимся лицом торопливо запихивает сморщенный уд в штаны и подскакивает к Лейбе, обезьяной вскарабкивается на второй этаж.

– Береги портрет, падла, – шипит в безучастное лицо, вытирая кончики пальцев о профессорский мундир, как о салфетку. – И скажи спасибо, что я сам – смотрящий. Не то налупил бы тебе звонарей...

Вскрикивает – уколол палец о мелкий значок, косо прицепленный на лацкан мундира.

Вагон резко, с грохотом, двигается с места.

– Поехали! Поехали! – вскипают нары возбужденным шепотом.

Урка бросает на Лейбе злобный взгляд и перебирается на свое место.

Рядом с Зулейхой, под самой крышей, – окошко, маленькое, размером с печное, разлинованное ровными металлическими полосками в сером бархате инея. А за решеткой – торжественно проплывает центральный перрон и огромное красное здание вокзала с кружевными буквами – «Казань». Спешат куда-то люди, окруженные блестящими лезвиями штыков. Ржет пара коней под милиционерами. Надрываются продавщицы снеди.

– От Москвы поехали, в Сибирь, – замечает кто-то.

– А вы куда хотели? К Черному морю?

Паровоз громко и протяжно, до рези в ушах, свистит. Плотное облако молочного пара окутывает все, лезет в глаза и в рот. А когда рассеивается, за окном уже летят черные скелеты деревьев на фоне белых полей.

Зулейха прикладывает палец к решетке – иней на ней плавится. С потолка начинает капать – согретый теплом буржуйки и человеческим дыханием, иней тает и на потолке...

Обжились быстро. Да и что там обживаться – вещей мало, места тоже. Крестьяне кучковались в одном конце вагона, ленинградские «бывшие» – в другом. Зулейха с профессором оказались на *городской* половине.

Познакомились. Высокая дама в зеленой шляпке носила имя под стать – Изабелла. У нее еще были длинное отчество и заковыристая двойная фамилия, но Зулейха не запомнила. Каждое утро Изабелла укладывала седые пряди в высокую прическу. Иногда читала вслух стихи – умные, непонятные, очень красивые, то на русском, а то и вовсе – на грохочущем, как вагонные колеса, французском языке. Никогда не повторялась. Вагон слушал. Зулейха не понимала, как может столько разных, сложных и очень длинных строк уместиться в одной голове, да еще и женской. Лицо у Изабеллы оставалось неизменно спокойным и величественным, даже когда она шествовала к загороженному тряпицей отхожему месту или ловила под мышками вшей.

Муж ее, Константин Арнольдович, сухонький старичок с седым треугольником тощей бородки, все больше молчал. Утром просыпался рано и занимал место у дверной щели – дожидался первых солнечных лучей, подставлял под них единственную свою раскрытую книгу, читал. Некоторым страницам улыбался, кивал одобрительно, некоторым – грозил пальцем, сокрушенно качая маленькой головкой, с некоторыми даже спорил. Когда доходил до последней страницы, захлопывал книгу, задумчиво смотрел на серый колосок на обложке – и открывал заново. Иногда они с женой подолгу разговаривали шепотом, но такими мудреными словами, что Зулейха не понимала ни единой фразы, хотя беседа шла по-русски. Странный человек, Зулейха его немного побаивалась.

А вот сутулого Иконникова – невзлюбила. Во всем – в морщинистых сизых мешках под глазами, в легком подрагивании длинных нервных пальцев, в немного суетливых движениях, даже в том, как Илья Петрович громко и длинно сглатывал большим острым кадыком, – читалось: пьяница. Мама всегда говорила: пьяный человек – хуже зверя.

Но больше всего Зулейха не любила Горелова. Его никто не любил. Староста вагона держал всех крепко, под самое горло. Еду всегда делил сам: склизкую кашу и селедочную похлебку отмерял собственной щербатой кружкой, хлеб резал суровой ниткой внатяг, нещадно лупил чужие протянутые пальцы ложкой: не лезь поперед старосты. Даже питьевую воду из наполовину ржавого, покрытого ледяной коркой ведра сам разливал. Себе брал двойную порцию – за работу. Мужики смотрели косо, молчали. Горелов первым вскакивал с нар, когда дверь открывалась на ежедневный обход и невозмутимый Игнатов со строгим надменным взглядом входил в вагон в окружении солдат. Староста вытягивался перед комендантом, тыкал напряженной пятерней себе в висок, громко и старательно докладывал о том, что «происшествия не имели место быть». Игнатов слушал неохотно, вполоборота, и Зулейхе было отчего-то приятно, что он при этом едва заметно дергал тонкими ноздрями. Иногда Горелова вызывали в комендантский вагон; возвращался он тихий, загадочный, даже мечтательный – может, его там кормили.

А есть хотелось всегда. Живот ныл, требовал. То сжимался кулаком, то расправлялся, раздувался. Еда в пути была скудная – не утешала, а только распаляла нутро. Зулейха вспоминала мамины сказки про ненасытную великаншу *жалмавыз*, которая ест все, что попадается на пути. Так вот, Зулейха сама стала такая. Прожорливая, как саранча. Жадная, как индюшка. Даже не знала, что может быть *такой* голод. В глазах от него темнело – вот какой. Чуть звякнет вагонный засов – желудок тотчас рычит, волнуется: не есть ли принесли? Чаще окажется – нет, очередная проверка: или пересчет голов, или врач станционный со спешным брезгливым осмотром.

В пути было легче. Зулейха смотрела, как в крошечном прямоугольнике зарешеченного окна пролетала мимо чужая жизнь – редкие лесочки, сползшие с пригорков деревеньки, мятые ленты речушек, скатерти степей, щетки лесов – и забывала про голод. А на стоянках вспоминала опять.

Иногда ловила на себе внимательный взгляд соседа. Лейбе долго и пристально, не мигая, смотрел, как она тщательно вылизывает языком чистую до скрипа плошку. И вдруг отдавал ей свой наполовину съеденный кусок хлеба или остатки каши в миске. Зулейха сначала отказывалась, а затем перестала. Только благодарила и слушала, слушала его бесконечные путаные речи – не то рассказы о медицинской практике, не то обрывки диагнозов. Скоро заметила, что и любитель книг, молчаливый Константин Арнольдович, прислушивается к их странным беседам. Зря старается, ревниво думала она. Не станет же профессор делиться едой еще и с этим книгочеем!

Она так и не поняла, был ли у вагона свой *иясе* – домовой. Казалось бы – должен, как не быть. А если подумать – чем ему питаться? Здесь даже вшей мертвых не было (кто сам съедал, кто в буржуйке жег), не то что хлебных крошек. По ночам она прислушивалась: не скрипнет ли что под мохнатой лапой, не звякнет ли. Нет, тихо, ничего. Без души был вагон, мертвый.

В нем было очень холодно, угля давали мало. Изредка выдавали свечи для двух мутноглазых ламп – и тогда ненадолго становилось светло.

Повсюду в вагоне были разбросаны следы предшественников – как приветы из прошлого. Исследовав все щели и дырки от сучков в стенных досках, Горелов в первые же полчаса пути обнаружил целую папиросу. На буржуйке, под слоем ржавой грязи, оттерли и прочитали гвоздем процарапанную задорную надпись: «Жги блядей!» Нары были испещрены посланиями: имена любимых, даты, клятвы не забыть и не простить, стихи, посвящения, угрозы, молитвы, похабные ругательства, тонкий женский профиль, цитаты из Библии, арабские каракули... Дети многодетного крестьянина, играя под нарами, нашли детский ботиночек – нежно-кремовый, на изящном каблучке и тонкой кожаной подошве, для девочки лет пяти-шести. Горелов хотел вынуть шелковый шнурок (в жизни все пригодится), но не успел – сдержанный обычно Иконников резко швырнул ботинок в печку. В вагоне потом долго и противно пахло паленой кожей...

Маршрут их был долог. Казалось – бесконечен. Названия городов, поселков и станций нанизывались друг на друга, как бисер на нитку.

Кендери, Высокая Гора, Бирюли, Арск...

Эшелон то стремительно мчался по железной дороге сквозь ветры и метели, то лениво тащился по каким-то *рукавам* и *боковым веткам*, ища предназначенный ему *отстойник*, то неделями неподвижно стоял в этом самом отстойнике, покрываясь сугробами и примерзая колесами к рельсам.

Шемордан, Кукмор, Кизнер...

Иногда на полустанках в щели вагонной двери мелькал второй эшелон, идущий рядом.

– Лаиш! – орали тогда тихие обычно крестьяне. – Мамадыш! Свияжск! Шупашкар!

– Липецкие мы! – летело в ответ.

– Воронеж! Таганрог! Шахты!

– Из-под Арзамаса!

– С Сызрани!

– Вологодские!

Саркуз, Можга, Пычас...

Однажды после очередной стоянки состав неожиданно повезли в обратном направлении: Пычас, Можга, Саркуз... Крестьяне смеялись от радости, молились, не переставая: домой едем, хвала небесам, домой! Везли почти сутки. Затем опомнились – развернули, погнали опять на восток: Саркуз, Можга, Пычас...

– Не нужны мы никому, – сказал Иконников тогда. – Мотают, как...

Умолк.

– Да-да! – подбодрила его Изабелла. – Вы совершенно правы: как говно в проруби. Именно!

Покатили дальше.

Агрыз, Бутрыш, Сарапул...

Первыми начали умирать дети. Один за другим, словно играя в салки, *убежали на ту сторону* все дети несчастного многодетного крестьянина – сначала оба младенца (разом, в один день), затем старшие. Следом отправилась его жена, к тому времени уже не совсем ясно различавшая границу между тем миром и этим. Сам крестьянин в тот день бился головой о стену вагона – хотел расколоть себе череп. Оттащили, связали, держали, пока не успокоился.

Янаул, Рабак, Турун...

Умерших закапывали вдоль путей, в одной общей яме. Копали сами, деревянными лопатами, под прицелом конвойных винтовок. Бывало, вырыть могилы или прикрыть трупы щебнем не успевали – гремела команда «По вагона-а-ам!». Оставляли тела лежать открыто – надеялись, что в следующем эшелоне найдутся добрые люди, присыплют. Сами, когда стояли у таких открытых могил, всегда присыпали.

Бисерт, Чебота, Ревда...

Игнатов так и не привык к подстаканнику. Кипяток пил из старой доброй алюминиевой кружки, а *этот* – пузатый, сверкающий ровными стальными кружевами на брюхе, с вызывающе гладкой ручкой – так и стоял на столе. Граненый стакан в нем мелко и призывно трясся на ходу, иногда подпрыгивал – напоминал о себе. Но казалось глупым, стыдным, да просто невозможным пить из такого нелепого предмета. После Сарапула Игнатов отдал его в соседнее купе, конвойным – пусть балуются. Хотел отдать и противно мягкий полосатый матрас с непривычно гладкой (шелковой, что ли?) обивкой, но передумал: испортят имущество, олухи.

Свернул в трубку, запихнул кое-как на высокую полку под потолком. Спать на деревянной лавке было привычнее, слаще.

Многое не нравилось ему в комендантском купе. И бесшумное, по-лакейски услужливое скольжение двери (вправо-влево, вправо-влево...), и щегольские фестончатые занавески в тонкую, еле заметную полоску (положим, с открытыми окнами – никак, но рюшечки-то зачем?), и безукоризненно чистое большое зеркало над объемистой воронкой рукомойника (смотрелся в него только по необходимости – утром, когда брился). Такие дела вокруг! А тут – кружавчики, подстаканники...

Везти состав – не такое уж и шуточное дело, как показалось вначале. Ехали уже два месяца. Да ладно бы ехали – все больше стояли. Дергались, как безумные, – то срочно вперед («Сдурел, что ли, комендант! Видишь – все забито! Давай свои бумаги и чеши, чеши отсюда скорей – освобождай мне пятый путь!»), то опять – в отстойник на неделю («Не было на ваш счет никаких распоряжений, товарищ. Велено ждать – ждите. И не ходите вы ко мне каждый час! В случае чего мы сами вас найдем»). Ни тпру ни ну.

Он любил те минуты, когда длинная коричневая кишка состава разгонялась, громыхала тяжело и быстро, летела по рельсам – словно дрожа от нетерпения. Так и хотелось рвануть окно вниз, высунуть голову, подставить лицо ветру. И с трудом переносил длинные дни тягостного ожидания на задворках какой-нибудь маленькой, курсивом обозначенной на карте станции.

Вот и сейчас, глядя в мутную толщу густо запыленного окна, за которым простираются неподвижные черные поля с мелкими белыми пятнами – остатками снега, он раздраженно стучит пальцами по лакированной крышке стола.

За восемь дней простоя – пятнадцать смертей.

Он давно заметил, что люди мрут во время стоянок. То ли колеса громким стуком подгоняют усталые сердца, то ли качка вагона успокаивает. Но факт есть факт: что ни простой – еще пара фамилий в серой папке с надписью «Дело» зачеркнута.

Одиннадцать стариков, четыре ребенка.

Когда везешь почти тысячу душ, нет ничего удивительного в том, что некоторые умирают, так? Старые – от старости, от болезней. А дети? Верно, от слабости. Ничего не попишешь – дорога.

– Товарищ комендант, – в дверь с кокетливым стуком заглядывает Полипьев, заведующий хозяйственной частью, – так что, обед? Несу?

И вот уже вплывает в купе аромат разваристой, сдобренной щепоткой сала перловки. На длинных жемчужных крупинках искрятся кристаллы соли. Сбоку – толстый ломоть ноздреватого хлеба.

Игнатов берет с подноса тарелку. Полипьев смиренно вытягивает руки по швам. Поначалу он пытался было помочь коменданту – и салфетку льняную на столе разложить поровнее, и тарелку поставить красиво, по центру, и приборы разместить правильно (ложку с ножом – справа, вилочку – слева), и солонку с перечницей, и... Но это ж не комендант – зверь: еще раз, говорит, увижу эти финтифлюшки... Что ж, угодно без этикету жрать – извольте. Хлебайте одной ложкой вашу кашу.

– Товарищ Игнатов, – Полипьев держит опустевший поднос, как щит, перед грудью, – так что все-таки с бараниной?

Игнатов поднимает тяжелый взгляд, молчит.

– Апрель на носу – боюсь, не доглядим. Ледник – оно, конечно, хорошо, но с погодой-то не поспоришь. – Полипьев заговорщически понижает голос. – Может, все-таки – в расход? Я ж – все, что угодно из нее: и щи по-селянски, и макароны по-флотски. Да хоть консоме с профитрольчиками... И первое, и второе, и студень из костей – неделю будем есть. А то что ж мы с самой Казани – на одной перловке. Ваши бойцы на меня такими злыми глазами глядят. Самого съесть обещали, если мяса не выдам.

– Без приказа – не съедят. – Игнатов откусывает хлеб и, грозно жуя, берет в руку ложку. – А вот если баранина стухнет – непременно. Сам распоряжусь.

Полипьев изображает неопределенную ухмылку – не то улыбка, не то понимающее и покорное согласие.

– Вот вы! – Игнатов тыкает ложкой ему в грудь. – Вы можете мне сказать, сколько мы еще будем ехать? Неделю? Месяц? Полгода? Чем я вас – вас лично! – кормить буду, если мы сейчас все сожрем?

– Ну что ж – ледник так ледник, – вздыхает Полипьев и исчезает за дверью.

Игнатов бросает ложку.

Баранина!

И тушенка, и сгущенное молоко, и сливочное масло – холодильник комендантского вагона был забит провизией. Все эти богатства предназначались для персонала: конвойного состава, двух кочегаров, машиниста. Ну и самого коменданта, конечно.

А переселенцев, как предполагалось, должны были кормить на станциях. В специальной инструкции для органов Транспортного отдела ГПУ так и было написано, черным по белому: «Обеспечить бесперебойное снабжение выселяемых кипятком на всем пути следовании эшелона, организовать питательные пункты на станциях с подачей горячей пищи не реже раза в двое суток». Ну и где они, питательные пункты?

На первой же станции Игнатов понял: с этим – беда. Составы с раскулаченными тянулись по железной дороге плотно, один за другим, некоторые подолгу застревали на перегонах в ожидании распоряжений. «Откуда я тебе столько провизиону найду? – ласково спросил у него начальник станции. – Скажи спасибо, что кипяток даю». Игнатов сказал: кипяток действительно давали исправно.

А вот еды для переселенцев не хватало. Игнатов радовался, когда ему удавалось *выбить* кашу (пшено, овес, перловка, редко – сечка или полба). Она на то и каша, что ее сильно не разведешь. Супы, к примеру, разводили нещадно, в несколько раз, да еще бывало – ледяной водой. Игнатов пробовал было ругаться – куда там, еще самого и обвинят. «Ты их что – жалеешь, что ли?» – спрашивали. «Отвечаю я за них! – огрызался он. – Кого я в точке прибытия сдавать буду?» – «Да где она, твоя точка прибытия?!» – махали рукой.

И правда: где? Он не знал. Видимо, этого не знал никто. На очередной станции, выждав неделю, а то и две в отстойнике, Игнатов получал неизменное распоряжение: «Следовать до точки такой-то и далее – до востребования». Следовал. Прибывал. Спешил с докладом к начальнику станции. И – снова ждал востребования.

Успокаивал себя: не один такой. Встречался на станциях с другими комендантами, поопытнее, перекидывался парой слов. Да, говорили, тоже идем до востребования. Да, мрет народ в вагонах. Да, помногу. Ты, главное, охраняй покрепче, чтобы ЧП не было. А *естественная убыль* – она всегда есть, за нее никто не спросит.

И все бы ничего – да эти ежедневные обходы... Он вдруг понял, что начинает узнавать лица. Каждый раз, сидя в купе и погружая ложку в горячую рассыпчатую кашу, некстати вспоминал то худющего белоголового подростка-альбиноса с доверчивыми, совершенно розовыми глазами из третьего вагона, то толстую веснушчатую бабу с большой алой родинкой на щеке из шестого («Начальничек! Угости хоть чем-то – схудну ведь...»), то маленькую бледнолицую женщину с зелеными глазищами на пол-лица из восьмого.

Вот и сейчас – та же мысль: все эти люди сегодня обедали кипятком. Не люди, поправляет себя. Враги. Враги обедали кипятком – и от этого каша кажется безвкусной.

Вспоминает, как трехлетним пацаном сидел вечерами на подоконнике их полуподвального окна и выглядывал среди бегущих по улице ног квадратные материнские башмаки. Мать возвращалась затемно. Пряча глаза, поила его пустым кипятком и укладывала спать.

Дурак. Тряпка. Нюня. Бакиев высмеял бы его – и совершенно справедливо...

Встает и уносит нетронутую тарелку в кухонный отсек, к Полипьеву. Сам пусть давится своей перловкой.

Вечером того же дня обмирающий нехорошим предчувствием Полипьев выдавал заместителю начальника местной станции всю имеющуюся в леднике комендантского вагона баранину. Темно-красное, в мельчайших белых прожилках мясо исчезало в объемной плетеной корзинке, уплывало из жизни Полипьева навсегда (как ранее уже покинули холодильник пять с лишним кило сливочного масла и дюжина банок нежнейшего сгущенного молока). Выдача происходила поздно вечером, впотьмах, по устному распоряжению коменданта эшелона, без накладных и расписок, что ввергало осторожного заведующего в состояние смутной тревоги.

Через полчаса к составу подали бак с пшенкой – для переселенцев. Это было абсолютно неожиданно и настолько кстати (людей не кормили вот уже двое суток), что не могло оказаться простым совпадением.

«Так и есть, – мстительно размышлял Полипьев, наблюдая из окна своего купе, как большие желтые куски слипшейся каши бросают мерным половником в ведра (по одному ведру – на вагон). – Грозный зверь-комендант оказался на поверку банальным взяткодателем».

Эта мысль наполнила завхоза спокойным удовлетворением, еще большим оттого, что пару кусков прекрасной баранины все же удалось утаить. Полипьев решил без ведома коменданта подмешать их завтра в неизменную перловку. Игнатов в последнее время ест плохо – вряд ли распознает в ставшей уже ненавистной каше вкус мяса...

В последний день стоянки под Свердловском в восьмом вагоне случилось маленькое происшествие. Эшелон стоял здесь почти неделю. В открытую на ширину ладони дверь было видно темную, местами еще крапленую остатками талого снега, но уже тронутую свежей зеленой порослью долину (в пути и во время стоянок вагонную дверь разрешалось приоткрыть немного, а при въезде в населенные пункты полагалось запереть на два засова). С каждым днем зелень крепла, ярчела, заливала горизонт.

Маленькая рыжегрудая птичка, обманутая долгой неподвижностью состава, надумала вить гнездо под крышей вагона, недалеко от окошка Зулейхи – деловито таскала ветки и пух, без устали забивала их под крышу, щебетала возбужденно.

– Если мы еще столько же здесь простоим, она успеет отложить яйца, – заметил Константин Арнольдович, не отрываясь от книги.

– Какие яйца?! Сейчас же схаваем! – Горелов сглотнул и подобрался поближе к окошку, хищно шевеля пальцами и прикидывая, как бы сподручнее изловить добычу.

– Давайте еще немного полюбуемся, – Иконников приблизил сощуренные глаза к окошку.

Внезапно – грохот удара, сверху посыпалась пыль, песок, щепки. Птичка испуганно цвиркнула и порскнула в небо. Это Зулейха ударила длинной крепкой доской, вынутой из железных скоб на двери, по потолку вагона. Проводила пичужку глазами, вернула доску на место, отряхнула ладони.

Горелов с разочарованным воем («Что ж ты творишь, дурка татарская?!») упал на нары: все – ушел обед, улетел! Иконников, кажется, впервые за время пути, с интересом посмотрел на Зулейху.

– Гнездо потеряет – яйца нести не будет, – пояснила она коротко. – Все лето будет потерянное гнездо искать.

Забралась обратно на нары. Заметила, что от удара на потолке отошла доска и появилась узкая щель – видна полоска неба. Вот и славно – не все ж в окно смотреть.

Вечером состав тронется. Ночью – пересечет Уральский хребет. Зулейха будет смотреть на мелькающие в щели на потолке звезды и думать: и Алла, долго ли еще ехать? Куда-куда? – будут стучать колеса. Куда-куда? Куда-куда? И сами же себе отвечать: Туда-туда. Туда-туда. Туда-туда.

Побег

– Суки! Всем подъё... – ошалелый полупридушенный голос откуда-то снизу.

Зулейха свешивается с нар, вглядывается в темноту. Что там? Сквозь громкий мерный перебор колес – звуки борьбы, сдавленное мычание, удары кулаком: то приглушенные – по чему-то мягкому, то звонкие – по твердому. В узком косом ломте лунного света из окна – несколько тел, копошащихся у буржуйки.

– Урою сучар!.. – вновь сдавленный крик, переходящий в мычание.

Похоже на голос старосты. Да вот же он сам, Горелов, – лежит на полу, руки связаны за спиной, рот заткнут тряпкой, извивается червяком. Верхом – пара здоровых крестьян, мутузят его отчаянно, сладко. Он делает сильный рывок, изгибается коромыслом, сбрасывает с себя обоих, но ударяется головой о печной угол и затихает.

А вагон-то – не спит. Мужики и бабы деловито переглядываются на нарах, переговариваются, кивают: так ему и надо. Кто-то помогает крепче связать неподвижного старосту, кто-то суетится, собирает вещи.

Многодетный некогда, а теперь одинокий крестьянин вынимает из железных скоб на двери толстую тяжелую доску. Подходит к нарам Зулейхи, приноравливается – и ударяет концом в то самое место, куда она била утром, отпугивая рыжегрудую птичку.

– Земляк, что делаешь? – пугается Зулейха.

Тот не отвечает, бьет доской опять и опять. Кладет удары ровно в стук колес, чтобы не слышно было. Щель над головой ширится, зевает – и вот уже не узкая полоска, а широкий звездный язык неба проглядывает в дыру. Крестьянин протягивает Зулейхе доску – подержи-ка! – и вскакивает на нары. Встает на колени, жилистыми плечами упирается в податливый уже потолок – что-то трещит и скрипит, свежий ветер врывается в пролом, бьет Зулейхе в лицо. Крестьянин подтягивается на руках – и исчезает наверху.

– У-у-у! – воет на полу очнувшийся Горелов, сверлит Зулейху глазами.

Из усыпанной звездами дыры на потолке свешивается в вагон лицо крестьянина. Он улыбается – впервые за несколько месяцев.

– Ну? – говорит столпившимся внизу. И протягивает длинную костлявую руку.

Переселенцы один за другим хватаются за нее, вскакивают на нары Зулейхи и протискиваются в дыру на потолке. Мужики, бабы, подростки исчезают вверху быстро и ловко. Одна толстая баба застревает в узком для нее проеме, но снизу торопятся, давят, толкают ждущие своей очереди – и она кое-как пролезает, обдирая платье и тело, оставляя на острых щепах нитки и куски ткани.

– У-у-у-у-у! У-у-у-у-у! – страшно мычит Горелов, бьется телом о железо буржуйки.

– А ты, сестра? – голос над самым ухом: крестьянин смотрит на Зулейху из дыры, ободряюще поднимает брови.

Бежать? Оставить вагон, где провела уже столько долгих недель? Нары, согретые ее теплом и пропахшие ее телом? Милого беззлобного профессора, добрую Изабеллу? Ослушаться сурового Игнатова, строгих солдат с винтовками, сердитых станционных начальников? Судьбы своей ослушаться?

Она мотает головой: нет, не пойду, Алла сакласын.

– Ты же сильная – сможешь! – крестьянин протягивает настойчивую руку.

Она долго с сомнением смотрит на широкую ладонь в темных буграх мозолей. Наконец опускает голову: нет.

– Ну, как знаешь.

По потолку глухо стучат шаги. В окошко видно, как длинные тени быстро падают с крыши, летят под откос, длинной черной стаей уплывают в лес. Вот и все.

Зулейха оглядывается: вагон опустел. Из крестьян ушли почти все, осталась только пара немощных стариков (долго обнимали на прощание своего не то сына, не то внука, до сих пор сидят на нарах и смотрят остановившимися запавшими глазами на дыру в потолке, в которой тот недавно исчез) да несколько одиноких женщин.

Ленинградские «бывшие» в большинстве остались, упорхнула лишь пара молоденьких студенток. Изабелла сидит на нарах, крепко сжимая руку мужа. Улыбающийся Иконников мечтательно смотрит на искры звезд в рваном проеме потолка, шепчет зачем-то «спасибо, спасибо». Сидевший все это время рядом с Зулейхой профессор Лейбе со вздохом облегчения откидывается назад.

– Свобода подобна счастью, – мурчит себе под нос, – для одних вредна, для других полезна.

– Гёте? – на соседних нарах оживляется Константин Арнольдович.

– Новалис, – вступает Иконников.

– Нет, позвольте, все-таки Гёте!

– Не позволю. Определенно – Новалис.

– У! У! У! – извивается на полу Горелов; его до сих пор никто и не подумал развязать.

Зулейха вдруг понимает, что все еще держит в руках ту самую доску, – бросает ее на пол. В щепастом проломе на потолке дрожит золотая россыпь звезд.

Велика страна, где живет Зулейха. Велика и красна, как бычья кровь. Зулейха стоит перед огромной, во всю стену, картой, по которой распласталось гигантское алое пятно, похожее на беременного слизня, – Советский Союз. Она уже видела раз такого слизня – на агитплакате в Юлбаше. Мансурка-Репей еще пояснил, мол, вот она, родина наша необъятная, – от окияна и до окияна. Зулейха не поняла тогда, где те моря-окияны, но слизня запомнила, уж больно смешной он был – с бородой, с забавной крючковатой лапкой спереди. А теперь, на этой высокой стене, он кажется действительно необъятным – и двум людям не обхватить, не то что Зулейхе. По его брусничному телу извиваются синие вены рек (есть ли среди них родная Чишмэ?), родимыми пятнами чернеют города и села (кто бы показал, где Юлбаш?). Зулейха тянет пальцы к блестящей поверхности карты, но коснуться не успевает, – строгий голос Игнатова хлещет камчой:

– Это правда, что ты помогла им бежать?

Зулейха отдергивает руку от карты. Игнатов стоит у раскрытого в ночь окна, лицом на улицу, курит. Желтый свет керосинки на столе освещает плотно натянутую между плечами ткань гимнастерки в перекрестье тугих ремней.

– Не отпирайся, – продолжает он. – Видели.

За окном ночь стоит теплая, бархатная.

– Сама почему осталась?

Никак Горелов, злая душа, расстарался, доложил – выместил злость. Его ведь так никто и не развязал – валялся спеленатый, как курбан-баран, всю ночь, до самой Пышмы. Уже днем, на стоянке в Пышме, все и открылось. Игнатов пришел в вагон с обходом. Как увидел ту дыру в потолке, лицом дернул, побелел – и все забегали, ногами застучали, закричали. Горелова – под конвой! – в одну сторону, остальных – под конвой! – в другую. Дыру-то в потолке быстро заколотили, ну а беглецов – ищи-свищи. И не кормили сегодня, конечно, – не до того. Вечером забрали из вагона сначала Лейбе, потом Изабеллу, Константина Арнольдовича, еще кого-то. Забирали – и возвращали. Иконников сказал: *допрашивали*. А Изабелла ему: Илья Петрович, дорогой, это ж разве называется – допрашивали?! И смеется, весело так.

Ночью уже растолкали со сна Зулейху, привели сюда. Большая комната с уходящим в темную высоту потолком, с которого свешивается огромный бронзовый паук – скелет красивой некогда люстры; когда-то крытые цветной побелкой, а теперь облысевшие до темно-бурых кирпичей стены; пара разномастных черных стульев с растрескавшимся лаком на круто гнутых спинках; посреди – большой, обгоревший с одной стороны резной стол, вместо ножки –

стопка книг; строгий куб сейфа в углу, над ним – портрет все того же мудрого усатого мужа, которого Зулейха видела в створе часов на башне в Казанском кремле. Зулейха ему рада: по-отечески прищуренные глаза смотрят на нее ласково, словно успокаивают, защищают от злого донельзя Игнатова.

Игнатов поворачивается к Зулейхе. Глаза – чернущие, на лице каждая косточка будто кожей обтянута.

– Ты что ж это у нас – в молчанку? У нас, значит, побег, полсотни душ из эшелона утекли – а ты в молчанку?!

В его пальцах дышит крошечный рыжий огонек – самокрутка. Он подходит к столу и резко тычет им в маленькую деревянную плошку, набитую окурками. Плошка звякает, кувыркается, падает на пол – окурки разлетаются во все стороны. Игнатов шипит – *ч-ч-черт!* – и начинает собирать. Зулейха торопливо приседает рядом. Разве ж это видано, чтобы мужчина при женщине мусор с пола подбирал, а она бы смотрела!

Окурки холодные, мелкие, как червячки. Крошатся пеплом, пахнут стылым дымом. А от Игнатова пахнет теплом.

– Тебе же лагерь светит, дура, – его голос совсем рядом. – Или вышка. Знаешь, что такое вышка?

Зулейха поднимает глаза. Здесь, под столом, совсем темно, и зрачки Игнатова чернеют в белках, как угольные.

– Я по-русски плохо понимаю, – говорит она наконец.

Жесткие горячие пальцы сжимаются у нее на подбородке.

– Врешь! – шипит Игнатов. – Все ты понимаешь, только сказать не хочешь. Ну, говори! Сговаривались вместе бежать? Куда они хотели уйти? Говори!

Подбородку больно.

– Не знаю ничего. Видела то, что остальные видели. Слышала то, что остальные слышали.

Лицо Игнатова с черными дырами глаз приближается к самому уху, на щеке – его дыхание.

– Ох и упряма татарская баба... Зулейха – так тебя зовут?

Она поворачивает к нему лицо.

– Зря я не сбежала. Жалею теперь.

Скрипит, открываясь, дверь.

– Конвойный! – раздается взволнованный голос начальника Пышминского оперпункта. – Куда они подевались?

Топот ног конвойного – торопливый, испуганный, как картошку из ведра просыпали.

Пальцы Игнатова отпускают ее подбородок – кожа горит, как обожженная. Игнатов поднимается из-под стола, оправляет гимнастерку:

– Да здесь мы, не полошись.

Зулейха поднимается следом, ставит на стол плошку с окурками. А руки-то – черные, будто уголь месила.

Молоденький прыщеватый конвойный с винтовкой наперевес вздыхает облегченно. Смотрит на Зулейху и прыскает со смеху: по ее щекам и подбородку тянутся длинные темные полосы – пепел. Наткнувшись на строгий взгляд начальника оперпункта, убирает с лица усмешку, пятится к выходу, прикрывает за собой дверь. Игнатов поворачивается к Зулейхе – и тоже смущенно крякает.

– Ну как, допросил? – спрашивает начальник.

Он – невысокий, крепенький. А руки – большие, лопатами, словно у кого другого украл. Игнатов молчит, оттирает пепел с ладоней.

– Вижу – допросил, – улыбается тот, насмешливо разглядывая полосатое лицо Зулейхи.

Берет со стола белый лист, разглядывает с обеих сторон – пусто.

– И протокол написал, – продолжает добродушно, комкая бумагу в руках. – Говорил тебе, Игнатов, допрос – штука непростая. Можно сказать – искусство. Тут опыт нужен. Мастерство!.. Тоже мне – сам, сам... С усам!

То ли бумага попалась очень хрусткая, то ли ладони у начальника – твердые: лист в его руках скрипит громко и сочно, как свежий снег.

– Вот что, – раскатывает бумагу в плотный шарик, – оставляй ее мне. Сам побеседую. Оформишь как передачу под следствие.

Игнатов берет с краешка стола фуражку, надевает, медленно идет к выходу. Зулейха недоуменно провожает его глазами: что такое? зачем?

Начальник широко размахивается и швыряет бумажный катышек в проволочное ведро у двери. Садится за стол, открывает верхний ящик; не глядя достает привычным жестом стопку бумаги, перья, чернильницу. Насвистывая что-то веселое, сцепляет руки в замок и с хрустом разминает длинные крепкие пальцы.

Игнатов останавливается у двери, разглядывает прыгающее на дне мусорной корзины бумажное ядрышко. Разворачивается.

– Не знает она, куда они пошли, – говорит.

– Это она тебе тут, под столом, нашептала? – начальник стреляет в Игнатова взглядом через всю комнату.

– Не поможет она тебе, товарищ. Нечего ей сказать. – Игнатов возвращается в комнату.

Начальник откидывается на спинку – стул протяжно, с надрывом скрипит, вот-вот разломится, – и внимательно разглядывает Зулейху с Игнатовым, словно видит их в первый раз. Продолжает разминать пальцы.

– Вот те раз – чай на квас! Обижаешь, Игнатов. У меня все говорят. Даже немые.

– Заберу я ее.

– Во дает! – начальник расцепляет наконец руки и звонко хлопает ими по столу. – Он целый вагон упустил, через полсуток опомнился – а я разбирайся?! Ищи их по тайге, лови! Они все – врассыпную уже давно, по деревням-полустанкам. А я – побегай, высунув язык, попотей, а затем – отчитывайся, почему не поймал! Так он у меня еще и свидетеля первого забирает! Так, что ли?

– Мое дело – везти людей. Твое – ловить.

– Что ж ты их так плохо везешь-то, Игнатов? Половину в пути заморил. Организованный побег проморгал. А теперь вот – следствию помочь не хочешь, пособника забираешь. Думаешь, сойдет с рук?

– Я за свои ошибки сам отвечу, если спросят. Только не перед тобой.

Игнатов кивает Зулейхе: пошли! Та переводит глаза на раскрасневшегося начальника.

– Спросят, Игнатов, спросят! – уже кричит тот. – И очень скоро! Я тебя покрывать не стану – расскажу, как ты кулацкую бабенку защищал!

Игнатов поправляет фуражку, разворачивается на каблуках и идет вон из комнаты. Зулейха испуганно семенит следом. Напоследок бросает взгляд в комнату – огромный красный слизень невозмутимо ползет по стене, мудрый усатый муж нежно улыбается им вслед.

Игнатов, держа мутный свечной фонарь в вытянутой руке, быстро шагает по путям. Маленькая татарка из восьмого вагона бежит за ним – ступает легко, почти неслышно. Последним грохочет по шпалам конвойный.

То, что с него обязательно спросят, Игнатов понимает и сам. Как там ему утром в управлении сказали? «По возвращении разберемся». Ясно – хотят, чтобы он сначала дело закончил, а потом уж можно и стружку снимать. Что ж, валяйте, разбирайтесь. Только и он молчать не станет. Все расскажет: и как голодом в пути морят, и как мотают, будто неприкаянных, по полустанкам. Три месяца в пути – а только за Урал и переползли. Где такое видано? Пешком быстрее дошли бы. За это время убыль – полсотни голов. Хоть и кулаки – а жалко, все-таки – рабочая сила, могли бы трудиться, лес валить или строить чего. Все больше пользы, чем гнить по оврагам. А сегодня вот еще пятьдесят человек – фью...

Нет, за побег он ответит – его вина, не отрицает. Недоглядел. Уж на что тертый в том вагоне староста («не извольте волноваться, гражданин начальник, у нас народ тихий, хрустьянство дремучее да интеллигенция гнилая – что с ними станется?») – а и того вокруг пальца обвели. Да вот только, если порассуждать: довезти бы их раньше до точки назначения – и не было бы никакого побега. Вы не подумайте чего, я вины с себя не снимаю, но прошу учесть и причины произошедшего. За три месяца пути у кого хочешь мысли дурные появятся и время найдется, чтобы эти мысли воплотить. Так-то, братья.

А если спросят: почему забрал у следствия свидетеля? Женщину эту маленькую, со звонким именем – Зулейху? Что говорить-то?.. Под ноги попадается какая-то жестянка, и Игнатов пинает ее сладко, с оттягом. Жестянка летит вперед, звонко дребезжит по рельсам.

Они уже в отстойнике. В темноте найти свой поезд нелегко, вокруг много составов: прямоугольные туши товарных вагонов, длинные рыжие ящики вагонов-теплушек, откуда иногда слышится то тихая речь, то пение. Игнатов то и дело поднимает тусклую лампу, читает номера вагонов. Три длинные пляшущие тени то растут, взлетая на стены, то припадают к земле, стелются по рельсам.

Сзади – испуганный окрик конвойного: «Эй, ты чего?!» Игнатов оборачивается. Маленькая татарка стоит как-то боком, криво, держась за живот и откинув голову назад. Вдруг начинает медленно оседать. Конвойный бестолково тычет в ее сторону винтовкой: «Стой! Стой, кому говорят!» Женщина падает – ложится на землю легко, аккуратно, будто складывается пополам.

Игнатов приседает рядом. А руки-то у нее – ледяные. Глазищи закрыты, тень от ресниц на пол-лица. Конвойный все еще стоит, бестолково наставив на нее винтовку.

– Рот-то закрой, – говорит Игнатов. – И винтовку убери, дура.

Конвойный закидывает ружье за плечо.

– С голодухи, что ль? – спрашивает.

– Бери ее, – велит Игнатов конвойному. – От чего бы ни было – не сторожить же, пока очнется.

Тот пытается приподнять женщину, но берется неловко, и ее голова со стуком падает обратно на шпалу. Игнатов чертыхается – вот дурень-то! – и поднимает сам.

– Руку ее – за шею мне закинь, – командует.

Шагают дальше. Конвойный теперь бежит впереди, освещает дорогу. Игнатов несет маленькое тело. А легкая какая! Бывает же... Зулейха понемногу приходит в себя, обхватывает его за шею, он чувствует ее холодные пальцы у себя на щеке.

Сейчас же послали за доктором (Игнатов не захотел дожидаться утра), подняли с постели, привезли. Кряхтя и смешно закидывая полные ноги (а ведь еще молодой – чуть постарше Игнатова), тот забрался в вагон. Осмотрел уже пришедшую в себя Зулейху при свете керосинки, пожевал устало отвисшую нижнюю губу, потеребил длинную редкую прядь, зачесанную на раннюю лысину.

– Сердце в норме, – говорит равнодушно. – Легкие тоже. Кожные покровы чистые.

– Ну так что же?.. – Игнатов стоит тут же, в вагоне, прислонившись спиной к закрытой двери, курит.

С нар на него смотрит десяток пар глаз оставшихся после побега переселенцев (в восьмой вагон еще никого не подселяли, не до того было).

– Да успокойтесь вы, товарищ, – устало зевает доктор и складывает свои нехитрые инструменты в тощий саквояжик. – Это не тиф. Не чесотка. Не дизентерия. На карантин эшелон загонять не будем.

Игнатов кивает и с облегчением швыряет окурок в холодную буржуйку (уголь для топки перестали выдавать с конца апреля – решили: хватит, не санаторий – и так тепло).

– Причиной обморока может быть все, что угодно, – продолжает бубнить, словно самому себе, доктор, направляясь к двери. – Кислородное голодание. Недостаточное питание. Да что там! Просто плохие сосуды.

– Или беременность, – раздается громко и внятно из глубины нар.

Доктор недоуменно оборачивается, приподнимает керосинку. Несколько угрюмых, заросших грязными бородами лиц глядят на него, сверкают белками. Много их прошло через его руки за последние месяцы – и не вспомнить, все слились в один усталый темный образ. Но одно из лиц в вагоне кажется напоминающим кого-то или даже отдаленно знакомым... Таким знакомым, что доктор подносит к нему лампу. Ближе, еще ближе. Нос – острым клювиком, насмешливые глаза – льдинками, крутой изгиб высокого массивного лба, вокруг серебрится путаная проволока волос. Нет, не может быть... Да что же это такое?!

– Профессор! – выдыхает доктор. – Вы?

– Напряженность грудных желез и бугорки Монтгомери она вам проверить не даст, – произносит Лейбе властным отчетливым голосом лектора в большой аудитории. – Потрудитесь хотя бы изучить состояние слюнных желез и лицевую пигментацию.

Доктор, не отрываясь, смотрит на профессора.

– Вольф Карлович! Как же вы...

– Также попробуйте глубокое пальпирование живота, – продолжает тот. – Мой диагноз: восемнадцать недель.

Договорив, Лейбе втыкает в доктора долгий немигающий взгляд. Тот утирает замокревшую верхнюю губу и садится обратно на нары, рядом с испуганной Зулейхой. Щупает ей нижнюю челюсть.

– Выдохни, – приказывает тихо.

Та мотает головой, дышит громко, часто – не остановиться.

– Зулейха, дорогая, – рядом подсаживается Изабелла, берет Зулейху за руку. – Доктор просит.

– Я сказал: выдохни! – зло повторяет тот.

Зулейха выдыхает, задерживает дыхание. Доктор сглатывает и накладывает ладони ей на живот. Со значением смотрит на профессора.

– Пальпирую увеличение матки.

Лейбе громко, торжествующе смеется, сверкая в темноте зубами:

– Ставлю вам неудовлетворительно, Чернов. А я ведь еще на первом курсе предупреждал: не быть вам хорошим диагностом!

Зулейха непонимающе мычит: что дальше-то делать?

– Скажите пациентке, чтобы она дышала, – роняет Лейбе и, довольный, откидывается назад, на нары, продолжая тихо смеяться.

Зулейха судорожно вдыхает.

– Профессор, как же вы... – доктор просовывает лампу в глубину нар, где спрятался Лейбе, пытаясь найти его лицо.

– Зачетную книжку получите в деканате, Чернов, – отвечает тот, закутываясь в чей-то тулуп, как в кокон, и откатываясь все дальше к стенке. – У меня сейчас нет времени на консультации.

– Вольф Карлович, – настаивает доктор, шаря лампой по нарам, – ведь мы вас... ведь вы для нас...

– Нет времени, Чернов, – еле доносится голос из глубины, – нет времени.

Лампа доктора освещает шевелящуюся гору тряпья у дальней стенки. Скоро гора замирает.

Зулейха тихо, по-собачьи воет, закусив зубами край платка и глядя вверх остановившимися глазами. Сидящая рядом Изабелла гладит ее по вытянутым вдоль тела, сжатым в кулаки рукам.

Чернов мелко трясет головой, словно сбрасывая наваждение, прижимает к груди саквояж и выбирается из вагона. Спрыгивает на землю, опираясь о поданную Игнатовым руку, замечает, что глаза у того строгие, напряженные.

– Уверяю повторно, товарищ комендант, ничего страшного, – слегка раздраженно произносит доктор (нежные какие коменданты пошли!). – Да что это у вас?

Достает из кармана носовой платок и вытирает Игнатову щеку: на ней четыре длинные темные полоски, будто след маленькой руки.

Беременна? Да, все время хотелось есть – но ведь не кормили. Да, немного потяжелел в последнее время живот – но ведь думала: от возраста. И *красные дни* перестали приходить – думала, от переживаний. Но чтобы – беременна... Ай да Муртаза – обманул смерть. Сам в могиле давно, а семя его – живо, растет у нее в животе. Уже и наполовину выросло.

Опять девочка? Конечно, кому же еще быть. Как там Упыриха говаривала? *Одних девок на свет приносишь.* Нет, она говаривала не так: *одних девок на свет приносишь, и те – не выживают.*

Неужели и эта?.. А как же, конечно. И эта – уйдет от нее, едва родившись. Не успеет еще яркая младенческая краснота сойти с нежной кожицы, не успеют крошечные глазки наполниться смыслом, не успеет впервые улыбнуться рот.

Зулейха смотрит в черноту потолка. Мысли текут вслед за стуком колес. За дощатой стенкой проносится мимо теплая майская ночь. Легкий полупустой вагон раскачивается непривычно ходко, широко – как колыбель. Все уже спят – и добрая Изабелла, полночи гладившая ее по руке, и чудак-профессор, долго смотревший на нее светлыми, радостными глазами. Уснуть бы и ей – да не спится.

Дозволено ли просить Аллаха о том, чтобы ее дите хотя бы встало на ноги? Хотя бы сделало первые шаги, перед тем как покинуть этот мир? Или это будет слишком большой дерзостью? Никого нет рядом, чтобы посоветоваться – ни Муртазы, ни муллы-хазрэта. Всевышний, подскажи хоть сам, дозволено ли просить тебя об этом? О большем не прошу, не смею. Но хотя бы об этом.

И тут же мысль поперек: а если Всемогущий услышит и позволит твоему ребенку сделать первый шаг – каково *тогда* будет его потерять? Уж не лучше ли, чтобы – *сразу*, пока не привыкла к дитю, не прикипела? Вспомни, как убивалась по первой дочери, которой было отпущено жизни целый месяц. Как уже меньше – по второй, что ушла через пару недель. Еще меньше – по третьей, не прожившей и семи дней. Четвертую, ушедшую сразу, при рождении, провожала уже с сухими глазами.

Шамсия – Фируза, стучат колеса. *Халида – Сабида.* И опять: *Шамсия – Фируза. Халида – Сабида.*

Так не лучше ли – *сразу*? Мама сказала бы, что мысли такие – грешны. На все воля Аллаха, и не нам рассуждать, что лучше и когда. Да ведь голову себе – не отрубишь. Думает и думает, наполняется мыслями, как сеть рыбой.

А может, и не родится никто? Такое случается, бабы у колодца шептались. Поживет дите в животе, подрастет немного, а потом оторвется от положенного места раньше срока и вытечет из лона, лишь комок крови на шароварах останется.

И Упырихи рядом нет – предсказать исход некому. А так ли уж хорошо – знать заранее? Только мучиться ожиданием. А если не знать? Тоже мучиться, как она сейчас, – незнанием.

Устала, устала мучиться. Мучиться голодом, уговаривать, увещевать свое ненасытное нутро. Мучиться животом от дурной пищи. От холода по ночам. От утренней ломоты в костях, от вшей, от частой дурноты. От боли и смертей вокруг. От страха, что станет еще хуже. И – самое страшное – от непреходящего стыда.

Стыдно было постоянно: когда чувствовала идущий от себя густой запах немытого тела, когда во время ежедневных обходов солдаты равнодушно скользили глазами по ее непокрытой голове и обнаженным косам, когда на глазах у всех приседала у тряпичной загородки нужника, когда по ночам прижималась к спящему профессору, чтобы хоть как-то согреться. Когда вчера вечером чужой доктор прикасался к ней пухлыми равнодушными пальцами, она чуть не сгорела. А когда во всеуслышание объявил о ее беременности – завыла: как же стыдно, стыдно, стыдно. Срам придется вынашивать при всех. Впервые в жизни она не сможет укрыть свою тайну за высоким забором мужниного дома. Она вырастит в своем беспощадно выставленном напоказ животе дитя, которое, родившись, тут же покинет ее.

И Алла, когда же закончится и мой путь? Можешь ли ты прервать его высочайшим мановением? Зулейха вжимается лицом в свой полушубок, подложенный под голову вместо подушки. Лоб утыкается во что-то жесткое, острое. Она выворачивает карманы, находит небольшой, почти закаменевший кусок. Сахар! Тот самый, от Муртазы. Она уже успела забыть про него, а вот он, никуда не делся: крупные белые кристаллы сверкают, искрятся на изломах, источают тонкий аромат, такой же сильный, как зимой. Долгие недели Зулейха носила с собой в кармане вожделенную смерть – верно, для того, чтобы обнаружить в эту горькую минуту. Что это, если не ответ на ее горячую молитву?

Зулейха подносит сахар к лицу. Кусать понемногу или попытаться рассосать весь кусок разом? Действует ли яд мгновенно или спустя некоторое время? Будет ли она мучиться? Да не все ли равно...

– Сахар? Mein Gott, откуда?

Радостно-удивленные глаза профессора – совсем рядом. Он проснулся и смотрит на Зулейху, приподнявшись на локтях. В лунном свете венчик его кудрей кажется серебряным. Зулейха не отвечает, сжимает сахар в кулаке – твердые острые края впиваются в кожу.

– Съешьте его, обязательно съешьте! – возбужденно шепчет Лейбе. – Только не вздумайте никому показывать, особенно Горелову – отнимет. – Он прикладывает палец к губам. – А я вот... хотел, знаете ли... поинтересоваться... – профессор скашивает глаза на ее живот, щурится, мнется; потом наконец решается. – Как он себя чувствует?

– Кто?

– Ребенок, естественно.

– Это она, девочка. Мой род кончается. Я могу рожать только девочек.

– Кто вам это сказал? – Лейбе от возмущения резко садится и чуть не ударяется теменем о потолок; он долго и громко хмыкает, пристально рассматривая живот Зулейхи: сначала недовольно, затем с сомнением и наконец – радостно. – Не верьте! – довольно восклицает наконец и заливисто смеется, машет ручкой. – Не верьте!

Колеса стучат громко, заглушают разговор. *Шамсия – Фируза. Халида – Сабида.*

– Думаете, сердце уже бьется?

– Вы спрашиваете! – профессор задыхается от возмущения. – Уже два месяца.

Он неловко, по-стариковски кряхтя, разворачивается на нарах. Наклоняется, приближает ухо к ее животу, словно хочет расслышать скрытое внутри него горячее биение, но приложить щеку не решается. Зулейха кладет ладони на седые кудри и прижимает голову профессора к своему животу. И стыд отступает. Чужой мужчина касается лицом ее тела, слышит ее запах – а ей не стыдно. Хочется знать лишь: что там, у нее внутри?

Лейбе слушает долго, внимательно, прикрыв глаза. Затем поднимает голову – лицо мягкое, мечтательное – и молча кивает ей: все хорошо.

– Ешьте сахар, – напоминает, укладываясь на свое место. – Ешьте, прямо сейчас...

Скоро он уже спит, положив руки под голову и подняв улыбающееся лицо к потолку – словно на звезды любуется.

Зулейха убирает сахар обратно в карман тулупа. Теперь, когда ее собственная смерть – сладкая, тонко пахнущая, обернувшаяся таким привычным на вид куском обычного сахара, – была найдена и лежала совсем рядом, ей стало много спокойнее. В любую минуту, по своему желанию, она сможет принять ее, возблагодарив Аллаха, услышавшего и ответившего на ее мольбы.

Состав идет по длинному, словно кружевному, чугунному мосту над искрящейся лунными бликами речкой, и оттого колеса стучат особенно гулко: да-да, да-да, да-да, да-да...

Они будут ехать еще долго и доберутся до места только к началу августа.

Елань, Юшала, Тугулым...

Из Тюмени состав отправят на восток, к Тобольску. Затем вдруг передумают, развернут, погонят на юг.

Вагай, Карасуль, Ишим...

В восьмой вагон подселят новеньких. Горелов останется старостой, будет грызть и щучить всех пуще прежнего, боясь повторения побега и отвоевывая свой пошатнувшийся авторитет.

Мангут, Омск...

Живот у Зулейхи будет прибывать быстро. Ребенок начнет шевелиться под Мангутом, а скоро после Омска Зулейха впервые нащупает под туго натянутой кожей крошечную ножку с кругленькой, трогательно выпуклой пяточкой.

Калачинск, Барабинск, Каргат...

В июле с едой станет получше (так далеко в Сибирь многие составы не заберутся, и Игнатову будет легче *выбивать* провиант), в рационе переселенцев опять появится хлеб.

Чулым, Новосибирск...

Но умирать будут даже чаще – скажется общее истощение и усталость от длинной дороги. В половине вагонов начнется тиф и унесет с собой полторы сотни жизней.

Юрга, Анжеро-Судженск, Мариинск...

Всего за шесть месяцев пути убыль составит триста девяносто восемь голов. Не считая убежавших, конечно.

Тисуль, Каштан, Боготол, Ачинск...

Уже на подъезде к Красноярску, вычеркивая огрызком карандаша из серой папки с надписью «Дело» очередных *убывших*, Игнатов поймет, что при взгляде на кучно напечатанные фамилии видит не строчки и буквы, а лица.

Никто не знал, что в поезде они едут последний день. Гремели колеса, жарило в окно злое августовское солнце. Иконников развлекал Изабеллу. Была одна из тех редких минут, когда сквозь его привычную угрюмость проглядывало что-то свежее, какое-то мальчишеское озорство, и он становился быстрым, живым, даже игривым. В такие моменты Зулейхе он почти нравился. Она не понимала и доли тех шуток, которым искренне смеялась Изабелла и подхмыкивал деликатный Константин Арнольдович, но было приятно находиться рядом с веселыми улыбающимися людьми, и она старалась не упускать эти минуты. А «бывшие» и не сторонились ее, тихую и молчаливую.

На раскрытой ладони Ильи Петровича – заначенный с утра тоненький кусок хлеба.

– Еще! – говорит тот и нетерпеливо шевелит пальцами.

Глаза у него туго завязаны чьей-то рубашкой, как у ребенка, играющего в прятки. Изабелла кладет на ладонь художника еще один кусок.

– Еще! – требует он. – Ну же, не жалейте для искусства!

Константин Арнольдович отдает свой ломоть. Иконников довольно мычит и начинает разминать хлеб в длинных пальцах.

Зулейха с сожалением, неодобрительно смотрит на это. Она бы свой кусок ни за что не отдала. Ладно бы на дело, а так – баловство одно. И крошки вон – на пол сыплются, не подобрать.

В гибких пальцах Ильи Петровича хлеб мягчеет, переминается в податливую серую массу, мнется, мнется и – вот те раз! – постепенно превращается... в игрушку? в чью-то голову! Изабелла и Константин Арнольдович, не отрывая глаз, наблюдают за тем, как под гривой волос проступают кустистые, вразлет, брови, вырастает орлиный профиль, загибаются пышные усы, вспухает выпуклый подбородок...

– Mon Dieux, – тихо и веско говорит Изабелла.

– Невероятно, – шепчет Константин Арнольдович. – Это просто невероятно...

– А?! – победно восклицает Илья Петрович и срывает повязку с глаз.

В руке у него – маленькая, абсолютно живая голова: смотрит зорко, пристально, на губах мудрая полуулыбка.

– Орден Трудового Красного Знамени недавно получил, – вздыхает художник. – Девятнадцать голов – в бронзе. Семь – в мраморе. Две – в малахите.

– И одна – в хлебе, – добавляет Константин Арнольдович.

Зулейха неотрывно смотрит на хлебный бюст: кажется, она уже где-то видела это умное лицо, по-отечески строгий и добрый взгляд. Хороший человек, и слепил художник умело. Но хлеб все-таки жалко...

Илья Петрович протягивает ей бюст.

– И так весь хлеб мне отдаете, – качает она головой.

– Не тебе, дорогая, – Изабелла указывает глазами на круто изогнутый живот Зулейхи. – Ему.

– Ей, – поправляет она. – Это девочка.

Берет хлебную голову и жадно откусывает половину, по самые усы. Константин Арнольдович вдруг резко присвистывает и разворачивается. Сзади – сверкающие любопытством глаза и трепетно шевелящиеся ноздри Горелова. Видно, хотел подслушать разговор (после памятного побега совсем озверел – все разнюхивает, раскапывает, ищет, что бы Игнатову доложить) – да не получилось.

– Горелов, темная вы душа! – Константин Арнольдович заслоняет узкими острыми плечиками все еще жующую Зулейху. – А вы в курсе, что наш Илья Петровин создавал декорации для балета «Большевик» в Мариинке?

– Мы по балетам хвостами не метем. Да и вы теперь уж – вряд ли.

Горелов сердито цапает пятерней хрупкую руку Константина Арнольдовича, отстраняет: ну-ка, дай погляжу. Но глядеть оказывается не на что: беременная баба жует с набитым ртом, подбирает губами крошки с ладони. Но ведь было же здесь что-то, было, он нутром чуял... Горелов разочарованно выпускает воздух через ноздри, бросает взгляд в окошко: там проплывают высокие серые здания очередного вокзала с крупными буквами на кирпичном лице.

– Красноярск, – читает кто-то вслух.

Видимо, опять стоянка на пару недель, не меньше. Как на край света едут, ей-же-ей... Грохот колес замирает. Снаружи – надрывный лай собак. К чему бы? Дверь вагона отъезжает в сторону с протяжным воем, и громкий резкий голос, перекрикивая лай, командует: «Выходи-и-и-и!»

Что? Как? Это нам? Уже приехали? Не может быть... Может, Белла, может... Вещи собирайте, вещи! Скорее, Илья Петрович, да что же вы... Профессор, помогите Зулейхе... Никогда не был в Красноярске... Как вы думаете, нас оставят здесь или повезут дальше?.. Куда подевалась моя книга?.. Возможно, нас просто переселяют в другой состав?..

Взбудораженная толпа льется из вагона по доске, перекинутой, как трап, из вагона на землю. Зулейха идет последней, одной рукой придерживая узел с вещами, второй – большой, круто смотрящий вверх живот. В суете сборов никто не замечает, что под нарами остается лежать изрядно поистрепавшаяся, но все еще яркая, горящая переливчатым павлиньим пером, изумрудного цвета шляпка Изабеллы.

Солдат их встречает много, у каждого второго – большая, дрожащая от возбуждения, хрипло лающая собака. Лай стоит такой громкий, что разговаривать невозможно.

Издалека за высадкой переселенцев наблюдает Игнатов, держа под мышкой неизменную папку «Дело». За долгие месяцы пути она выгорела, посветлела, казенное лицо ее покрылось синими шрамами печатей и штампов, лиловыми датами, росписями, карандашными приписками и закорючками. Знатная папка, заслуженная. Отдаст ее сейчас вместе с переселенцами какому-нибудь местному уполномоченному – а она, небось, еще ночами будет сниться, распахивать пасть и швырять ему в лицо нехитрые внутренности: пару тонких истертых листков с плотными столбцами фамилий, четыре сотни которых жирно зачеркнуты неровной карандашной линией. Ничего, поснится пару ночей – и перестанет. С глаз долой – из сердца вон.

Как все-таки громко они лают, собаки...

– Встречаете – как зэков на этапе, – говорит Игнатов подбежавшему солдату.

– Да мы всех так, – гордо отзывается тот. – С музыкой! Как говорится: добро пожаловать в Сибирь!

Радушно улыбается. А зубы у него во рту – железные, все до одного.

Баржа

Принимать игнатовских подопечных старший сотрудник особых поручений Красноярского отдела ГПУ Зиновий Кузнец отказался наотрез.

– Вот тебе баржа, – говорит. – Вот тебе Енисей. Вези.

– У меня в направлении – черным по белому – «передать в распоряжение местного отдела ГПУ»! – закипает Игнатов.

– Глаза-то протри! Строчкой выше читай: «доставить до точки назначения». Сначала – *доставить*, а потом уже – *передать*. Ну и доставляй, не ленись. Принимай командование баржей и дуй на Ангару. Через два дня там встретимся – приму твоих доходяг.

– Да где она, твоя точка назначения?! В тайге, у черта на рогах? Я ж только на железной дороге к ним приставлен! Вез их тебе через полстраны, шесть месяцев по шпалам мотал! А ты – в собственном городе принять не хочешь. Не по-нашему это, не по-советски.

– Хочу – не хочу… Я, может, с зимы одного только и хочу – выспаться! – Кузнец жирно и громко плюет под ноги, смотрит куда-то мимо, а глаза у него действительно осовелые, красные. – Думаешь, ты один на всю Сибирь такой нежный да красивый? Да у меня в неделю – по дюжине этих барж, а то и по две. Где я сопровождающих на всех возьму?.. Значит, так, Игнатов. Как старший по званию приказываю тебе взойти на борт и доставить вверенный груз в количестве – сам знаешь, сколько – голов до места основания будущего трудового поселения.

– Я пока еще в твое распоряжение не поступал!

– Ну, считай, что поступил. Или тебе на то бумажка с печатью нужна? Так я быстро достану, не думай. Только уж потом не взыщи, голуба... – Кузнец поднимает на Игнатова рыжие, с иголками черных зрачков глаза.

Игнатов шваркает ладонями об колени: вот влип! Снимает с головы фуражку, отирает залитый потом лоб – жара адская, даром что Сибирь.

Они стоят на крутом высоком берегу. Отсюда все – как на ладони. Синий купол неба отражается в широком, дышащем легкой рябью зеркале реки. Енисейская вода – темна, густа, ленива. Вдали дыбится зеленым левый берег. От кособокой пристани торчат костлявые пальцы причалов. У одного – оживление: копошатся люди, истово лают собаки, орут конвоиры, сверкают на солнце штыки. Переселенцев грузят на маленькую пузатую баржу.

Кузнец достает из-за пазухи костяной портсигар:

– На-ка вот лучше.

Игнатов сначала отказывается, затем нехотя прикуривает. Хорошие у Кузнеца папиросы, дорогие.

– Убыль у тебя большая – четыре сотни голов. Морил ты их, что ли...

– Кормили бы лучше – довез бы больше!

Зря закурил. Ароматный дым стоит поперек горла, не радует.

– А побег-то у тебя в эшелоне был? – Кузнец неожиданно подмигивает, прячет ухмылку в завитке круглого черного уса. – Учить меня еще будет, что по-советски, а что нет...

Игнатов швыряет недокуренную папиросу с обрыва.

– То-то, – назидательно заключает Кузнец. – Ладно, не кипятись. Кулачья много, от них не убудет. Будут вон землю копать, хлеб сажать, – он кивает на длинную вереницу солдат, несущих к барже завернутые в ветошь охапки лопат, пил, топоров, ощерившиеся инструментами ящики. – Натуральный фонд у них большой, сам видишь. Расплодятся – оглянуться не успеешь.

Инструментов на баржу действительно грузится много, есть даже пара крепких хозяйственных тележек с деревянными колесами («Лосей запрягать? В тайге-то...» – невесело думается Игнатову). Инвентарь, мешки с провизией, связки котлов – все складируют на плоской крыше, заматывают брезентом, обвязывают канатами. Работают слаженно, привычно. Здесь же, на крыше, – конвойные с винтовками наперевес. Отсюда не промахнешься, если что. Один машет руками, командует. Остальные прогуливаются, поглядывают свысока на копошащихся под ними переселенцев. Людей загоняют куда-то вниз. Муравьями ползут они по трапу и исчезают, исчезают в недрах трюма. Вслед, с берега, несется надрывный лай собак. Вот беснуются, сволочи. Человечиной их откармливают, что ли...

– Что, не терпится обратно? – Кузнец замечает угрюмый взгляд Игнатова. – Да, у нас тут жизнь суровая. Не боись, доставишь своих доходяг – отпущу домой, к жене под теплый бок.

– Не женат, – сухо бросает Игнатов.

При погрузке выяснилось, что баржа не вмещает всех переселенцев. Три сотни голов набили в трюм плотно, не продохнуть – в нарушение всех инструкций и правил, много превысив допустимую норму (баржа осела низко, тяжело), но несколько десятков все еще оставались снаружи.

Кузнец предложил было везти самых старых и немощных на палубе (старичье-то, мол, за борт не сиганет), но тут уж Игнатов уперся рогом: ни за что. Ему и одного побега достаточно. Сука он все-таки, Кузнец. Знал ведь, что одной баржи не хватит. Надеялся, что влезут? Или что Игнатов по неопытности или душевной мягкости согласится везти народ в открытую, по воздуху?

К пристани уже подошла вторая баржа, приклеилась к причалу тупым рылом – за следующей партией. Заключенных, пояснил Кузнец. Сами зэки, судя по многоголосому собачьему лаю, уже были недалеко – ждали где-то на высоком берегу, пока отчалит игнатовская баржа.

– Чего заснул-то?! – хрипло орет на Игнатова начальник пристани. – Уходи давай! Очередь мне тут организовал, троцкист...

– Шиш тебе, – зло щерится на него Игнатов. – И тебе – шиш (это Кузнецу). Делайте, что хотите, а в открытую народ не повезу. Раз уж я за них отвечаю.

– Хрен с тобой, – машет рукой Кузнец. – Давай излишки ко мне, на катер. И – уводи баржу скорее, уводи с глаз долой.

Отобрали «излишки» – самых слабых, уставших, негодных к побегу. Кузнец сам пальцем тыкал – взял многих из ленинградских «остатков», несколько седых крестьян. Их перегнали на вместительный кузнецовский катер, в трюм для хранения рыбы. Завтра ночью Кузнец должен выйти на нем вслед игнатовской барже, чтобы нагнать ее у устья Ангары. В придачу он еще и затребовал кого-нибудь понадежней, кто за всем *стадом* присмотрит, доложит, если что. Впереди – три дня, мало ли что. Игнатов усмехнулся и отдал Горелова.

– Брать людей – беру, – заявил Кузнец, – но ответственности с тебя, Игнатов, не снимаю. В пути – ты за них в ответе, так и запомни.

Трус.

А папку «Дело» Кузнец все-таки взял – пока что *почитать*. Передавая ее в бурые от загара Кузнецовы руки, Игнатов почувствовал облегчение. Словно камень с души упал.

Наконец отправились. Самоходная баржа большим черным огурцом шла строго по фарватеру, резала Енисей пополам. Ползла тяжело, медленно – сказывался перегруз. Мотор хрипел и шкворчал, из крупно-полосатой трубы то и дело плевало густым дымом. Крутые волны прямыми белыми усами бежали в две стороны.

Баржу звали «Кларой». Длинные аккуратные буквы были когда-то старательно выведены на ее круглом носу. Но краска давно обсыпалась, съелась ржой, и теперь звонкое немецкое имя едва проглядывало на темно-бурой бочине. Недавно кто-то решил дать ей фамилию – пририсовал снизу неказистое кривоватое: «Цеткин». Но и эти буквы облетели, стерлись волнами, почти исчезли.

Первым делом Игнатов проверил двери огромного, во всю длину баржи, трюма, где ехал контингент: одни двери – на носу, вторые – на корме. Носовые были давно и прочно заколочены за ненадобностью – и каторжан со ссыльными, которых возили на барже до семнадцатого года, и заключенных с переселенцами, которых возили теперь, загружали и выпускали обратно только через корму. Оно и правильно: меньше дверей – меньше тревог. Игнатов ощупал толстые доски, поковырял ногтем скреплявшие их полуржавые скобы, подергал металлические балки, крест-накрест закрывавшие сверху. Хорошо заделано, прочно. Изнутри не выбить, как ни старайся. На всякий случай приставил часового.

Когда подошел к кормовым дверям, в нос шибануло остро-крепкой мужской мочой. Запах этот витал на барже везде, окружал ее облаком, но здесь, у дверей, становился особо едким, режущим, – шел из трюма. В нем слились воедино многие поколения каторжан и уголовников. Он был – как последняя память о них, как нерукотворный памятник. Многих уже и нет, сгинули, – а запах остался.

У кормовых дверей – не один часовой, а двое. Изнутри квадратный дверной проем закрыт на крепкую кованую решетку: толстые прутья утоплены в стены, запирают решетку враспор – не расшатать, не выбить. Сверху – железные двери, закрытые на широкий, с руку толщиной, засов. Дельно придумано. Медведей можно держать, не то что ослабленных долгими месяцами пути людей.

– А это – почему не заперто? – Игнатов замечает в засове одной из дверей полураскрытый амбарный замок.

– Так не велено, – лениво отзывается истомленный жарой часовой. – Говорят – отпирается плохо, чинить надо.

Разгильдяйство сплошное. Игнатов берет замок в руки – из скважины торчит ключ; крутит его в одну сторону, в другую – ключ послушно щелкает, вращаясь. Он навешивает замок на двери, запирает. Вот теперь совсем хорошо, и мышь не проскочит. А ключик – в карман.

Услышав голоса, люди в трюме оживляются, колотят кулаками.

– Начальник! – несется глухо не то из-за дверей, не то из-под досок палубы. – Начальник, сжаримся!

– Дышать нечем!

– Открыл бы двери – хоть дохнуть чуток!

– Спеклись уже!

Игнатов оттягивает ворот гимнастерки. Жара – и вправду, хоть головой в Енисей.

– Двери не открывать, – говорит часовым. – А вот окна мелкие – можно.

У самой палубы тянется рядок низких, плотно закрытых вентиляционных люков. Часовой носком сапога пинает створки – они открываются, одна за другой. Из люков несутся вздохи, всхлипы, ругань.

– Воды им дали?

– Так не было команды, – пожимает плечами часовой.

– Поить каждый час.

Не хватает еще в последний день уморить кого-то от жажды.

Теперь можно и осмотреться повнимательней. Игнатов продолжает обход. Над палубой возвышаются два приземистых деревянных кубрика, прихлопнутых сверху плоской крышей. В самих кубриках размещается охрана, хранится провизия. На крыше – инвентарь, пара лодок вверх днищами, бублики канатных связок. Несколько часовых бродят по крыше – на волнах вдоль борта колышутся их густо-синие тени, слышен нещадный скрип досок над головой. Скрипит здесь все: палуба (доски зияют щелями, ходят под ногами, как живые), стены кубриков (местами изъедены жучком в труху, местами черны от гнили), рассохшиеся трапы. Низко гудят красные от ржавчины, в редкой коросте некогда белой краски поручни. На такие и опереться страшно, коснешься – на руке остается жирный темно-рыжий след.

– На ней еще мой дед ходил, – замечает пробегающий мимо голоногий матрос.

– Дед, значит, – ведет подбородком Игнатов.

Чем ближе к машинному отделению, тем сильнее дрожь под ногами. Из косоватой, широко распахнутой двери пышет жаром, слышен монотонный металлический лязг – вот она, машинерия. Где-то внизу, в дышащей частыми всполохами огня темноте – два черных кочегара, зло сверкают белыми шарами глаз и хищными оскалами: «Раскинулось море широко-о-о-о...»

Хоть и громко работает мотор, а – надрывно, с неровной одышкой.

– Механик-то есть у вас?

– Незачем, – улыбается матрос. – Еще мой дед говорил: «Клара» – девушка капризная, если встанет – никакой механик не уговорит.

Да уж, хорошо корыто, ничего не скажешь...

Скоро доложили, что беременной бабе в трюме поплохело, и Игнатов разрешил выпустить ее на палубу. Подошел, посмотрел, как изжелта-бледную Зулейху выводят на свежий воздух, сажают в тень кубрика. Лицо ее похудело, словно истончилось за эти месяцы. Казалось, что брови и ресницы загустели, потемнели, а глаза обвели густо-голубой краской. Только и осталось на лице, что эти глаза.

Надо же, выжила. Толстая рыжая бабища из шестого вагона с большой алой родинкой на щеке умерла еще у Щучьего озера, крепкое, жизненными силами дышащее тело не спасло. Дородная жена муллы, любительница кошек, тоже не выдержала пути, *убыла* под Вагаем. А эта – жива. Мало того – дите вынашивает. И в чем душа держится...

Почему он тогда не оставил ее следователю в Пышме? Игнатов так и не смог ответить себе на этот вопрос. Верно, потому же, почему драпал по черной лестнице от неизвестного уполномоченного в кабинете Бакиева. Сердце дрогнуло, побежало вперед головы – вот и сделал глупость. Если охолонуть, подумать хорошенько – и бежать не следовало бы, и бабу эту из-под следствия не забирать. Ему-то до нее – какое дело?! Правильно, никакого. Вот лица ее мужа, к примеру, Игнатов не смог вспомнить, как ни старался. Каждый раз потом сердился на себя – зачем мучился? Если всех мужиков, что бросались на него с топорами да вилами, вспоминать – жизни не хватит. У него и так в голове целая дивизия поселилась. Папка «Дело» называется, несколько сот душ. Черт, выкинуть бы все эти лица из памяти, да не выходит. Ладно, довезет их до Ангары, сдаст Кузнецу – и баста. Забудутся, со временем непременно забудутся.

– Прикажете охранять? – солдат кивает на Зулейху: живот горой вперед, она придерживает его обеими руками, устраивается поудобнее, тяжело дышит.

Игнатов машет рукой, отпускает солдата: такая – куда денется? Вдруг вспомнилось, как нес ее на руках: легкая была, тонкая, словно и не баба – девка. То ли дело – Настасья: тело налитое, упругое, переливается в ладонях, перекатывается, так и хочется сжимать, сминать, раскатывать. У Илоны – другое: мягкость, нежная вялость, податливость, но все одно – бабье тело. А у этой – один воздух. И чего, спрашивается, тогда перепугался, за доктором в ночи погнал? Ясно чего – что дух испустит, вот чего. Жалко стало.

А ведь на поселении ей все равно помирать. Тайга, гнус, работы... – не сдюжит, нет. Силы у нее на исходе, по глазам видно. Игнатов недавно понял, что видит по глазам – у кого силы еще есть, а у кого кончаются. Иногда на обходе загадывал: вот этот скоро дуба даст, глаз совсем остывший, мертвый; этот – еще поживет, и эта – тоже. Угадывал, между прочим. Гадалкой заделался, одним словом. Тьфу, самому противно. Вот что длинная дорога с человеком делает...

Зулейха оборачивается, поднимает на Игнатова измученные глаза. Как в душу глянула. У него и так уже от этих зеленых глаз – как зарубка на сердце.

– Рожать мне не вздумай! – говорит он строго и идет на нос.

Вот сдаст ее Кузнецу – тогда пускай и рожает.

Зулейху так и оставили на палубе. Весь день она просидела, прислонившись спиной к стене кубрика и глядя на плывущие мимо хребты зеленых холмов в неровной щетине сосен и елей. Густые здесь леса, темные. Да и не леса вовсе – урманы. Часовой принес из трюма ее узел с вещами, и на ночь она укрылась своим зимним тулупом – ночи стояли прохладные, зябкие, несмотря на август.

Носила Зулейха тяжело – живот стал большим, неподъемным, ноги – чугунными, неповоротливыми. Младенец рос беспокойным: то вертелся, как веретено, то пинался со всей силы, то упирался ей в живот лапками. Видно, походил на старшую сестру – Шамсия тоже была шалунья и непоседа. А может, просто голодал. Сама она сильно похудела за эти месяцы – как во времена Большого голода, в двадцать первом. Даже пальцы стали тоньше, обтянулись прозрачной кожей, ослабели. О младенце – что и говорить…

Она часто смотрела на туго обтянутый тканью кульмэк живот, представляла, как крошечная девочка внутри морщит носик размером с ноготь мизинца, открывает маленький рот, – груди тотчас наливались молоком, тяжелели, как мужская плоть перед свиданием; два круглых темных пятна размером с тэнке проступали на ткани. Младенцу – всего-то семь месяцев, а молоко уже подоспело. Так уже было однажды, когда ждала Сабиду.

Зулейха пыталась запретить себе думать о дочерях, но не вышло. Шамсия – Фируза, Халида – Сабида, плескала вода о борт. Шамсия! – надрывно кричала чайка в небе. Фируза! – откликалась вторая. Халида! Сабида! – подхватывали другие.

Бороться с этим – устала. И голодать – устала. И ехать куда-то непрерывно – устала. Лейбе, Изабеллу, строгого Константина Арнольдовича, нелюбимого, но уже ставшего привычным художника Илью Петровича, даже противного Горелова – всех их куда-то увел на пристани властный черноусый краснордынец. Вряд ли Зулейха увидит их вновь. Они уже остались в прошлом, превратились в призрачные воспоминания, как Муртаза или Упыриха. Как же она устала терять близких людей. Жить в страхе расставания. В постоянном ожидании скорой смерти ребенка, своей смерти. Вообще – устала жить.

Единственная ее отрада и утешение лежало в кармане кульмэк. Зулейха с благодарностью вспоминала тот миг, когда в вагоне под мерный перестук колес ей явилась смерть – легла в ладонь тяжелым и острым по краям куском сахара; с тех пор всегда была рядом, как верный друг или преданная мать. В самые тяжелые минуты Зулейха нащупывала в складках одежды заветный кусок – становилось легче. Видно, это на самом деле была ее собственная, единственная, высшим мановением ниспосланная смерть – все остальные не касались ее, обходили, облетали стороной: вокруг сходили с ума и умирали люди – кто от болезней, кто от голода; лежали вдоль дорог и провожали их вагон застывшими взглядами мертвецы из других эшелонов, кого сотоварищи не успели закопать; несколько человек, услышав про совершенный под Пышмой дерзкий побег, хотели повторить его, но были замечены и пристрелены тут же, у вагонов. А Зулейха все жила. Значит, была ей предначертана именно эта смерть – маленькая, сладкая, нежно и призывно пахнущая чем-то горьким. Может, зря она не съела сахар тогда, в поезде – давно бы уже перестала мучиться. Решила: как только станет совсем невмоготу – съест. Лучше бы, конечно, еще до рождения ребенка, чтобы им уснуть вдвоем, не расставаясь...

Зулейха открывает глаза. В нежно-розовой рассветной дымке все предметы вокруг кажутся зыбкими, летучими. Крупная белогрудая чайка сидит на поручне, смотрит блестящими янтарными пуговицами немигающих глаз. За ней в шевелящейся вате утреннего тумана еле проступают очертания далеких берегов. Мотор молчит, баржа бесшумно дрейфует вниз по течению. Мелкие волны ласково плещут о борт. Вдруг знакомый голос с носа: «Давай!»

Чайка с едва слышным шорохом расправляет крылья и растворяется в тумане. Зулейха выглядывает из-за стенки кубрика. На носу – обнаженный по пояс Игнатов. Какой-то матрос плещет на него из ведра речной водой. Игнатов смеется, трясет мокрой головой, – брызги летят во все стороны. Трет ладонями уши, бугристые от мышц плечи, острые ребра. Красивая у него все же улыбка, белая. Как сахар. А на спине под лопаткой – глубокий шрам.

Сутки тащились вниз по Енисею, утром вошли в Ангару, затарахтели вверх по течению. День опять выдался жаркий, потный. Пополудни разморило. Игнатов сидит на туго свитой баранке из канатов, прислонившись спиной к деревянной обивке рубки. Из-под надвинутого на брови козырька фуражки виднеются иссиня-зеленые спины холмов, каменные щеки обрывов. Мелкая солнечная рябь горит на воде жарко, огненной чешуей.

Наконец-то – недолго осталось. Он уже минуты готов считать до того времени, когда увидит вдалеке красную точку – флаг над катером; когда передаст Кузнецу людей – по головам, чтобы не мучиться со списками (и чтобы не смотреть на лица, зачем лишний-то раз?); когда отряхнет ладони и вздохнет спокойно, впервые за полгода: все, Кузнец, теперь – ты в ответе. Пусть теперь тебе эти лица бородатые по ночам мерещатся. А с меня хватит. Мне бы попроще работу, попонятней: если уж врагов – так рубить, не жалеть; если уж друзей – то беречь. А так, чтоб врагов – и беречь, и кормить, и жалеть, и лечить, – нет, увольте... И домой, домой! В поезде выспится, с вокзала сразу – к Бакиеву с докладом, а вечером – к Настасье, к ней, милой, родимой, горячей. Не боялся того, что за полгода у нее мог появиться кто-то другой. Как появился – так и пропадет. Уж он, Игнатов, с этим быстро разберется. К Илоне тоже надо будет время найти заскочить, а то нехорошо тогда вышло...

Голоногий матрос возится рядом, починяет трухлявый, в черных пятнах плесени трап.

– Раньше-то бывал на Ангаре? – спрашивает.

Отвечать – лень, слишком жарко. Под монотонное шлепанье колес дремлется сладко, тягуче. «Прав ты оказался, Бакиев, друг, – признается Игнатов в первую же минуту. – Ох и не простым это делом оказалось – нянькой при поезде...»

– У меня еще дед говаривал, – не унимается матрос, – красивее Ангары нет на земле. И коварнее тоже.

Игнатов в ответ еле ведет бровью. И в том, что видел обыск в кабинете Бакиева, – признается. Так и скажет: «Ни секунды не сомневался, что выпустят тебя скоро, потому и ушел тогда». Они вместе посмеются над этим, похлопают друг друга по плечу...

– Ангара – она ведь как... – матрос, польщенный вниманием приезжего командира, оставляет свое занятие, поворачивается к Игнатову, продолжает втолковывать свое: – ...кому – мать, кому – сестра, кому – мачеха. А кому и вовсе – могила.

Игнатов утыкается подбородком в грудь. А Настасье-то – подарок полагается, за долгое ожидание. Платочек какой, что ли, или что там бабы любят... Голова падает на плечо, легкая качка усыпляет, баюкает.

– Сам-то, дед, здесь и утонул, – закругляет рассказ матрос. – Ага. Даром, что плавал, как щука.

Молния взрезает небо длинно, через весь горизонт. Лиловые тучи трутся друг о друга, дышат чернотой. Раскат грома – гулок и низок, дождя – нет.

Кажется, буря началась мгновенно, вдруг. Порывом ветра сшибло фуражку с головы. Игнатов проснулся, метнулся за ней, глядь – а вокруг-то уже, мать родная: горизонт качается, волны швыряются пеной, чайки стрелами мечутся в воздухе, матросы носятся, как кошки с подожженными хвостами. Криков не слышно – ветер.

– Товарищ командующий баржей! – орет в ухо возникший рядом часовой. – Там это...

Тычет пальцем на корму, бестолочь, подбирает слова. Игнатов – к корме. Железная дверь – ходуном от ударов.

– Откр-р-р-рой! – воют изнутри. – Отвор-р-р-ри!

– Бунт? – вздергивается Игнатов. – Революцию хотите мне устроить, сволочи?!

Рывком – револьвер из кобуры. Часовые винтовки на двери наставляют, затворами щелкают.

– Суки! – несется из трюма. – Утопнем же, откройте! Нарочно топите?! Суки! Суки! Вода же здесь! Вода! А-а-а-а!

– Шалишь, – шипит Игнатов. – Меня не проведешь. А ну – назад, гады! Стреляю!

Гудок баржи низок и раскатист, как гром. Стелется по воде, растекается. В чем дело? Почему гудите, черти? Игнатов бросается к рубке. Бежать трудно – палуба скачет под ногами, доски трещат, в лицо – брызги.

А в рубке – никого. Штурвал вращается как бешеный.

– Что?! – кричит Игнатов в лицо пробегающему мимо матросу.

– Ко дну идем! – орет тот в ответ. – Сам не видишь?

Как это – ко дну? Так эти, в трюме, – не врут?

С наклонившейся крыши с грохотом ухает какой-то ящик с инструментами, трещит, но не рассыпается. Свистя и вращаясь, проносится по палубе мимо Игнатова и исчезает в воде. И тут же сверху – как дождь, как град – черенки, ломы, лопаты... Сверкают лезвия топоров (Игнатов еле успевает прижаться к стенке – зарубили бы на лету!), визжат косы, с тонким стоном сыплются за борт вилы, звенят по дереву гвозди. Вращая колесами, скачут в воду тележки. Летит, летит в Ангару натуральный фонд, к бесам с бесенятами.

Палуба кренится, кренится. Горизонт вдруг заваливается, утыкается одним концом в небо. Баржа оседает кормой, задирая кверху тупорылую морду.

– Прыгай! – несется с носа. – Уходи! Затянет!

Там – несколько матросов и кочегаров, сигают в Ангару быстро, как лягушки.

Как это – прыгай? А эти, в трюме? Игнатов нащупывает в кармане ключ, достает. Бросается вниз, к корме. Навстречу топочут часовые.

– Стоять! – кричит Игнатов.

Крика не слышно – стена ветра затыкает рот.

Конвойные швыряют винтовки в воду, скачут следом, исчезают в волнах. Оставили пост, собаки! Последний часовой срывает с гвоздя красно-белый спасательный круг, кидает в Ангару, истошно вопит и, перекрестившись, бухается вниз.

Палуба отчаянно дергается, и Игнатов падает, хватается за какие-то скобы. Ключ вылетает из руки, тренькает по доскам. Игнатов бросается на него грудью, накрывает сверху. Вот, вот он, милый! Кладет в рот – теперь не упущу. Продолжает ползти вниз, к корме, цепляясь руками.

Вверху что-то могуче ахает, шлепает сильно и звонко. Игнатов поднимает глаза: брезент гигантским парусом бьется на крыше, канаты вскинуты к небу, как руки в молитве.

К трюму, к трюму, Игнатов! Выпустить этих кулаков, всех выпустить, к чертовой матери. Зря, что ли, вез...

В проеме между кубриками, на другой стороне палубы, замечает беременную бабу. Та ухватилась руками за какой-то поручень, вытаращилась на Игнатова. Далеко до нее, не достать.

– Прыгай! – орет он ей, вынимая ключ изо рта и пытаясь перекричать ветер. – В воду прыгай, дура! Затянет!

Большая волна нависает над бортом и трахает плашмя по палубе. Схлынула – и нет ни бабы, ни поручня. Одни ржавые концы торчат.

Дальше ползи, Игнатов, дальше! То была одна баба. А выпустить надо многих.

Подползая к кормовой двери, замечает, что вода хлещет в открытые вентиляционные люки. Чьи-то пальцы тянутся в отверстия, пытаются уцепиться, но их смывает волной обратно внутрь.

– М-м-м-м-м! – сотнями голосов воет под Игнатовым палуба.

Он грудью ощущает удары снизу – кто-то пытается выбить доски.

– А-а-а-а-а! – стонет под досками.

Грохает по ушам гром. Плотная глыба дождя падает сверху, прижимает к палубе. Игнатов ползет к двери – от дождя все вокруг мгновенно становится текучим, скользким. Сейчас, сейчас, суки, выпущу вас, не войте.

В тот момент, когда он уцепляется за ручку одной из дверей, что-то громко зловеще трещит – и баржа начинает уходить под воду.

Игнатов сумел не разжать пальцы, не отпустить ручку, не выронить ключ. Вот только вдохнуть поглубже не успел. Вода заливается в уши, в нос, в глаза. Игнатов опускается в Ангару – «Клара» тянет его за собой.

Он тычет ключом в дырку замка – где же ты, чертова скважина? тык! тык! нащупал! вставил! Но – не провернуть. Заело. Он истово крутит ключ в замке, а «Клара», медленно вращаясь, погружается глубже.

Давай же, Игнатов, давай! Вода шевелит волосы, щиплет глаза, лезет в рот.

Есть! Провернул! Дверь – на себя. Она распахивается медленно, как во сне.

За ней – решетка. Ч-ч-черт! Десятки рук протягиваются сквозь нее, тянутся к Игнатову, вцепляются в прутья, трясут их. Вода льется сквозь решетку внутрь стремительно и неумолимо. Баржа быстро набирает воду – и рывком, тяжело и стремительно, уходит вниз. «Клара» тонет.

Ручка двери выскальзывает из пальцев. Игнатов хочет догнать ее, тянется, рвет мышцы, но поток швыряет его в сторону. Сквозь зеленую толщу воды он видит за решеткой чьи-то распахнутые глаза, распахнутые рты.

– А-а-а-а-а! – низко и страшно кричат они, и тысячи крупных пузырей окружают Игнатова, скользят по его телу, лижут грудь, шею, лицо.

– А-а-а-а! – в каждом пузыре.

Десятки рук тянутся, тянутся к нему сквозь решетку, шевеля пальцами. Колышутся, как огромный сноп. Уходят глубже, глубже. Исчезают в темной зелени.

Игнатова крутит, бросает в разные стороны, и наконец – вышвыривает на поверхность.

– А-а-а-а! – кричит он низкому небу с шевелящимися мохнатыми тучами. – А-а-а-а! А-а-а-а!

В открытый рот хлещет дождь.

– И! И! – отвечают чайки.

Зулейху несет сквозь толщу воды куда-то вниз. Густая зелень плавится в глазах, тяжелеет, чернеет. Метель белых пузырей вьется кругом, бьет в лицо.

Сжала зубы – не дыши, замри.

Далекий свет пляшет, мелькает то снизу, то сбоку. Удаляется. Большие темные силуэты плывут вдалеке – не то вверх, не то вниз. Обломки? Люди? Рыбы?

Прижала руки к груди, подобрала ноги. Косы – узлом вокруг шеи.

Аллах Всемогущий, на все твоя воля.

Ее перекручивает, кувыркает, шваркает боком обо что-то твердое.

Аллах услышал твои молитвы и решил прервать твой жизненный путь – кануть тебе здесь, в водах Ангары.

Бисмилляхи рахмани рахим...

В рот заливается вода – горьковатая, хрустит на зубах.

Альхамду лилляхи рабби...

Не то глотнула, не то вдохнула ту воду. Тело задергалось, затанцевало.

Алямин... Алямин... Аля...

Тело вздрагивает последний раз и замирает. Руки повисают плетьми, ноги разжимаются. Косы вытягиваются вверх, колышутся медленно, как водоросли. Зулейха погружается – лицом вниз, косами вверх. Ниже, еще ниже, до самого дна. Ступни опускаются в мягкий ил, поднимая вокруг тягучее ленивое черное облако. Лодыжки. Колени. Живот.

Ребенок просыпается резко, вдруг. Бьет ножками, второй раз, третий. Сучит ручонками, крутит головой, трепыхается. Живот Зулейхи трясется – маленькие пяточки колотятся внутри.

Ноги Зулейхи вздрагивают в ответ. Еще раз. И еще. Отталкиваются от дна. Сжимаются и разжимаются. И руки сжимаются и разжимаются.

Зулейха всплывает. Из растревоженного, колышущегося илистого облака – к далекой светлой ряби. Через малахитовые толщи – вверх, выше, выше.

Она колотит руками и ногами сильнее – поднимается быстрее. Какой-то упругий холодный поток подхватывает ее и несет.

Слепящая стена белого света ударяет в глаза. Зулейха месит руками воду, кричит, кашляет. Горло режет – от носа и до самого нутра. Ветер хватает за лицо, в ушах – крики чаек, уханье волн. В край глаза бьет кусок отчаянно-голубого неба. Неужели – выплыла?

Вода кипит вокруг, бьется, выскальзывает из пальцев. Ухватиться – не за что. Зулейха не умеет плавать. Ноги вновь тянут вниз. Неужели еще раз – ко дну? Горизонт опять кренится и ныряет, голова уходит под воду. И Алла...

Чьи-то руки тянут ее за косы вверх.

– На воду ложись! – знакомый голос рядом. – Пузом вверх!

Игнатов!

Зулейха пытается вывернуться, поймать руками, ухватиться хоть за что-то.

– Утопишь! – Игнатов отталкивается, но кос ее не выпускает. – Ложись, дура!

Она кашляет, воет, едва слышит. Но старается, переворачивается животом вверх, ложится на воду. Живот вздымается над волнами, как остров. Волны хлещут в лицо, дождь – сверху.

– Руки-ноги – звездой! Звездой, кому велено! – лицо Игнатова где-то совсем рядом, где – не разберешь. – Вот так! Молодец, дура.

Зулейха расправляет руки и ноги, качается медузой. Нестерпимо хочется кашлять, но сдерживается.

Дышит громко, навзрыд. Лишь бы хватило воздуху дышать, лишь бы хватило.

– Держу тебя, держу, – голос рядом. – За косы держу.

Ребенок успокоился в животе, не мешает. И волны понемногу утихают, мельчают. Молнии уползают за горизонт, клинышек голубого неба ширится, растет – тучи разносит в разные стороны.

– Ты здесь? – Зулейха боится повернуть голову, чтобы не хлебнуть воды.

– Здесь, – голос рядом. – Куда уж теперь от тебя денусь.

Игнатов хотел было плыть к берегу, но Зулейха не смогла. Так и качались в фарватере, дрейфовали по течению. Их выловили через пару часов, продрогших, с чернильно-синими губами. Шустрый катер Кузнеца примчался на свидание с «Кларой», но в живых ее уже не застал. Кроме Зулейхи с Игнатовым спаслись еще несколько матросов. Тот, голоногий, что все про деда своего рассказывал, – тоже. Видно, его срок еще не подошел.

Когда всех их, обессиленных, дрожащих от холода, положили на палубу и велели снять и отдать на просушку мокрую одежду, Зулейха сунула руку в карман – за сахаром. Вытащила лишь пригоршню белого киселя. Расправила пальцы – кисель тотчас просочился сквозь. Выставила руку за борт – мутные белые капли стекли в Ангару.

Самогон булькает сладостно, бодро – льется из длинной пузатой бутыли зеленого стекла в кривую жестяную кружку, урчит. Игнатов стоит посреди кубрика голый, закутанный в мешковину, придерживает ее рукой на груди; голова еще мокрая, с обрывками водорослей. Немигающе смотрит на тугую мутную струю. Не дождавшись, когда последние капли упадут из горлышка, хватает кружку и опрокидывает в глотку. Спирт обжигает гортань, ухает в желудок, медленной теплой волной отдает в голову. В глазах тотчас взрываются зеленые искры. Крепка самогонная водица, хороша. Он тихо и долго выдыхает, поднимает взгляд на Кузнеца. У того глаза – злые, собачьи, рот – ниткой.

– Она же ржавая была, как… – Игнатов жмет в кулаках мешковину, терзает, – …как…

Кузнец берет из рук Игнатова кружку, наполняет вновь.

– Куда мне?!

– Пей!

Жестяной край звякает о крепкие игнатовские зубы – он вцепляется в кружку, пьет. Самогон льется внутрь легко и гладко, как масло. Зеленые искры в глазах плавятся, текут, манят. А что – напиться к чертям собачьим? Ведь ни разу в жизни пьяным не был по-настоящему, чтобы дочерна, влежку… Игнатов с сожалением отнимает кружку ото рта, выдыхает. Веки тяжелеют, закрываются.

– А теперь – слушай, – голос у Кузнеца суровый, будто рваный. – Везти обратно твоих доходяг не имею права.

– А? – Игнатов с трудом поднимает ресницы.

Кузнец дрожит, корежится и двоится. Уже не два, а четыре злых немигающих глаза воткнуты в Игнатова.

– Всех, кто выжил, – высаживаю на месте и оставляю.

– Г-где?

– В бороде! Место вот подыщем подходящее.

– А…

Игнатов смотрит за грязное стекло окна. Там, на далеком берегу, качаются от ветра острые верхушки бесконечных, уходящих за горизонт елей.

– Подожди, Кузнец... – Игнатов никак не может поймать его взгляд – слишком много у него глаз, у черта сердитого. – В тайге? Без инвен... инвентаря?

– У меня – приказ, – отвечает тот, как топором рубит.

Мешковина чуть не падает с груди Игнатова, и он подхватывает ее, кутается вновь.

– Сдохнут же, – говорит тихо.

Становится слышно, как громко тарахтит мотор катера.

– Этот поселок нужен, пойми ты! – раздвоившийся было Кузнец наконец сливается воедино.

– Точку на карте поставить хочешь? – Игнатов берет бутыль за тонкое горлышко, чтобы плеснуть себе в пустую кружку. – Освоение берегов великой Ангары? А люди – черт с ними, новые народятся?

Кузнец хватает бутыль за крутые бедра – Игнатов не отдает.

– Молчать! – Кузнец тянет к себе. – Баржу – кто утопил?

– Дырявую баржу! Дырявую – что твой пень!

– Вагоны у тебя – тоже дырявые были? Половина народа по пути высыпалась, половина убежала... А может, это руки у тебя дырявые, Игнатов? Или голова?

– Да я их через всю страну провез! – Игнатов кряхтит, пытается сковырнуть цепкие Кузнецовы пальцы со скользкого стекла. – Полгода по шпалам тащил, чтобы тебе, харя, доставить. А ты, значит, их раз – и в тайгу? Волков кормить?

– Нет, голуба, кормить будешь ты, – шипит тот в самое ухо, обдает горячим дыханием. – Потому что остаешься с ними. Комендантом.

Бутыль выскальзывает – остается в лапищах Кузнеца. Тот пыхтит, выравнивает дыхание, утирает замокревший лоб.

– Временно, конечно, – не глядя на Игнатова, со злой щедростью льет самогон ему в кружку. – Мне, что ли, прикажешь с инвалидами твоими возиться? Пару десятков стариков – кто мне в трюм подсунул? Уж не ты ли? Повез бы в открытую, на палубе – и не было бы у нас сейчас с тобой этого разговора. А так... Сам заварил – сам и расхлебаешь. Посидишь с ними недельку, поохраняешь, пока я новую партию не привезу и коменданта постоянного.

Бутыль с тяжелым стуком встает обратно на стол.

– Ты че, Кузнец? – голос Игнатова сиплый, как от простуды.

Мешковина падает на пол – Игнатов остается в чем мать родила. Кузнец окидывает его строгим взглядом:

– Сотрудник для особых поручений Игнатов, это приказ.

Шваркает на стол знакомую серую папку «Дело» и выходит вон. Игнатов обеими руками хватает кружку, льет в себя самогон – прохлада струится по щекам, по шее, по голой груди.

– Спички. Соль. Снасти.

Кузнец сидит на корточках и раскрывает по одному лежащие на камнях мешки и свертки, тычет в них твердым пальцем. Игнатов стоит рядом, слегка пошатываясь. Форма на нем еще полусырая, мятая (видно, отжимали крепко да на ветру полоскали), кобура застегнута криво, но он не замечает. Кузнецовский голос доносится издалека, словно с того берега. Зеленые искры продолжают плыть перед глазами – застят и далекий горизонт в бескрайних, зубчатых от еловых вершин холмах, и темно-серую ангарскую воду, и покачивающийся на ней катер, и деревянную лодку у берега, в которой дожидается пара солдат.

– Пилы. Ножи. Котлы. – Кузнец смотрит на сонное, с полуприкрытыми веками лицо Игнатова. – Уху будете варить, говорю.

Какое-то воспоминание слабо шевелится в памяти.

– А рябчиков?! – Игнатов вскидывает вверх ходящий ходуном палец. – А рябчиков в шампанском – можно?

– Можно, – Кузнец встает с корточек, отряхивает колени. – Провианта не оставляю, извини. Вы уж тут сами как-нибудь. Вот, – он пинает ногой небольшой тугой мешок, внутри что-то грузно звякает, – патронов – на все зверье в тайге хватит. Ну и на хануриков твоих, если слушаться не будут. А это, – он берет из рук одного из солдат тяжелую, почти полную бутыль, – тебе. Чтобы не грустил по вечерам.

Игнатов узнает ее – та самая, родимая, зелененькая! Улыбается, обнимает прохладное стекло – жидкость обещающе плещет внутри. Ох и спасибо тебе, бра-а-а-ат... Кузнец всовывает между Игнатовым и бутылью серую папку «Дело».

– Ну, – говорит, – комендант, держись. Подмогу пришлю скоро. Жди.

Игнатов нагибается и аккуратно, медленно ставит бутыль на камни – как бы не расплескать драгоценность. Папка падает рядом.

– По... подожди... – язык заплетается как чужой. – Я вот что хотел у тебя спро... спросить...

Разгибается, оглядывается. А Кузнеца-то – нет. Только сверкают вдали два весла – лодка, покачиваясь, идет к катеру.

– Куда? – удивленно шепчет Игнатов. – Кузнец, ты куда?

Лодку уже поднимают на катер. Игнатов делает неверный шаг, нога звякает обо что-то – на мокрой рогоже лежат длинные и тонкие пилы-одноручки. Это, что ли, *пилы*? Этими, что ли, соплями – лес-то пилить?

– Куда же ты, Кузнец? – Игнатов поднимает руку, машет, делает пару шагов вдоль берега.

Катер на прощание гудит – высоко и протяжно. Чихает и рявкает мотор, затем тарахтит ровно – катер разворачивается.

– Куда ты? – повышает голос Игнатов, продолжая бежать вслед. – Куда?! Стой!

Катер уходит, уменьшается.

– Стоять! – Игнатов забегает в воду. – Куда?!

Пальцы сами нащупывают кобуру, рвут из нее револьвер. Холодная волна плещет в сапоги – Игнатов бредет по колено в воде, затем по пояс.

– Куда ты завез нас, сука? Куда?!

– ...да! ...да! ...да! – отзывается эхо, летит по Ангаре вслед синей точке катера – а тот уже исчезает, растворяется на горизонте.

– Куда?! Куда-а-а?! Куда-а-а-а-а-а?!

Игнатов жмет на курок. Выстрел грохает тяжело и раскатисто.

Сзади кто-то испуганно всхлипывает. На берегу, прижавшись друг к другу и обняв тощие тюки с вещами, стоят переселенцы. Осунувшиеся, почерневшие лица испуганно смотрят на Игнатова: огромные глаза беременной Зулейхи, угрюмые – крестьян, растерянные – ленинградских «бывших», ошалевшие – Горелова.

Игнатов беспомощно шибает револьвером о воду и поднимает взгляд к небу. Из черной тучи летит к нему что-то мелкое, белое – снег.

Часть третья

Жить

Тридцать

С утеса Ангара открывалась как на ладони. Пышная зеленая грудь левого берега круто вспучивалась, словно подоспевшее в кадушке тесто, падала ярким изумрудным отражением в свинцовое зеркало реки. Вода тяжелым широким полотном лениво вилась вокруг, уходила в синеву горизонта, к Енисею. Туда, куда ушел недавно катер Кузнеца.

Правый берег, на котором расположились переселенцы, у воды стелился низко, покладисто, а потом вскипал раскидистым пригорком, перерастал в громадины холмов, щерился клыками утесов. На одном из них сейчас и стоит Игнатов, разглядывая простирающуюся внизу тайгу. Лагеря отсюда видно не было – он был где-то глубоко внизу, в складках холма.

Игнатов и не хотел сейчас никого видеть. До сих пор смотрел на все будто со стороны: кто это стоит, одетый, по пояс в воде, отряхивая запутавшиеся в волосах снежинки, – неужели он? Кто отдает приказ («Разжечь костер. Наломать веток для шалаша.

От лагеря – ни на шаг, сволочи!») и уходит в тайгу на охоту – неужели он? Кто бредет звериными тропами, трещит по валежнику, ползет по заросшим мхом и сухой травой камням на утес – неужели он?

Вот садится на пригретый солнцем валун, зажмуривается. Сквозь прохладу все еще влажной одежды ощущает тепло нагретого камня. Ладонь колет ломкая щетинка мха. Пара комаров звенит у уха, но ветер сдувает их, и звон улетает, растворяется вдали. В ноздри летит свежесть большой воды и терпкий запах тайги – ели, сосны, лиственницы, духмяное разнотравье. Так и есть: он, Иван Игнатов, – здесь, в Сибири. Утопил три сотни вражеских душ в Ангаре. Оставлен комендантом при горстке полуживых антисоветских элементов. Без продовольствия и личного состава. С приказом: выжить и дождаться прихода следующей баржи.

Положим, он их не топил, а пытался спасти. – *Пытался* – слово для слабаков, как говорит Бакиев. Коммунист не пытается, он делает. – Да не мог я их спасти, не мог! Старался, из кожи лез, сам чуть не утонул. – Ведь не утонул же! А они все – утопли, рыб сейчас кормят на дне. – Неужели было бы лучше, если б я утонул вместе с ними?! Да и кто они такие?! Кулаки, эксплуататоры, обуза для советской власти – враги. Расплодятся еще, как говорит Кузнец. – Чужими словами свою вину прикрыть хочешь? Да и чьими словами-то – Кузнеца, суки...

Дурные мысли, как гвозди, вколачиваются в мозг, колют его на части. Игнатов снимает фуражку, собирает волосы в ладонь, тянет, словно хочет сорвать с черепа. Приказывает: отставить! Занять руки делом, а ноги – ходьбой. Утомить, умотать, уморить тело, чтобы не думалось. Или – думать о другом.

Он смотрит на серо-голубую, размытую кромку горизонта. Следующая баржа придет оттуда. Когда? Кузнец обещал, что скоро. Они шли сюда три дня. Кузнец на своем катере добрался быстрее, за день. Положим, день ему на обратную дорогу, день-два – на бюрократические проволочки в конторе и загрузку новой баржи, три дня – на возвращение к Игнатову. Итого – неделя.

Надо продержаться неделю.

А если Кузнец припозднится? Да, эта сука не будет торопиться. Вполне может прийти и через полторы недели, а то и через две. Как раз к концу августа. А снег-то уже сегодня валил, словно и не лето здесь вовсе, а зрелая холодная осень.

Как далеко они ушли от Красноярска? Два дня сплавлялись вниз по Енисею – это километров триста, а то и больше. Почти целый день поднимались вверх по Ангаре – еще километров сто. Итого – четыреста. Их с Кузнецом разделяют четыреста километров сплавного пути. И – бескрайнее таежное море. На Енисее Игнатов изредка еще замечал приютившиеся по берегам поселки (все гадал: живые или заброшенные?), а вот на Ангаре – ни одного. Нет здесь людей.

Он складывает большой и указательный палец в круг и зло щелкает по выползшему на сизый камень жучку – тот улетает в пропасть. Игнатов встает, оправляет влажную еще по подолу гимнастерку. Чего тогда в воду полез, дурак? Только зря промок. Надо было раньше думать, на катере. Схватить этого подлюгу Кузнеца за шкирку, за шею, за волосы – и не отпускать, не отпускать ни за что. Пусть бы вязали его, Игнатова, сажали под охрану, везли под конвоем в Красноярск, потом взыскивали за превышение полномочий – все лучше, чем сейчас, здесь, так.

– Неделя, – строго говорит Игнатов зияющей под ним пропасти, грозит пальцем. – Жду – ровно неделю, не больше. Смотри у меня!

Пропасть молчит.

Тетерева здесь – жирные и глупые. Пялят на Игнатова круглые черные глазищи под толстыми красными дугами бровей и не улетают. Он подходит на расстояние нескольких шагов, стреляет в упор. Мягкие тельца взрываются фонтанами черных перьев, запоздало вздрагивают крыльями, роняют мелкие хохлатые бошки в траву. А с соседних деревьев уже с любопытством таращатся сородичи: что там случилось, что? и мы хотим посмотреть, и мы... Набил шесть штук – по количеству патронов в барабане. Связал горлышки завалявшейся в кармане веревкой – получились две увесистые связки. Пошел обратно на берег.

Дорогу от лагеря замечал тщательно. Если глубоко в урман не ходить – не заблудишься (Ангара – вот она, рядом, везде), но заплутать можно. Поэтому запоминал все приметы, шептал себе под нос, словно нитку разматывал – и теперь, на обратном пути, закручивал ее обратно в тугой клубок: с утеса спускаться по каменистой тропке меж валунов, то розоватых, то бело-зеленых от мягкого кудрявого мха, – до светлой, будто облысевшей прогалины; дальше – через редкий сосняк, шагающий по огромным и плоским, крытым редкой травой камням, – к пологому спуску; через рыжие свечи сосен и черные щетки елей – вниз, долго вниз, до небольшой круглой поляны, на которой раскорячилась некогда огромная, а теперь выжженная молнией береза; от нее – вдоль холодного и звонкого ручья – спускаться дальше, к Ангаре; у большого, как спящий медведь, валуна – перебраться через ручей и углубиться в лес. Скоро меж деревьев должен глянуть просвет – берег, где притулилась горстка переселенцев.

Игнатов пробирается по тайге. Шагает хрустко, громко. В сапогах хлюпает – перескакивая ручей по камням, не удержался, угодил в воду. В каждой руке – по тяжелой связке битой птицы. Знатный будет ужин. Вот вам, граждане враги, жрите. Будете у меня тетеревами всю неделю питаться, отъедаться за голодную дорогу.

Он и не заметил, как свечерело. Плотный коричневый сумрак лег на тайгу внезапно, вдруг. Резко похолодало. Умолкли беззаботные дневные птицы, тут же подали голоса ночные, печальные и далекие. Все звуки – шорох листвы, шепот хвои, гудение веток на ветру – стали будто ближе, звонче, даже хруст сухостоя под ногами превратился в громкий треск.

Что-то большое, мягкое, светлое проносится с лихим уханьем мимо головы, опахивает лицо крыльями. Желудок вздрагивает холодно и противно, дыхание замирает. Сова, понимает Игнатов с запоздалым облегчением, прибавляет шаг. Из чащи несется какое-то стрекотание, тонкие вскрики, удивленные вздохи. Где-то далеко – низкий бархатный рев.

Где же стоянка?! Кажется, должна уже появиться, глянуть меж деревьев. Ели, ели, ели... А вдруг, мелькает сумасшедшая мысль, выйдет он на знакомый берег, а там никого. Ни одного человека, все сгинули. Вдруг все они – и зеленоглазая Зулейха, и жалкие «бывшие», и подхалим Горелов – утонули там, на середине Ангары, вместе с баржей? А в живых остался он один, Игнатов? И его одного бросили тут, на пустынном берегу?

Он переходит на бег. Что-то оглушительно трещит под ногами, что-то лезет в глаза, бьет по щекам. Нога проваливается в яму, другая цепляется за корягу. Чуть не падает, удерживается. Бежит быстрее. Выставляет локти вперед, чтобы защитить лицо от веток. Тетерева вдруг становятся тяжелыми и большими, словно разбухают на ходу.

Наконец – оранжевый трепет огня меж стволов. Пара прыжков – и Игнатов, запыхавшийся, с колотящимся не то от быстрого бега, не то от страха сердцем, выскакивает на прибрежную поляну. Вот они, люди, никуда не делись – кто-то достраивает шалаш под ветвями огромной раскидистой ели, кто-то копошится у огня. Он смиряет шаг, успокаивает сбившееся дыхание. Неторопливо подходит к сидящим у костра на корточках женщинам и небрежно швыряет теплых еще тетеревов им под ноги...

Пока женщины возятся с ужином, Игнатов решает покончить с неприятным, но необходимым делом. Вернее, с «Делом» – серой обтрепанной папкой, испещренной поверху грязно-лиловыми прямоугольниками штампов и печатей, хранящей в своих тощих недрах всю горькую историю их многомесячного путешествия. Нужно вычеркнуть всех *убывших*.

Он берет папку и садится у костра. Представляет, как швыряет ее в огонь: она моментально вспыхивает, взмахивает листами, как живая, корчится, чернеет, кукожится, растворяется в горячих желтых языках и легким дымом исчезает в черном небе. Не то что следа не остается – даже запаха...

Нельзя. Раз уж он здесь комендантом – должен блюсти порядок. И иметь на руках точный поименный список всех жителей лагеря. Или правильнее называть их заключенными? А какие заключенные, если вся охрана при них – комендант в мокрых штанах с единственным револьвером? Решает остановиться на привычном: переселенцы.

Палкой достает из костра пару угольков, ждет, пока остынут. Хватает за конец длинную и крепкую, жирную на ощупь головешку. Переводит дыхание и решительно открывает папку. Четыре мятых листка, пожелтевших от времени, в серых захватах пальцев, в бурых пятнах и разводах. Местами бумага зашершавела от попавшей на нее воды и снега, по углам – обветшала и замахрилась. И пятый листок, покрепче и отчего-то почище, – ленинградские «остатки». Восемь сотен имен разбросаны по кривоватым, бесшабашно пляшущим по листкам столбцам. Так же весело, враскос, бегут и черные карандашные линии, перечеркивающие более половины фамилий. В полутьме у костра листки напоминают мелко вышитые полотенца.

Начал с самого легкого – с ленинградцев. Из полутора десятков имен пару он вычеркнул давно, еще в дороге, а остальные – не придется: все здесь. Эти навязанные ему в начале пути «остатки» – удивительный факт! – оказались чрезвычайно живучи. С деклассированным элементом, положим, все ясно. Горелов – такой где угодно приспособится, перекрасится в любой цвет, переметнется к кому нужно, присосется, перегрызет пару глоток, выживет. Но интеллигенция! Вежливая до оскомины, изредка дерзкая на слово, но в поступках – смирная, вялая, покорная. Жалкая. И – живая, в отличие от многих крестьян, не выдержавших болезней и голода. Вот тебе и «бывшие». Кузнец тоже купился на их бледный вид, отобрал к себе на катер как самых изможденных, немощных, не способных к побегу. Повезло Ленинграду, в общем.

Игнатов пробегает глазами фамилии, сверяя их с лицами вокруг.

Иконников, Илья Петрович. Вот он, тащит кривую, почти лысую еловую ветку (куда ж ты ее несешь, болван! Такая для шалаша не сгодится – от дождя не защитит). Видно – бестолков, к труду непривычен и не приспособлен, слаб телом, безволен. Такой в бега не пустится, восстание не поднимет – не опасен. Горелов докладывал, что Иконников – известный художник, Ленина для плакатов рисовал. Надо же – плакаты революционные малевал, а попал сюда. Есть, значит, за что.

Сумлинский, Константин Арнольдович. Тихий старикашка, беззлобный. Суетится у одного из шалашей, ручками машет – старается. Молодец, дед. Даром что ученый – не то географ, не то агроном. Толку от него, конечно, чуть, но его рвение Игнатову отчего-то приятно, греет душу. И этот – не опасен.

Бржостовская-Сумлинская, Изабелла Леопольдовна (вот наградил папаша отчеством с фамилией!), жена. Сидит рядом с Игнатовым у костра, пытается щипать птицу – тонкие пальцы с обтянутыми сухой полупрозрачной кожей косточками беспомощно цепляются за упругие и, кажется, чрезвычайно упрямые тетеревиные перья – с голоду околеешь, пока справится, старая грымза. Эта особа – высокомерная, с претензией в каждом жесте, невоздержанная на язык. Горелов жаловался, что она ругает власть, но какими именно словами, сообщить не смог, – критика шла по-французски. Хитра, умна. Но кроме ума и острого языка ничего у дряхлой кобры нет. Так что – не опасна.

Горелов, Василий Кузьмич. Нашел себе длинную палку, размахивает ею, как жезлом, командует постройкой всех трех шалашей одновременно – гуляет от постройки к постройке, тычет *погонялом*, кричит громко, аж в ушах звенит. Изловчился сам себя начальником назначить, подлец. С этим все ясно. Тип наипротивнейший, наимерзейший, в обычной жизни Игнатов с удовольствием раздавил бы такого. Здесь приходилось общаться. В пути Игнатов то и дело вызывал к себе в купе вагонных старост, расспрашивал про настроения; из всех них Горелов был самым яростным и подобострастным докладчиком. Для этой собаки кто сильнее, тот и хозяин. Пока ты у власти и с револьвером – руку будет лизать, хвостом вилять; ослабнешь на минуту – укусит, а то и горло перегрызет. Этот – опасен.

Так, постепенно, Игнатов доходит до конца ленинградского списка. Несколько не то учителей, не то университетских преподавателей; типографский работник; банковский служащий; пара заводских инженеров или механиков; домохозяйка и пара людей без определенного занятия (тунеядцы – язва на теле общества) и даже невесть как затесавшаяся в это общество модистка. В общем: рухлядь, еденное молью старичье, пыль истории. Кроме Горелова – ни одного опасного.

Теперь – задача посложнее: разобраться с раскулаченными. Сначала – найти в списке и отметить всех живых, после – вычеркнуть *убывших*.

В двух шагах от Игнатова сидит на коленях маленькая татарочка Зулейха, разделывает подстреленных тетеревов. Он находит на листке ее имя, обводит углем. Линия получается жирная, толстая, густо-черная. Как ее брови. Он тогда, в воде, хорошо рассмотрел ее лицо. Нет, не рассмотрел – вызубрил, выдолбил в памяти. Все вглядывался – жива ли? дышит ли? не слишком ли устала? Не мог допустить, чтобы погибла. Ее жизнь казалась ему единственным прощением за остальные, погубленные. Когда увидел, как ее подняли на катер и положили на палубу, почувствовал вдруг такую усталость – хоть помирай; а в голове только одно: спас, спас, вытянул, довел, дотащил... Думаешь, зачтется? – мелькает злая мысль. Триста ко дну пустил, одну вытащил – хорош спаситель, нечего сказать. Отставить, устало и уже привычно командует себе Игнатов. Отставить и работать дальше.

Вот – Авдей Богарь, однорукий. Инвалид, а работает споро – ловко укладывает ветки на крышу шалаша, что-то подсказывает остальным, указывает пальцем. Э, да вот кто на самом деле руководит постройкой! К нему прислушиваются, кивают. Видно, дельный мужик. Глаза у него смекалистые, цепкие, при Игнатове вечно опущенные – словно боится, что тот увидит в них что-то, разгадает. Этот может быть опасен. Такого и остальные послушают, даром что с одной рукой.

Рядом копошится Лукка Чиндыков, рыжебородый чуваш. Неказистый, весь какой-то перекошенный, скособоченный, отчаянно некрасивый. Потерял в пути всю семью, запуган до смерти, изможден, растерян. До сих пор дико озирается, словно не понимает, где очутился. Сломленный человек, не опасен.

Невдалеке вьется белая борода Мусы-хаджи Юнусова, худого и плоского, как тростник. В начале пути на макушке его сияла ослепительно-белая чалма, потом куда-то делась, возможно, ее пустили на тряпки. Игнатов представил, как хаджи пилит ельник в своей сияющей чалме, усмехнулся. Лицо у Юнусова всегда было светлое, отреченное, думал уже не о земном – о вечном. Правильно, на то он и хаджи. Тоже не опасен.

Лейла Габриидзе, полная одышливая грузинка...

Вглядываясь в лица, Игнатов вспоминает по имени всех, кто трудится в лагере. Находит в списке, обводит углем, пересчитывает. Вместе с ленинградцами – двадцать девять человек. Русские, татары, пара чувашей, трое мордвинов, марийка, хохол, грузинка и выживший из ума немец со звонким вычурным именем Вольф Карлович Лейбе. Одним словом, полный интернационал. Остальных – зачеркивает. Водя углем по ветхим, до сальности затертым листам, старается не смотреть на фамилии. Пальцы под конец – черные и словно бархатные, оставляют на листах круглые жирные следы.

Покончив с «Делом», Игнатов рывком поднимается с бревна и стремительно шагает к берегу. Хочется поскорее вымыть руки. Хочется надышаться холодным речным воздухом. Очень хочется курить.

Зулейха приноровилась ощипывать птицу большой еловой щепкой (лучше бы, конечно, ножом, но оба ножа заняты на постройке шалашей). Щепкой тоже можно работать. Правильно говорила мама: главное в любом деле – руки и голова. Она крепко держит деревяшку в ладони и быстрыми щипками выдергивает из мягкого и податливого птичьего тельца перья, зажимая их между щепкой и большим пальцем: сначала – длинные и крепкие, остевые; затем – помельче и помягче. Тушки еще и остыть не успели, ощипываются хорошо, послушно.

Рядом притулилась Изабелла. Их вдвоем – беременную и самую старую – оставили у огня костровыми и кухарками. Остальные собирают шалаши и обустраивают лагерь.

– Зулейха, дорогая, боюсь, мне за вами не угнаться, – Изабелла растерянно смотрит на быстрое, почти растворившееся в воздухе мелькание щепки.

– Соберите лучше перья, – говорит Зулейха. – Пригодятся.

Ей приятно, что эту работу она может выполнить лучше. Хорошо быть полезной. Просто сидеть у костра и подкладывать дрова в огонь, в то время как другие работают, – совестно. Но ходить за ветками в ельник и обратно к лагерю уже трудно – после плавания в Ангаре живот погрузнел, словно свинцом набух, младенец постоянно шевелится, дергается, а ноги совсем ослабли, лоб потеет. Пару раз уже вступало в низ живота, тянуло, ныло, крутило – и Зулейха начинала молиться про себя, думала, пришло время разродиться. Оказалось – рано.

Подарок Муртазы, отравленный сахар, утек в Ангару. Значит, она будет рожать, каким бы ни был исход родов. Если Аллах пошлет еще одну смерть ребенка, она выдержит. Воля Всевышнего порой бывает причудлива, непостижима земному уму. Провидение оставило ее в живых – единственную из всех спутников на смертельной барже. Более того, послало ей на спасение убийцу мужа, надменного и опасного краснoордынца Игнатова. Быть может, судьба хочет оставить ее в живых?

Когда Зулейху, почти захлебнувшуюся, содрогавшуюся от хрипа и кашля, выбросило из глубины вод на поверхность и в бешеной круговерти брызг и волн мелькнуло вдруг рядом перекошенное лицо Игнатова, она ощутила такое огромное счастье, какого никогда не испытывала. Мужу своему никогда так не радовалась, да простит ей покойный Муртаза такие мысли. Еще успела подумать, что Игнатов может проплыть мимо, не заметить ее или не захотеть спасти, – а он уже рядом, помогает, успокаивает. Она бы не удивилась, если бы он потянул ее за косы вниз и утопил, но он держал ее, держал крепко, что-то говорил, даже шутил. Когда выяснилось, что она не может плыть к берегу, не стал браниться и не покинул ее. Он ее спас.

Если бы спасителем оказался хороший человек, наверное, следовало бы стать перед ним на колени и осыпать руку поцелуями. Если бы жив был Муртаза, он одарил бы такого человека богатыми дарами. Если бы жив был мулла-хазрэт, она просила бы его совершить в честь спасителя благодарственную молитву. Ни одного из этих «если бы» – нет. Только она одна и суровый, неприступный Игнатов. Сидит рядом у костра, черкает что-то углем в бумагах, хмурится, сжимает челюсти. Зулейхе хочется просто сказать «спасибо», но она не смеет прервать его размышления. Скоро он выдыхает резко и зло, захлопывает папку, уходит на берег.

Она надевает ощипанные тушки на длинную палку и опаляет над костром. Когда принимается за разделку мяса, – уже совсем темно, и переселенцы, закончив дела, один за другим усаживаются вокруг костра ждать ужина, жадно втягивая ноздрями сладковатый запах паленого пуха.

Под сенью разлапистых елей успели построить три шалаша: матицей служили большие ветки деревьев, на которые поперечно настилались крупные мохнатые лапы, поверх – ветки потоньше; подстилкой был тот же лапник. Кто-то предложил закидать хвою внутри шалашей березовыми ветвями и охапками травы – для мягкости, но на это уже не хватило сил и времени. Заготовили дрова на ночь: натаскали гору хвороста, упавшего сухостоя. Топора не было, и крупные ветки пришлось срезать пилами. Одноручки визжали и гнулись, дергались, вырывались из непривычных рук – работать ими было неудобно, но кое-как одолели, распилили. Еще засветло притащили из чащи упавшие деревья, сложили вокруг костра. Теперь все сидят тесным рядком, подпирая друг друга озябшими плечами, греются, выпускают изо рта большие лохматые облака пара – к вечеру холодает.

В центре костра на двух плоских камнях исходит паром большое пузатое ведро – ждет мяса. Зулейха бросает в пузырящуюся воду щедрые куски птицы – и запах еды, домашний, уютный, плывет над огнем, улетает вверх, в черное бархатное небо с крупными бусинами звезд.

– Какое освещение, – тихо говорит Илья Петрович, протягивая к оранжевому костру натруженные, с парой свежих порезов руки. – Это же чистый Рембрандт.

– Это мясо, – на удивление доброжелательно поправляет Горелов и моргает масляными глазами, неотрывно прикованными к ведру с похлебкой. – Мясо.

Остальные молчат. Только сверкают в темноте запавшие глаза да вспыхивают в свете искр осунувшиеся лица с резкими угловатыми чертами.

Зулейха сыплет в котел полпригоршни соли, изредка помешивает длинной палкой варево. Жирная будет похлебка, наваристая. Желудок вздрагивает от предвкушения пищи. Полгода не ела мясо – готова съесть сырым, прямо сейчас, вытащив голыми руками из кипящего бульона. Кажется, сидящие вокруг испытывают то же самое. Слюна заливает рот, подтапливает язык. Палка стучит о стенки ведра, потрескивают в костре ветки. Где-то далеко раздается протяжный вой.

– Волки? – спрашивает кто-то из городских.

– На том берегу, – отвечает кто-то из деревенских.

Раздаются шаги – из темноты возникает Игнатов. Люди двигаются, освобождают место. Только что казалось, что сидят тесно, впритирку, а пришел комендант, сел на бревно – и вокруг него пусто, словно пятеро встали.

Усевшись, Игнатов достает из кармана что-то звонкое, рассыпчатое, подбрасывает на ладони – патроны.

– Это, – говорит он, словно продолжая давно начатый разговор, и берет двумя пальцами круглый, золотом сверкающий в свете костра патрон, – тому, кто захочет сбежать.

Вкладывает в барабан револьвера – патрон входит мягко, с нежным звуком, похожим на поцелуй.

– Это, – поднимает вверх второй патрон, – тому, кто будет разводить контрреволюцию.

Второй патрон входит в барабан.

– А это, – Игнатов вкладывает еще четыре, – тому, кто ослушается моего приказа.

Он крутит барабан. Мерный металлический треск негромок, но отчетливо слышен сквозь пощелкивание огня.

– Всем ясно?

Суп отчаянно булькает, переливается через край. Надо бы помешать, но Зулейха боится перебить речь коменданта резким стуком палки.

– По одному – рассчитайсь, – командует Игнатов.

– Первый! – тут же бодро откликается Горелов, словно только и ждал этих слов.

– Второй, – подхватывает кто-то. – Третий... Четвертый...

Многие крестьяне не умеют считать, и городские помогают, считают за них; сбиваются со счета, пересчитываются заново; наконец кое-как справляются.

– Гражданин начальник! – вскакивает с места Горелов, выпячивает грудь, тычет растопыренной пятерней в лохматую голову. – Отряд переселенцев в количестве двадцати девяти человек...

– Отставить! – морщится Игнатов (Горелов обиженно плюхается обратно на бревно). – Двадцать девять голов, значит, – подытоживает, оглядывая исхудалые, в складках мелких и крупных морщин, с выступающими буграми скул и впадинами щек лица.

– Отчего ж? – раздается негромкий голос Изабеллы. – С вами – тридцать, гражданин начальник.

Зулейха быстро опускает глаза, ожидая окрика или хотя бы замечания. Над костром опять повисает трескучая, жарко щелкающая искрами тишина.

Когда осмеливается поднять взгляд, Игнатов все еще смотрит на Изабеллу. Слава Аллаху, кажется, обошлось. Зулейха бесшумно выдыхает, приподнимается, протягивает палку, чтобы помешать похлебку в ведре. В этот миг младенец в животе просыпается и начинает рвать ее изнутри на куски. Хочется крикнуть, но воздух куда-то делся из груди, а горло сжато, перекручено – ни вдохнуть, ни выдохнуть. Оседает на колени, падает навзничь. Звезды прыгают в глаза, пляшут у самого лица.

– Начали... размножаться, – растерянный и почему-то очень далекий голос Горелова.

– Воды согрейте, что ли! – взволнованный – Игнатова.

– Мужчинам, я полагаю, лучше оставить нас, – это Изабелла.

– Околеем без костра. Что мы, бабу рожавшую не видали...

Затем – еще чьи-то голоса, крики, но они уплывают, уплывают вдаль, сливаются, пропадают. А звезды, наоборот, растут, приближаются, громко трещат. Или это огонь трещит? Да-да, огонь! Он вспыхивает и опаляет глаза – она зажмуривается и летит, кувыркаясь, в глубокую и молчаливую черноту.

Роды

Вольф Карлович жил в яйце.
Оно выросло вокруг него само, много лет, а возможно, десятилетий назад, – он не утруждал себя подсчетами: в яйце время не текло и потому не имело значения.

Он помнит, как радужная верхушка впервые засияла не то нимбом, не то зонтиком над его беззащитной лысиной. Это случилось некоторое время спустя после октябрьского переворота. Профессор Лейбе вышел тогда на Воскресенскую, с усилием отворив массивную створку дубовой, крытой блестящим лаком двери Казанского университета (швейцара в полосатой сине-зеленой форме у главного входа не было уже несколько недель – впервые со дня открытия учебного заведения в тысяча восемьсот четвертом году). Сквозь лес белых колонн увидел бегущую толпу. Люди орали и падали – по ним стреляли в упор скачущие следом всадники. Были ли это новоявленные повстанцы с красными повязками на рукавах, или просто расплодившиеся к тому времени в Казани бандиты, он разглядеть не успел. Но те, по кому они палили, были гражданскими: баба в клетчатом платке с корзиной (корзина упала, и из нее покатились на мостовую яйца, лопаясь звездчатыми желтыми кляксами), женщина в легкомысленном кружевном тюрбане, пара нескладных гимназистов в зеленых мундирах, какой-то нищий с собакой на лохматом веревочном поводке (собаку прошило выстрелом насквозь, а нищий все волок за собой ее кудлатое тело, не отпускал)...

Вольф Карлович не успел нырнуть обратно под прикрытие университетских стен – толпа уже неслась мимо, непрерывно крича. Женщина в тюрбане вдруг театрально вскрикнула и вскинула руки, обняла одну из колонн и медленно поползла по ней вниз. Вольф Карлович мог бы дотронуться до нее рукой, так близко она была. Чувствовал терпкий аромат духов, смешанный с легким, чуть горьковатым запахом пота. Толпа и преследующие ее всадники умчались дальше, к кремлю, а женщина все оседала, все ползла вниз, оставляя на когда-то белоснежной, а теперь оплетенной паутиной трещин и крапленой выстрелами колонне длинный и блестящий красный след.

Профессор кинулся к ней, развернул лицом вверх. Узнал: его пациентка, недавно оперировал – удаление желчного пузыря. Бросился нащупывать пульс, но по остеклению зрачков уже понимал – мертва. Помилуйте, как – мертва? А сложная пятичасовая операция? Шестая в его жизни холецистэктомия, и такая удачная, без осложнений. Эта женщина еще хотела иметь детей, непременно мальчиков. И муж хотел. Когда ее выписали из университетской клиники, он прислал в благодарность огромный до нелепости букет лилий (пришлось их выставить на балкон, чтобы не одурманивать запахом все отделение). А вот теперь она сама: лежит, пахнет лилиями и – мертва.

Вольф Карлович вынул из нагрудного кармана носовой платок и стал тереть длинное красное пятно на колонне. Пятно не оттиралось – лишь разрасталось под резкими движениями его сильных хирургических рук. Скоро появились какие-то люди, унесли разбросанные по мостовой тела, увели профессора. А он все думал: та женщина умерла, пусть, ее не вернешь, но хотя бы это пятно – можно оттереть?

Следующим утром, подходя к университету, гадал: успели отмыть или нет? Оказалось, было не до того. Пятно зияло на белой колонне, как открытая кровоточащая рана. И завтра. И послезавтра.

Он изменил маршрут – стал делать большой пеший крюк и подходить к университету с другой стороны, подниматься от Рыбнорядной. Но пятно издевалось над профессором – оно словно обползало колонну и прыгало ему в глаза, распахивало свои объятия, откуда бы он ни подходил к зданию. Оно пахло кровью и смертью, кричало: я все еще здесь!

Лейбе пытался уговорить университетского эконома побелить колонны. Тот только недобро усмехнулся и покачал головой: война – не лучшее время для ремонта. Ходил к ректору, доказывал, что кровь на белоснежном лице храма знаний оскверняет высокую идею образования. Дормидонтов слушал вполуха, рассеянно кивал головой. На следующий день главный вход был заперт, профессоров и студентов встречала табличка: «Университет закрыт временно, впредь до особого распоряжения». Самого ректора Вольф Карлович больше никогда не видел. А пятно так и осталось.

Не выдержав, однажды вечером пришел с украденными у Груни ведром и мокрой тряпкой к закрытому зданию, попробовал отмыть водой с мылом. Но за прошедшее время кровь намертво въелась в побелку, – пятно чуть побледнело, но не ушло. Разозленный донельзя Вольф Карлович в приступе отчаянного бессилия швырнул в него тяжелым ведром. Острое ребро ударило в гладкий ствол колонны и выбило из нее кусок штукатурки размером с ладонь, расчертив белую поверхность острозубчатыми молниями трещин.

В этот момент оно и появилось впервые – яйцо. Нежно и переливчато засияло над профессором тонкой полусферой размером с Грунину плошку для отстаивания творога. Светлое, легкое, необычайно уютное, оно приглашало примерить себя, как шляпу. Заинтересованный Лейбе был не против. Он позволил себе едва заметно вытянуть шею – и яйцо почувствовало, приблизилось, опустилось на макушку. Мягкое тепло разлилось от темени к щекам, подбородку, затылку, и дальше, по шее, в грудь и в ноги. Профессору внезапно стало как-то пронзительно-спокойно и светло, будто вернулся в лоно матери. Будто не было войны – ни рядом на улице, ни в стране, ни где-то в мире. Не было страха. Не было даже печали.

Яйцо было почти прозрачным, с легкой радужной примесью: сквозь его светящиеся стенки, доходившие до уровня подбородка, Вольф Карлович видел университетскую площадь, сияющую чистотой под золотыми лучами солнца; никуда не спешащих, почтительно ему улыбающихся студентов; сверкающие незамутненной белизной, абсолютно гладкие колонны. Кровавого пятна – не было.

– Mein Gott, – благодарно прошептал Вольф Карлович и отправился домой, бережно неся яйцо на голове.

Пару раз его чуть не сдуло, но профессор понемногу научился им управлять: каждый раз, когда налетал порыв ветра, Вольф Карлович напрягал волю – и яйцо оставалось на макушке: оно читало его мысли и слушалось желаний.

Выяснилось, что яйцо чрезвычайно умно: пропускает звуки и образы, приятные профессору, и намертво блокирует все, что может доставить ему хоть малейшее беспокойство. И жизнь внезапно стала хороша.

– У вас веселое настроение, – пыхтела Груня, натирая полы в коридоре густым воском из старых, *допереворотных*, запасов.

– Весна! – многозначительно и кокетливо улыбался профессор, удерживаясь, чтобы не шлепнуть ее по круто задранной вверх филейной части (никогда себе этого не позволял с прислугой, а тут вдруг – заиграла кровь).

– Сегодня на озере еще троих зарезали, слыхали? Господи, на все твоя воля, – крестилась Груня, не поднимая раскрасневшегося лица от сверкающих тяжелым масляным блеском половиц.

– Да-да, прекрасный день, – бормотал Лейбе, ретируясь в кабинет.

Обезумевшие от страха соседи, беспрестанные митинги на улицах, бесконечные отряды военных в городе, перестрелки, ночные пожары, участившиеся убийства на Черном озере, сменяющие друг друга в городе красногвардейцы и белочехи, высыпавшая из всех щелей рвань и нищета, оголтелые мешочники, оккупировавшие татарскую столицу, – все это перестало его пугать или раздражать. Потому что он – не видел.

Когда по принятому в августе восемнадцатого года декрету Совнаркома «О правах приема в высшие учебные заведения» вместо дерзких и заносчивых студентов в франтоватых зеленых кителях в открывшийся наконец-то университет тысячами хлынули крестьяне и рабочие, молодые и не очень, обоего пола, по большей части не имевшие начального и среднего образования, а проще говоря – безграмотные, профессор ничуть не смутился. Зашел в аудиторию, битком набитую шумно сморкавшимися и с треском почесывавшимися новоявленными слушателями. Протиснулся к доске, наступая на чьи-то лапти, сапоги, босые ноги, корзинки с едой, узелки, картузы. Встал у доски, кротко улыбнулся и начал рассказывать о циклических изменениях эндометрия человеческой матки.

Когда вместо традиционного индивидуального экзамена для непривычного к такому делу красного студенчества ввели *вахтовый метод*, Вольф Карлович и бровью не повел. Любезно принимал представителя группы; тот, конфузясь и краснея, протягивал Лейбе кипу зачетных книжек, мямлил невнятный ответ на экзаменационный вопрос, путая *аденоз* с *атеизмом*, искренне относя *гирсутизм* к малоизвестным ответвлениям христианства и с лихим негодованием задвигая *менархе* в один коренной ряд с противной его пролетарскому сознанию *монархией*; профессор одобрительно кивал и ставил отметку «удовлетворительно» – во все зачетки. Вахтовый метод предполагал одного экзаменуемого и одну коллективную отметку на всех.

Коллеги – бывшие заслуженные, ординарные и экстраординарные профессора, перемешанные к тому времени в один испуганный человеческий винегрет, без различия в званиях и степенях, под общим безликим названием *преподавательский состав*, – поражались произошедшим в нем переменам. Скоро по университету поползли слухи, что «профессор Лейбе, как бы это помягче выразить, немного не в себе». Но ректоров, сменявших друг друга в те годы с поистине революционной, кавалерийской скоростью, умственное состояние профессора Лейбе беспокоило меньше всего.

Не беспокоили и они, ректоры, профессора Лейбе. Благодаря яйцу он их попросту не замечал. На изредка случавшихся общих собраниях он встречал лишь тех, кого хотел видеть: в сверкающем тысячами свечей и зеркальным паркетом Большом университетском зале ему по-прежнему дружески улыбался из президиума ректор Дормидонтов, важно кивали со своих мест в партере бородатые меценаты, по-отечески щурился с бордового позолоченного кресла в первом ряду Государь Император, баловавший заслуженное учебное заведение довольно частыми визитами. Пожалуй, профессор Лейбе был единственным, кто остался трудиться в Императорском Казанском университете. Все его коллеги давно перешли служить в Казанский государственный университет.

Вот оно какое было, яйцо.

Так получилось, что из-за него профессору пришлось отказаться от практики. Выяснилось, что яйцо и практическая медицина абсолютно несовместимы. Читать лекции или обсуждать диагнозы можно было и со скорлупой на голове. Но для того чтобы осмотреть больного, требовалось непременно ее снять: сквозь плотные милосердные стенки профессор не видел болезнь, а наблюдал пациента крайне упитанным и пышущим здоровьем.

Поначалу Вольф Карлович пытался заниматься эквилибристикой: снимал скорлупу на пару минут во время осмотра, затем снова торопливо надевал, при повторном осмотре опять снимал... Операции проводил без яйца, и это стало для него настоящим мучением – успевшая избаловаться психика Вольфа Карловича страдала от тех, казалось бы, вполне невинных фраз, которые проскакивали за время операции в речи ассистентов или наблюдающих студентов. Удивительным образом профессия, ранее дарившая наслаждение и восторг, неожиданно стала причиной боли и страдания.

Скоро Вольф Карлович почувствовал, что яйцу подобное жонглирование не нравится. После очередного обхода в клинике, много раз снятое и вновь надетое на голову профессора, оно становилось мутным, сияние его грустнело и тухло. Однажды после операции Лейбе даже испугался, заметив на гладкой поверхности тонкие волоски трещин, но тревога оказалась напрасной – стоило поносить яйцо, не снимая, несколько дней, как трещинки затянулись. Однако проблема была очевидна: яйцо ставило его перед выбором.

И профессор сделал выбор – в пользу яйца. Отказался от практики в клинике, перестал принимать на дому. А некоторое время спустя без малейшего сожаления покинул и университетскую кафедру – преподавание не доставляло более такой радости, как наблюдение идеального мира через спасительную скорлупу. В благодарность яйцо помогло Вольфу Карловичу стереть все неприятное не только из настоящего, но и из прошлого. Память очистилась от больного и скверного, и минувшее стало таким же светлым и безоблачным, как настоящее. В собственном представлении он так и остался уважаемым профессором, востребованным и успешным практикующим хирургом; он находился в постоянном и радостном убеждении, что свою последнюю операцию провел вчера, а следующую лекцию читает завтра.

Вольф Карлович не заметил перемен и в собственной квартире: шумных и обогащенных многочисленным потомством подселенных жильцов, исчезновения большей части фамильного серебра и мебели, отсутствия отопления зимой и отключения газа в рожках. Он жил, не покидая отцовского кабинета и направляя скупые остатки душевного тепла на любимого и беззаветного друга, верного и единственного спутника – на драгоценное яйцо.

Иногда просыпался по ночам в страхе – не пропало ли? Нет, яйцо не пропадало. Наоборот, постепенно росло и крепло, все теснее прилегая к хозяину и срастаясь с ним: из достаточно плоской верхушки выросли стенки, плотнее и надежнее закрывая Вольфа Карловича от окружающего мира – сначала по грудь, затем по пояс. Видимо, скоро яйцо должно было вырасти во всю длину его тела и замкнуться. Что будет после – профессор не знал. Наверное, наступит абсолютное счастье.

Впрочем, изредка все же случались моменты, заставлявшие Лейбе... не снять, нет, но ненадолго высунуть кончик носа из-под скорлупы, глянуть одним глазком на настоящий мир. Какой-то беспокойный колокольчик иногда взвякивал тонко и тревожно в уголке его сознания. Профессор удивленно озирался, высовывал голову из-под большого и надежного яичного купола в окружающий мир, как разбуженная черепаха: что такое? что случилось? Чаще всего упрямый колокольчик вызывал его к пациентам. Выглянувший на мгновение Лейбе видел больного, пугался и тут же втягивал голову обратно. Но цепкий мозг уже успевал поставить первичный диагноз или выдвинуть пару гипотез, начинать раскручивать маховик рассуждений... «Стоп!» – приказывал себе профессор. И старался поскорее закопать воспоминания об этих моментах где-нибудь на задворках памяти. Он желал бы вырвать этот несносный, мешающий его покою колокольчик из своей головы, но не знал, где он находится. Впрочем, со временем звон раздавался все реже – была надежда, что скоро затихнет навсегда.

Яйцо и профессор были счастливы друг с другом. Совместная жизнь их текла неспешно и ровно – так неумолимо катится в лузу направленный умелой рукой бильярдный шар. Как вдруг – твердый встречный удар кия! – неделикатный визит молодой экзальтированной особы, страдавшей, по всей видимости, бесплодием. Это событие придало их совместному существованию иное направление – жизнь Вольфа Карловича неожиданно стала более разнообразной и насыщенной, но оттого не менее приятной. Немного подуставший в затворничестве профессор наслаждался переменами, наблюдая их сквозь прочные прозрачные стенки яйца, доходившие к тому времени уже до уровня колен.

Из университета прислали за ним шикарное, сверкающее черным лаком и хромированными ручками авто. Салон его был умопомрачительно мягок, а ход – плавен и одновременно стремителен.

Само здание Императорского Казанского университета за время отсутствия в нем Вольфа Карловича подверглось существенной перестройке и стало практически неузнаваемым. Опытный глаз профессора угадывал в резких линиях новой архитектуры остатки старых и столь милых его сердцу деталей и очертаний: изгиб парадной лестницы, полустертый барельеф с двуглавым орлом на стене, праздничную узорчатую кладку паркета, мелькнувшую в створе открытой двери хрустальную люстру.

Сопровождавшие его теперь повсюду студенты были неизменно вежливы и скупы на слова. Эта до слез трогательная, скромная молчаливость умиляла его более всего (не чета их дерзким разговорчивым предшественникам, готовым высказать свою точку зрения на любой мельчайший вопрос или вступить в спор по самому ничтожному поводу). Поразила его и их деловитая сосредоточенность: студенты торопились по мраморным ступеням и длинным коридорам так энергично, даже отчаянно, словно были готовы взорваться от переполнявшей их тяги к знаниям. Выяснилось, что зеленые студенческие кители заменили на серые, с поперечными нашивками на груди и широкими петлицами, в которых учащиеся носили знаки отличия (видимо, в соответствии с курсом обучения или успеваемостью). Серым стало и профессорское обмундирование. Впрочем, никто Вольфу Карловичу не пенял на его синий мундир старого образца, за что он был очень признателен новому руководству.

С ректором он познакомился в первый же день. Некто Бутылкин, на вид – несколько простоват и чересчур прям в общении, но обаятелен, этого не отнять. К тому же оказался большим германофилом – вел с Лейбе длительные беседы о немецкой политике и экономике. На этой почве они с Вольфом Карловичем сошлись довольно близко, и ему было искренне жаль покидать гостеприимные стены alma mater, когда долг призвал профессора возглавить большой военный госпиталь.

В расположенный у самого кремля госпиталь его везли по Воскресенской, в окне автомобиля мелькнул спуск к Черному озеру и краешек его дома. Какое счастье, что у него есть Груня, в который раз вздохнул Лейбе. Она присмотрит за квартирой, пока он занимается государственно важными делами.

О том, что вверенный ему госпиталь имеет огромное, даже стратегическое значение, ему сообщил интендант во время длительной экскурсии по бесконечным госпитальным коридорам. «Прошу вас не беспокоиться, господин офицер, – уверил Вольф Карлович. – Сделаю все, что в моих силах». И он сдержал обещание: поселился тут же, в одном из госпитальных отделений, чтобы не тратить время на поездки домой; сутками пропадал в операционной. Не спрашивал себя, кто сейчас воюет и с кем, – его это мало интересовало. Его дело было – оперировать, вытаскивать пациентов из смертельной бездны, не давать жизни покинуть их слабые, искореженные выстрелами орудий тела. Вольф Карлович воевал на стороне жизни.

Не выносящий открытого восхищения и лести, профессор вынужден был терпеть восторженные взгляды одной из медицинских сестер – она часто смотрела на него долгим распахнутым взглядом, и он ясно видел, как расширялся при этом в глубине ее зеленых глаз черный зрачок. Возможно, она была в него влюблена. В этом не было ничего необычного – ассистентки и сестры часто влюбляются в хирургов во время операций. Длительное пребывание рядом, практически лоб ко лбу, максимальное напряжение физических и душевных сил – все это вызывает у операционной команды сильные неконтролируемые вспышки ярких эмоций, которые молодое неопытное сердце может легко принять за глубокие чувства.

Вскоре командование решило осуществить переброску госпиталя в тыл, а Лейбе – назначить директором эшелона. Трепеща от волнения и гордости, он согласился. Его заботам были поручены четырнадцать вагонов. Пять из них – с тяжелоранеными, шесть – с ранеными средней и легкой тяжести, один – операционная и сортировочная, один – аптека, совмещенная с хозяйственным блоком. В отдельном вагоне располагался персонал и охрана состава. В собственном купе Лейбе бывал редко, спал там урывками, вернее, валился на матрас и забывался мертвым сном, – работа отнимала двадцать четыре часа в сутки. Он трудился как черт. Он горел на работе.

Эшелон мчался по пылающим лесам и выжженным дотла степям, через бурные реки – по дымящимся и взрывающимся за ним мостам. Вольф Карлович, с черным от сажи лицом и всклокоченными волосами, крылатым демоном носился по вагонам, отдавая команды, ругая нерадивых медбратьев, давая советы линейным врачам, подбадривая пациентов. Он возникал в операционной, как вихрь, как вспышка молнии, – и вот уже вздыхали облегченно врачи, и улыбались санитары, и пациенты переставали кричать, и зеленоглазая медсестра поднимала на него трепетные оленьи глаза.

Он давно заметил, что она беременна. Подлый колокольчик противным звоном вызвал его однажды в реальный мир, и опытный глаз профессора ухватил в облике сестры особые, пока еще неуловимые для остальных признаки будущего материнства. Лейбе даже сообщил об этом навестившему его однажды нерадивому ученику, Чернову, нагнавшему эшелон для пересдачи экзамена. Беседа с Черновым не принесла удовольствия – профессор не любил студентов, в глазах которых не видел готовности отдаться медицине так же страстно и самозабвенно, как он сам.

Однажды эшелон захватила вражеская армия, и профессор натруженной отеческой рукой благословил несколько десятков мужчин и женщин бежать из плена – разыскать своих и доставить написанное его рукой донесение с просьбой об освобождении. Операция прошла успешно – скоро поезд был отбит у врага. Вольф Карлович даже уронил скупую слезу, когда освобожденный состав вновь побежал по рельсам навстречу опасностям и приключениям.

Вот тогда он заметил, что во время этого славного путешествия яйцо стало расти с невиданной доселе скоростью. Его стенки утолщились и окрепли настолько, что могли бы, наверное, выдержать сильный удар. Их прозрачность приобрела достаточно сильный радужный оттенок, слегка искажающий зрение по бокам, а свечение стало ярким и мощным. Яйцо уже почти касалось пола, накрывая Вольфа Карловича полностью, до пят, – выглядывать из-под него на зов колокольчика стало крайне затруднительно. Перед сном профессор каждую ночь с душевным трепетом думал о том утре, когда он проснется и обнаружит стенки яйца замкнувшимися под его ступнями.

Война тем временем набирала обороты. Овеявшего себя заслуженной фронтовой славой героя-профессора направили на новое задание – командовать военной флотилией в мутных желтых водах восточных морей.

– Я не адмирал, а всего лишь профессор медицины, – вяло сопротивлялся он, холодея от предчувствия грандиозных задач, боясь и одновременно желая их. – Я даже не умею стрелять.

– Никто, кроме вас, не справится, – уверенно отвечал адъютант, уважительно щуря серые глаза и указуя твердой рукой на сияющий трап.

Сверкающие тысячей надраенных ступеней мостки взлетали на огромный белоснежный лайнер, ощетинившийся стальными жерлами орудий. Адъютант взмахнул перчаткой – и духовой оркестр из сотни медных труб торжественно грянул на берегу. Хор из трех сотен отборных собак подхватил мелодию: они лаяли так проникновенно и дружно, что Вольф Карлович дрогнул душой и решился – ступил на трап и пошел по нему вверх под оглушительные рукоплескания остающейся на суше толпы. Уже поднявшись на лайнер, вдруг понял, что стрелять из бортовых орудий необходимо именно в них – в людей, устроивших восторженную овацию.

– Подождите, – бормотал он адъютанту, неотрывно следовавшему за ним по пятам, – как-то это все очень скоропалительно...

– Скоро, профессор, скоро! – обнажил тот в улыбке сахарные зубы и приказал: – Палите!

– Дайте отдышаться, – тянул время Вольф Карлович, пятясь обратно.

– Палите! – настаивал тот.

– У вас вон склянки звенят, – пытался Лейбе отвлечь внимание неумолимого адъютанта.

– Палите! – заорал тот громко, как ишак на воскресном базаре. – Палите – и ваше чертово яйцо наконец-то закроется! Ведь вы же этого хотели?!

А ведь склянки действительно звенели.

Да и не склянки вовсе. Это был профессорский колокольчик. Лейбе впервые обрадовался неугодному обычно звону. Сел на корточки. Приподнял тяжелый, словно каменный, свод яйца. Высунул голову, оставив и лайнер, и злобного адъютанта, и продолжающих оглушительно аплодировать людей внутри скорлупы.

Хоть отдышаться пару секунд. Сердце колотится, как погремушка. А снаружи – холодно. Ночь, трещит оранжевый костер. Люди какие-то суетятся вокруг.

– Начали... размножаться, – бормочет один.

– Воды, что ли, согрейте! – кричит второй.

– Мужчинам, я полагаю, лучше оставить нас, – женский голос.

– Околеем же без костра, – мужской бас. – Что мы, бабу рожавшую не видали...

Роженица лежит, опрокинув лицо в небо, тихо стонет. Плохо стонет, понимает Вольф Карлович. Обессиленно. Скоро потеряет сознание. В начале родов женщина должна кричать зло, от души. Нашатыря бы ей сейчас под нос.

На спину ему давит тяжелый и теплый свод яйца. Чуть подрагивает – зовет обратно, внутрь. Сейчас, думает профессор, сейчас. Только скажу им, чтобы дали ей нашатыря и немедленно везли в клинику.

Роженица приподнимается на локтях, поворачивает лицо с широко открытыми, словно кого-то ищущими глазами к огню и вновь падает на спину. Да это же та самая медсестра из эшелона, зеленоглазая да влюбленная! Как она оказалась здесь, в лесу, в окружении странных людей? Да и сам Вольф Карлович – как здесь очутился? Нелепость какая-то. Пора, пора возвращаться домой, в яйцо...

Он уже приподнял было рукой увесистый край спасительного купола, чтобы нырнуть внутрь, как вдруг – мысль: а ведь она *меня* глазами искала! Вольф Карлович замирает в нерешительности, потом все же бросает еще один взгляд на женщину. И чувствует, что начинает сердиться.

Роженица опять стонет – совсем тихо, подхрипывая. Ее ноги елозят по земле, словно ищут опору, а живот резко вздрагивает – большой, чересчур широкий в основании: видимо, ребенок лежит поперек. Такого самой не родить.

– К дьяволу! – вскрикивает Лейбе громко и отчетливо. – Немедленно в клинику! Вы что, не осознаете всей серьезности положения?!

Десяток глаз таращится на него так удивленно, словно он говорит на иностранном языке или кукарекает по-птичьи.

– Некуда ехать, – осторожно и тщательно, по слогам произносит высокий мужчина в военной форме, сильно напоминающий профессорского адъютанта из яйца. – Здесь клиника.

Это – клиника?! Ну, знаете ли...

Вольф Карлович встает и недовольно оглядывается. Яйцо остается сиротливо висеть в воздухе позади. В порыве возмущения профессор этого не замечает.

Это что – на самом деле клиника?! Он ни разу не видел, чтобы в клинике не было стен и потолка. Чтобы медицинский персонал был одет в рванье и бестолков настолько, что не смог уложить роженицу правильно. Чтобы вместо яркого газового света операционная освещалась костром. Хотя... Он так много времени провел в яйце, что снаружи нравы могли измениться, люди – одичать. Не похоже, чтобы высокий военный обманывал или шутил, момент для этого неподходящий. Черт подери, каким бы невероятным это ни казалось на первый взгляд, – видимо, это действительно клиника...

Подлетевшее сзади яйцо ласково касается его спины: я здесь, я жду. Роженица тихо мычит и роняет голову набок, изо рта ее падает нитка слюны. А вот это совсем нехорошо. Вольф Карлович резким движением плеча отстраняет яйцо: чуть позже, я занят.

– Почему темно в операционной? – строго спрашивает он у стоящего рядом бородатого старика в рваной рубахе.

Люди вокруг молчат и продолжают таращить на него изумленные глаза. Не медперсонал, а черт знает что...

– Я просил – свет в операционную! – на полтона громче и жестче командует Вольф Карлович.

Какая-то пожилая сестра с высокой прической торопливо швыряет в огонь охапку еловых веток. Сноп искр взметается вверх, становится светлее и жарче. Хоть один толковый работник нашелся в стаде олухов. Профессор торопливо подворачивает рукава мундира, обращается только к толковой сестре:

– Руки.

Изумленно сморгнув, та подает ему с костра ведро с теплой водой. Ей помогают, поднимают ведро повыше, заботливо льют на подставленные руки профессора. Лейбе остервенело трет ладони друг о друга. Ни мыла, ни щелока – действительно, черт знает что...

– Дезинфекция.

Ему льется на руки мутная, остро пахнущая спиртом жидкость из большой пузатой бутыли.

– Нашатырь, – перечисляет он через плечо, тщательно омывая ладони в щедрой пахучей струе. –

Бинты, много бинтов. Вата. Теплая и горячая вода. Скальпели и зажимы прокалить. Роженицу положить ногами строго к освещению. Посторонним – покинуть операционную.

Что я тут делаю? – проносится где-то по краю сознания тоскливая мысль. Операционная, роженица, бинты – глупости какие. Вон яйцо уже заждалось – светится нетерпеливо, аж дрожит. Пора, пора туда... Но Вольф Карлович слишком занят, чтобы слушать все свои мысли. Когда он встает к операционному столу, то слышит только тело пациента. И – свои руки.

Он уже стоит на коленях у распростертой на земле женщины. Пальцы теплеют, наливаются упругой, радостной чуткостью. Руки делают все сами – раньше, чем он успевает отдать мысленный приказ. Они ложатся на живую, колышущуюся гору живота: правая – на твердую выпуклость головки плода, левая – на подрагивающие ножки. Поперечное предлежание, дьявол его побери. Нужно извлекать плод, пока не разорвалась матка. Откуда-то всплывает, словно давно забытая молитва: *имею ли право? – не имею права не попытаться.* Вдруг охватывает радость, какой-то юношеский восторг. Вольф Карлович слегка задыхается, рвет ворот. И тут же – ушатом ледяной воды: а я ведь давно не оперировал. Сколько лет – пять? десять? Сколько времени потеряно, mein Gott...

Оставленное без внимания яйцо трется о спину настойчивее. Профессор только дергает плечом: кто бы там ни был, умоляю, не сейчас. Откидывает ворох юбок, раздвигает слабо сопротивляющиеся, бумажно-белые ноги роженицы. Так и есть, раскрытие матки – полное. Ее большая темная дыра зияет в ярком свете костра, как распахнутый рот, – готова выпустить ребенка. А ребенок бьется внутри, не умея развернуться и вылезти из материнского чрева.

Лейбе вставляет руку в горячее и скользкое отверстие – сначала два пальца, затем всю ладонь. Женщина приходит в себя, стонет. Он надевает ее себе на руку, как перчаточную куклу. Проникает в матку. Нащупывает что-то нежное, упругое, наполненное – околоплодный пузырь. Счастье, что целый, – значит, плод еще в воде, еще подвижен. И сейчас нужно...

Чувствует, как что-то требовательно и сильно тычется в основание его шеи, между лопаток, вдоль позвоночника. Бросает косой взгляд через плечо – яйцо, будь оно неладно. Резким движением плеча отбрасывает его назад: я же просил – позже! Сейчас нужно – вскрыть пузырь... Сгибает указательный палец и резким движением царапает поверхность. Рука тотчас оказывается окруженной теплой, густой на ощупь жидкостью – околоплодными водами. Пузырь разорван. Пальцы Лейбе касаются чего-то шелково-скользкого, шевелящегося – ребенок. Пора доставать. Так, мой дорогой, где у тебя ножка?...

Что-то обхватывает Вольфа Карловича сзади, мягко и одновременно сильно. Он оборачивается. Яйцо, приподняв над землей свой купол и развернув его основанием к Лейбе, прилепилось к спине, как огромная присоска, вибрирует, хочет всосать. Он не может сковырнуть его с себя и отбросить подальше – руки заняты... Крупно дергает спиной, плечами, будто стряхивая с загривка вцепившегося туда хищного зверя. Из яйца несется какой-то смутный низкий гул, в нем что-то кричит, свистит, ноет. Успею, думает Лейбе. Успею.

Итак, где тут ножка? Пальцы нащупывают крошечную лапку с растопыренными пальчиками – четыре в одну сторону, пятый в другую – это ручка. Ножка, малыш, дай мне твою ножку!..

Лейбе чувствует, как яйцо втягивает его с каждой секундой сильнее. Теплые и скользкие края обволакивают плечи, шею, ложатся на затылок. Лишь бы успеть вытащить ребенка. Когда младенец будет полностью освобожден из лона матери, даже самые бестолковые сестры смогут довести дело до конца – обрезать пуповину, проследить за выходом последа. Лишь бы успеть вытащить.

Еще одна лапка. На этой все пять пальчиков смотрят в одну сторону. Браво, малыш! Спасибо. Теперь давай проверим, верхняя это ножка или нижняя. Мне нужна непременно та, что сверху, чтобы ты не зацепился подбородком о лонное сочленение, когда я потащу тебя наружу...

Край яйца ложится Вольфу Карловичу на лоб, ползет к глазам, касается бровей. Он зажмуривается и, чувствуя, как скользкая масса заливает слепленные ресницы, работает на ощупь. Глупое яйцо, ты думало – мои глаза умнее моих рук?

Пальцы Лейбе ползут по крошечной детской ножке вверх, достигают пузатого животика. Значит, ножка была все-таки нижняя. Давай-ка мне вторую, малыш...

Яйцо полностью овладело головой Лейбе – наделось на нее, как толстый чулок. Профессор чувствует во рту теплую слизь, в носу – тяжелый тухлый запах, в ушах – равномерное чавканье от вибрирующих стенок яйца. Ощущает, как его края ползут к шее. Решило меня задушить, понимает запоздало. За измену.

А рука уже нащупала вторую ножку. Эта – нужная, верхняя, за нее и будем тянуть. Лейбе накладывает большой палец – вдоль бедрышка, четыре других –

в обхват. А теперь – тянем-потянем. Давай, малыш, работай – разворачивайся затылком кверху, вылезай...

Края яйца достигают профессорского кадыка и вдруг напрягаются, наливаются силой, каменеют, словно хотят оторвать голову Лейбе от тела. Еще бы несколько секунд...

Одна детская ножка, туго обхваченная ладонью Лейбе, – уже снаружи. Вторая выкидывается сама, прямо в его другую руку. Разворот, движение книзу, вывод до углов лопаток. Ручка, вторая... Головка.

Горло перекручивает, в глазах темнеет, в мозгу вспыхивают одна за другой и тут же гаснут какие-то лампочки. Вот и все, думает Вольф Карлович, сжимая в ладонях скользкое младенческое тельце. Успел.

В тот момент, когда края яйца начинают быстро и неумолимо сжиматься, новорожденный впервые открывает рот и кричит. Он кричит так сильно, что слышно даже профессору, ослабевшему и полузадохнувшемуся в яичных внутренностях. Крик нарастает, звенит, наливается мощью – и яйцо вдруг лопается на голове у Лейбе, как переполненный воздухом резиновый шар. Осколки скорлупы, обрывки пленки, куски слизи, тяжелые брызги летят в разные стороны. Вольф Карлович кашляет и хрипит, со свистом втягивая воздух. Его легкие вновь дышат, глаза – видят, уши – слышат. Отдышавшись, он оглядывается, ищет глазами ошметки разорвавшегося яйца – их нет.

В его руках надрывается криком густо-розовый младенец...

Вольф Карлович спускается к Ангаре. Чернильное небо на востоке слабо тронуто нежно-голубым и бледно-розовым – скоро рассвет. Черная ночная волна плещет тихо, шепотом. В голове – восхитительно пусто и ясно, тело – легкое, молодое. Уши – словно звериные, различают малейшие звуки: шорох камней под ногами, удар рыбьего хвоста где-то на середине реки, шум елей в лесу, тонкий писк летучей мыши. В ноздрях роятся запахи: большой воды, мокрой травы, земли, костра.

Лейбе присаживается у воды и омывает руки. Не то замечает обострившимся зрением, не то угадывает, как темная густая кровь смывается с пальцев, уходит в непрозрачную воду. Трет ладони сильно, до хруста, до ледяной белизны. Шорох – совсем близко: рядом, на камнях, сидит комендант.

– Ну что там? – спрашивает.

– И все-таки – мальчик! – с нажимом говорит Лейбе и поднимает вверх острый длинный палец.

Игнатов прерывисто выдыхает, надвигает фуражку на лицо.

– Представляете, – Вольф Карлович говорит бодро, быстро, свободно, – Юзуф! Вдумайтесь только: здесь, в этой чертовой глуши – Юзуф и Зулейха. Каково, а?!

Он смотрит на закрытое фуражкой лицо коменданта, смущенно крякает.

– Скажите, – Игнатов снимает фуражку, подставляет лицо еле слышному дыханию ветра, – без вас бы она... она бы не...

На том берегу глухо тявкает росомаха.

– Вы часто думаете о том, «что было бы, если бы»? – Лейбе трясет ладонями – невидимые брызги падают с пальцев в черную, как смола, воду.

– Нет.

– И правильно делаете. – Вольф Карлович встает, смотрит на свои белеющие в темноте руки. – Есть только то, что есть. Только то, что есть.

Идет обратно в лагерь. На склоне оборачивается:

– Мы вам там супу оставили. Поешьте.

Когда Игнатов поднимается на пригорок, у огня дремлет лишь дежурный костровой – все остальные разбрелись по шалашам, спать. Не замечая идущий от котла дух теплого еще мяса, он достает из кипы вещей серую папку, раскрывает и на свободном уголке вписывает углем наискосок крупными кривыми буквами: Юзуф.

Первая зима

Игнатов проснулся через час – с мыслью, что нужно рыть землянку. Все еще спали, из шалашей доносился храп и чье-то сонное постанывание. В чаще покрикивали в предчувствии рассвета нетерпеливые птицы, волна лениво плескала о берег. Поняв, что сон бесповоротно ушел, Игнатов решает спуститься к реке умыться.

«Неделю и в шалашах перекантуются, не растают, – убеждает он себя, сидя на прибрежных камнях и яростно натирая лицо ледяной ангарской водой. – Вот приедет Кузнец – пусть хоть двухэтажные хоромы возводят. Без меня!»

А если придется *кантоваться* две недели? Или больше? Здешняя природа, она ведь календаря не знает, может и в сентябре зимой накатить.

Он смотрит на безупречно гладкую зеркальную поверхность Ангары, дышащую едва заметным утренним туманом. Прозрачно-голубое небо светится на востоке ожиданием солнца. Жаркий будет день, знойный. Тишина такая, что слышен звон капель, падающий с лица Игнатова. Он опускает глаза. Из воды глядит мрачная небритая физиономия с черными кругами под глазами. Обрастет скоро бородой, как переселенцы, – и не отличить будет. Хлопает ладонью по своему отражению – оно раскалывается на мелкие куски, расплывается кругами.

Игнатов берет отложенную на камни фуражку, надевает. Они начнут рыть землянку сегодня. Не сидеть же целую неделю без дела.

Осматривает стоянку – придирчивым взглядом, словно в первый раз. В том месте, где высадились переселенцы, Ангара делает плавный изгиб и берег словно выдается вперед широким пологим мысом. Земля у воды плотная, глинистая, густо замешенная с крупными и мелкими камнями. Стелется поначалу низко, затем вскипает просторным пригорком, на котором сейчас и разбит лагерь. Хорошее место, правильное. Не у самой воды (речная прохлада не выстуживает шалаши), а все ж близко к Ангаре, за водой бегать недалеко. Только неудобно – спуск с пригорка крутой, сыпучий. Ступени надо из камней сделать, решает Игнатов.

Сам пригорок так широк, что на нем может разместиться целая деревня. Лицом смотрит на реку, а со спины окружен плотным ельником, как стеной. Зубцы елей уходят вверх – лес взбирается на высокий холм. Где-то там, в вышине, не видный с берега, торчит утес, с которого Игнатов вчера обозревал окрестности. По крытому высокой, в пояс, травой и кустами пригорку рассыпались несколько долговязых разлапистых елей, словно выбегали из леса к реке, да и замерли тут. Под тремя из них большими зелеными стогами притулились растрепанные шалаши. Два уже перекосились, завалились набок, подрассыпали лохматые крыши, а один еще стоит ровно, ладно (тот самый, который строил однорукий Авдей, замечает Игнатов).

У костра неровной кучей валяются оставленные Кузнецом вещи и инструменты. Видно, Кузнец наскреб им все, что было на катере – не то остатки своих запасов, не то излишки чужого натурального фонда: объемную, но уже существенно початую коробку спичек (надо бы их поберечь, без огня остаться – беда); полтора мешка соли (все зверье в тайге засолить можно и всю рыбу в Ангаре в придачу); неряшливую связку сетей вперемешку с какими-то крючками, веревками, поплавками и проволоками, предназначения которых Игнатов не понял; щедрую охапку тонких, хлипких пил-одноручек (тебя бы, Кузнец, самого заставить ими дрова пилить!); пару крепких рыбацких ножей и черных от копоти котлов; несколько ведер и скрученных в мотки веревок; полупустую бутыль самогона; увесистый мешок с револьверными патронами. Все. Что ж, спасибо и на этом. Игнатов надвигает фуражку пониже, на самые брови.

Землянка нужна большая, просторная – одна на всех. Пусть в тесноте, зато в тепле. И друг у друга на виду – все ж спокойнее. Авдея назначить главным по стройке, Горелова – по соблюдению порядка. Большую часть людей занять на строительстве, меньшую – отправлять раз в день в лес на заготовку дров для костра. Одного человека всегда иметь костровым, затухания огня не допускать ни при каких обстоятельствах. Работать всем – и мужчинам, и женщинам, без оглядки на возраст. Отдыхать – строго в перерывах. Самовольные отлучки в лес запретить. Критику, жалобы и прочие вредные разговоры пресекать немедленно. Все нарушения порядка карать лишением еды. Сам Игнатов с утра опять пойдет на охоту, набьет тетеревов, сколько сможет. Заодно осмотрится в тайге повнимательнее. Мешок с патронами возьмет с собой – решил спрятать в лесу, чтобы никому из переселенцев дурные мысли в голову не приходили.

Он вынимает из кобуры револьвер и колотит рукояткой о стоящее у костра ведро: подъем, сукины дети! За работу! Громкий жестяной звук набатом несется над сонной поляной. Замолкают птицы в лесу. Шалаши вздрагивают, ходят ходуном, как муравейники, – из них выползают, толкаясь и дико озираясь, испуганные переселенцы.

То-то же. У него не забалуешь.

Авдей оказался мужиком на удивление толковым и умелым. Строил землянку так, будто занимался этим всю жизнь. Всех мужчин снарядил в лес за бревнами для сруба. Женщин оставил при себе – на раскопку (Зулейху, не договариваясь, назначили бессменной костровой и кухаркой – пока младенец не окрепнет). Нашел подходящее место, воткнул по углам четыре высоких колышка, тщательно промерив расстояние веревкой. Получившийся длинный прямоугольник вычертил палкой: вот оно, основание.

Аккуратно срезали дерн, отложили в сторону (пригодится). Начали копать – ковырялись палками, камнями, руками, кто чем горазд. Видя, что дело спорится плохо, Авдей предложил вынуть несколько лезвий из одноручек и скрести ими землю. Работа пошла быстрее: одни скребли и ковыряли, другие котлами вычерпывали размягченный грунт и выбрасывали наружу. За два дня справились, вырыли котлован – такой глубокий, что приземистый Авдей, когда спускался вниз, уходил в него полностью, с головой, даже блестящая лысая макушка над землей не торчала. Орудуя самодельным откосом из камня, привязанного к веревке, он тщательно выровнял стены, в некоторых местах выгладил ладонью. «Языком еще вылижи», – сердито думал Игнатов и подгонял, торопил, бранился – опасался дождя, который мог приостановить работы и затопить котлован. Но дни пока стояли сухие, теплые, погода не мешала.

Мужчины кое-как, проклиная одноручки, заготовили и перетаскали в лагерь бревна: кто посильнее – пилил лес, кто послабее – очищал от веток и снимал кору. Через пару дней руки у всех были мозолистые, в красных пятнах заноз и росчерках царапин, а спины и плечи нестерпимо ныли.

Спустили бревна в котлован, начали собирать стены: горизонтально воткнули по периметру толстые бревна, за ними проложили до самого потолка длинные жерди – *одежду*. Чтобы из щелей *одежды* не сыпалась земля, подбивали ее снаружи еловыми ветками.

– Упоры, лежни, стойки, прогоны, стропила, лаги... – бормочет себе под нос Иконников, натужно стуча тяжелым камнем по бревну – вгоняя в землю. – Однако! Как обогатился мой словарный запас.

– Главное – опыт, – пыхтит рядом Константин Арнольдович, укладывая колючие еловые лапы в зазор между *одеждой* и земляной стеной. – Как обогатился ваш практический опыт, коллега! Одно дело – расписать облачками и колосящимися полями какой-нибудь дворец культуры, и совсем другое – построить настоящий дом. Вы не находите?

– Дом? – Иконников смотрит на высунувшегося из земли наполовину толстого розового червя. – Ну, знаете ли!

– Вы же собираетесь здесь жить, – Константин Арнольдович, слегка задыхаясь, вытирает рукой вспотевший лоб и вопросительно поднимает глаза; в его отросшей за полгода узкой бороде игриво сверкают зеленым еловые иголки. – Или как?

Врыть опорные стойки для поддержки конька крыши оказалось делом трудным и неожиданно долгим – грунт стал плотным, каменистым, ямы для стоек никак не хотели достигать положенной глубины. Игнатов, опасаясь налетевших с севера туч, требовал продолжать работы и вкопать стойки в получившиеся неглубокие ямы, но тут Авдей проявил неожиданную твердость. «Я вроде как землянку нанимался копать, не могилу, – сказал он, теребя единственной рукой жидкую сизую бороденку и исподлобья глядя на коменданта. – Если решил нас похоронить, комиссар, так вот она яма – готова. И неча нам тут дальше надрываться». Игнатов отступил. С грехом пополам доковыряли ямы до нужной глубины, вкопали опоры, подбили кольями, укрепили камнями.

Сверху уложили длинное бревно-прогон, закрепили веревками. На него надели стропила из жердей, для прочности стесанных камнями в местах соединений. Для настила крыши решили взять еловые ветки от полуразвалившихся к тому времени шалашей. Лапник клали поперек стропил, то и дело присыпая землей и примазывая глиной (Авдей потратил на поиски полдня, но разыскал-таки нужную – черную, жирную, плотную на ощупь).

Появление глины вызвало среди некоторых строителей необычное оживление. Апатичный ранее Иконников стал внезапно веселым и возбужденным, засверкал глазами; он то и дело склонял голову к зарозовевшему от удовольствия Константину Арнольдовичу, показывая что-то в ладонях, и они взрывались приступами громкого, неудержимого смеха. Горелов, как ни пытался, причину такого оживления обнаружить не смог: каждый раз, появляясь рядом с возбудителями спокойствия, он видел в руках Иконникова лишь небольшие комки глины.

Поверху крышу обложили дерном в два слоя: первый – корнями вверх, второй – вниз. Теперь землянка издали походила на длинный, треугольный в сечении холм.

Этой ночью впервые ночевали в наполовину готовой землянке – шалашей уже не было. То ли от сырости очень низкого и не прикрытого еще ничем земляного пола, то ли от того, что с каждым днем неумолимо надвигалась осень, спали плохо – сильно мерзли. Утром многие кашляли. У грузинки с аристократическим именем Лейла начался жар. Было решено, не дожидаясь окончания строительства, сложить печку. Женщин отправили на берег, на заготовку пригодных для этого крупных камней, а Вольф Карлович попросил у Игнатова разрешения отлучиться в лес для сбора лекарственных трав. Тот посмотрел вприщурку на бледного, в нелепом и местами в лохмотья рваном мундире профессора – и согласился.

Неказистая каменная печь выросла посреди землянки волшебным сосудом, лампой Аладдина, исполнявшей всего одно, но самое главное желание – она дарила тепло. Заодно укрепили большими плоскими камнями и спуск к реке, ходить за водой стало удобней. «По перилам золотым, по ступеням мраморным...» – напевал теперь каждый раз Горелов, спускаясь к Ангаре. Руки при этом непременно закладывал в карманы, а подбородок держал высоко, чуть наискось.

Еще пара дней потребовалась, чтобы закрыть торцевые стенки землянки, глядящие в обе стороны, и настелить пол, соорудить нары. Едва закончили копать водоотводные канавки вдоль скатов крыши – зарядил дождь.

Вечером переселенцы сидели, прижавшись друг к другу, в темной, все еще сыроватой землянке («Через пару дней прожарится изнутри, просушится», – обещал Авдей). Им не было тепло, но не было и очень холодно. Поесть сегодня они не успели ни разу, но на печи уже булькало ведро с тетеревятиной. Лица их потемнели на солнце, обветрились, покрылись волдырями комариных укусов. Кто-то, обессилев, уже спал, положив голову на плечо соседа, кто-то остановившимся взглядом смотрел на ведро с похлебкой. Печь гудела, сильно пахло дымом, полусырым мясом и собранными профессором травами. Весь нехитрый скарб – инструменты, ведра, снасти, узлы с одеждой – лежал в углу. В мелкие слуховые окошки, оставленные с торцов землянки, несся громкий шорох увесистых дождевых капель.

– Какое счастье, что мы под крышей, – громко сказала Изабелла. – И спички, и соль, и все остальное... Спасибо вам, Авдей. Вы нас просто спасли.

Игнатов лежал на своих нарах, сооруженных в некотором отдалении от остальных, и мрачно думал о том, что они не успели заготовить достаточно дров. Тех, что есть, хватит только на ночь. Если непогода затянется до утра, им придется идти в лес под дождем.

Заканчивался седьмой день их пребывания на берегу.

Сын.

Впервые в жизни она родила мальчика – крошечного, совершенно красного, судя по всему, недоношенного. Когда профессор протянул ей мокрого и склизкого еще, покрытого ее собственной кровью новорожденного, она вложила его себе под кульмэк, прижала к груди, припала лицом к мягкой, как хлеб, макушке – и почувствовала быстрое биение его сердца у себя на губах. Мягкое место на темечке у грудных младенцев обычно бывает небольшое, размером с монетку. А у этого – огромное, горячее, жадно пульсирующее.

Еще не различая в ночной темноте лица ребенка, мгновенно поняла, почувствовала: очень красив. Слепленные ресницы в комках засохшей слизи, полуслепые мутные глазки, смотрящие вверх дырочки носа, складочка постоянно приоткрытого рта, мятые и плоские комочки ушей, слипшиеся ниточки пальцев без ногтей – все красивое, до трепета в животе, до холода.

На рассвете разглядела получше. Голова большая, с мужской кулак. Ножки мелкие, корявые, как лягушачьи лапки, чуть толще ее пальцев на руках. Живот – круглый, яйцом. Тонкие косточки местами проступают так сильно, что, кажется, можно сломать неосторожным прикосновением. Кожица – ярко-пурпурного цвета, в голубых и синих мраморных разводах вен, складчатая, нежная на ощупь, как цветочный лепесток, местами покрыта длинными и тонкими, еле заметными темными волосками. Это был самый красивый ребенок из всех, кого она родила. И он все еще жил.

Зулейха решила так и носить его на груди – под кульмэк, на своем голом теле. Первую ночь не спала. То прижимала его к себе изо всех сил – то боялась сжать слишком сильно, ослабляла руки. То приоткрывала краешек кульмэк, чтобы дать сыну подышать свежим воздухом, – то закрывала, воздух казался чересчур студеным. Утром чувствовала себе свежей и сильной, словно не было ни родов, ни бессонных предрассветных часов, – могла бы еще год просидеть так, согревая крошечное тельце своим теплом и слушая слабое, еле различимое дыхание. Утром приспособилась: устроила головку новорожденного между набухших молоком грудей, а тельце распластала по своему животу, сверху примотала тряпкой. Теперь она могла передвигаться и даже заниматься делами – сын всегда был при ней. То и дело наклоняла лицо к расстегнутым на груди пуговицам, заглядывала в приоткрытый ворот кульмэк, прислушивалась. Ребенок дышал.

Кормила часто и помногу. Слава Аллаху, молоко в грудях стояло высоко, туго, того и гляди – брызнет. Иногда груди наливались так, что каменели, оттягивали плечи, – и тогда она, не дожидаясь, пока ребенок проснется, торопливо совала разбухший, сочащийся белым сосок ему в рот; не открывая сонных глаз, младенец шлепал губами, присасывался. Разохотившись, ел жадно и быстро, постанывая, – и грудь пустела, опадала, благодарно слабела, отдыхая.

Когда ребенок мочился и Зулейха ощущала на животе горячее и мокрое, она радовалась: человек жил, тельце его работало. Целовать была готова и пятно у себя на платье, и крупную розовую загогулину мужской плоти между крошечных сыновьих лапок.

Есть по-прежнему хотелось часто. Лес неожиданно подарил им много жирного мяса. Завидев на опушке высокую фигуру Игнатова с пестрой связкой битой птицы в руке, она сдерживалась, чтобы не закричать, не выбежать ему навстречу, не расцеловать руки: еда пришла! еда! Щипала птицу яростно, остервенело; потрошила, борясь с приливом слюны во рту; швыряла в кипящую воду и солила, мешала, заговаривала огонь: гори жарче, сильнее, быстрее.

Горелов хотел было и здесь взять распределение еды в свои руки, но Игнатов посмотрел на него хмуро, кивнул на Зулейху: пусть она раздает. Готовую похлебку разливала из большого ведра по котлам поменьше, и переселенцы садились в несколько кружков, хватали обжигающе горячие куски птицы руками, рвали зубами, марая улыбающиеся лица жиром и копотью. Расправившись с мясом, хлебали бульон из котлов ложками, сделанными из насаженных на палки ракушечных створок. Зулейхе оставляли двойную порцию, и она не смущалась, быстро и с благодарностью съедала – ощущала, как упавшее в ее нутро мясо тут же наполняло кровь силами, а груди – молоком. Мягкие птичьи гузки и толстую, покрытую изнутри слоистым жиром тетеревиную кожу не любила, но ела – чтобы и молоко было жирным, сытным.

Она перестала думать обо всем, что не касалось сына: про Муртазу, который остался где-то далеко, в прошлой жизни (забывая, что новорожденный был плодом от его семени); про Упыриху с ее страшными пророчествами; про могилы дочерей. Она не думала о том, куда забросила ее судьба и что будет завтра. Важен был только сегодняшний день, только эта минута – тихое посапывание на груди, тяжесть и тепло сыновьего тельца на животе. Перестала бояться даже того, что однажды утром не услышит слабого дыхания в разрезе кульмэк. Знала: если жизнь сына прервется, то и ее сердце мгновенно остановится. Это знание поддерживало ее, наполняло силой и какой-то незнакомой смелостью.

Молиться стала реже и быстрее, словно между делом. Страшно признаться, но в голове поселилась грешная, чудовищная по сути мысль: вдруг Всевышний так занят другими делами, что забыл про них – про три десятка голодных, оборванных людей в глуши сибирских урманов? Вдруг Он отвернул ненадолго строгий взор от переселенцев – да и потерял их на бескрайних таежных просторах? Или, что также возможно, они заплыли в такие далекие места на краю света, куда взгляд Всемогущего не достигает за ненадобностью. Это дарило странную, безумную надежду: возможно, Аллах, отнявший у нее четверых детей и, по видимости, намеревавшийся отнять пятого, не заметит их? проглядит и забудет исчезновение жалкой горстки изможденных страданиями существ? Совсем не молиться она не могла (страшно!), но старалась проговаривать молитвы тихо, шептать, а то и вовсе бормотать про себя – не привлекать высочайшего внимания.

Удивительно, но она была счастлива в эти дни – каким-то непонятным, хрупким, летучим счастьем. Тело ее по ночам мерзло, днем страдало от жары и комариных укусов, желудок требовал еды, а душа – пела, сердце – билось одним именем: Юзуф.

Кузнец не приехал – ни через неделю после высадки переселенцев на берег, ни через две.

Игнатов каждое утро ходил на утес. Ругал себя, а ничего не мог поделать – тянуло. Цепляясь руками за шершавые уступы валунов в жесткой опушке сизого мха, взбирался на вершину – в ясные и сухие дни стремительно, в дождливые и пасмурные – осторожно, то и дело поскальзываясь на мокрых камнях. Долго стоял, упираясь взглядом в край небосвода, где река и небо сходились вместе, перетекали друг в друга. Ждал. Потом резко отворачивался и шел на охоту.

Объяснения происходящему не было. Может, с катером случилась беда и он канул в водах Ангары вслед за «Кларой»? Может, Кузнец заразился тифом и лежит сейчас на лазаретной койке – истекающий горячим потом, в беспамятстве? Может (эта версия нравилась Игнатову более других), оказался врагом советской власти и его взяли под стражу, посадили, отправили в тюрьму? Расстреляли, в конце концов?

Иногда на вершине ему казалось, что в сине-голубой дали он различает точку катера. Порой вечерами, уже лежа на своих отдельных нарах в землянке, вскакивал внезапно и бежал на берег – отчетливо слышал звук тарахтящего мотора, чьи-то озабоченные голоса. В такие минуты он был готов простить Кузнецу бесконечные дни ожидания, голод и холод минувших недель – обнять, обхлопать по плечам: «Заждались мы тебя, брат». Но волнительное мгновение проходило – точка на горизонте рассеивалась, растворялась в синеве небесного или водного простора; рокот мотора на воде оборачивался кряканьем селезней, голоса – плеском волн.

Переселенцы видели его озабоченность, наверное, догадывались о причинах, но ничего не спрашивали. Только Горелов, подлец, поинтересовался однажды, заговорщически щуря на Игнатова щелки калмыцких глаз: «Гражданин начальник, как считаете, катер с подкреплением девок привезет? А то ж у нас в лагере одни старухи, до леса прогульнуться не с кем». Игнатов не ответил на фамильярность – только посмотрел холодно. «У вас, – поправил он мысленно. – *У вас* одни старухи». Отожрался на мясе, скотина, баб ему подавай. Будто все остальное – есть, устраивает, нравится. Однажды он услышал, как кто-то сказал в лесу: *пора, идем домой.* Резануло: неужели кто-то и вправду считает эту тесную, душную землянку с кривобокой, похожей на пузатую жабу печуркой – домом? Быстро же они привыкли, смирились. А он не мог, и с каждым днем ожидания ненавидел Кузнеца все сильнее. Злоба поднималась в нем, глухая, мутная, и он лупил из револьвера по беззащитным глухарям и тетеркам: вот вам! умрите, сволочи!

Птицы в тайге скоро распознали в нем хищника, а в грохочущих выстрелах – близкую смерть. Стали осторожнее. Чуть заслышав его шаги, взмахивали мягкими черными крыльями, полошились, взлетали. Добывать еду стало труднее. Время легкой добычи закончилось, пришла пора настоящей охоты.

Игнатов не охотился никогда в жизни. «На деникинцев ходил, – шутил он сам с собой мрачно, пробираясь сквозь чащу в поисках какого-нибудь пригодного в пищу зверья, – на белочехов, на басмачей. На дичь – не приходилось». Теперь же он целыми днями бродил по лесу, выставив вперед руку с заряженным револьвером и ища глазами съедобную мишень. Высверкивали меж кустов полосатые спинки бурундуков, рыжими всполохами мелькали в ветвях белки, шныряли под ногами разных мастей мыши, неизвестные ему серые и желтые птицы с вычурными хохолками юркали вверх-вниз по стволам. На всю эту мелочь тратить патроны было жалко. Ему бы кого покрупнее, пожирнее – оленя или пяток глухарей. Но шаг его был слишком тяжел и громок – ни маралы, ни косули, ни другие крупные звери на пути не попадались. О том, что ему может встретиться хищник посильнее его, – медведь или кабан, – Игнатов думал с легким холодком в сердце: не знал, пробьет ли толстую шкуру мелкая револьверная пуля. К вечеру, когда в глазах уже мельтешило от непрерывного напряжения, а ноги гудели и ныли, ему обычно удавалось, несколько раз промахнувшись и потратив зря пяток патронов, все же подбить какого-нибудь зазевавшегося тетерева или пару белок. Иногда везло: один раз вышел к спрятавшемуся в складках холмов лесному озеру и настрелял там целый выводок бобров (мясо их оказалось на удивление нежным и сочным); в другой раз подбил пару пролетавших над тайгой уток. Но с каждым днем рацион переселенцев становился беднее.

Вечером последнего дня лета тысяча девятьсот тридцатого года (Константин Арнольдович завел на стене землянки *выпильной* календарь – каждый день выпиливал крохотную зарубку на бревне: в будни – короткую, в выходные – подлиннее, в конце месяца – самую длинную, и переселенцы знали, что сегодня заканчивался август), после жидкого ужина из старого, хромого и чрезвычайно жесткого барсука в землянке обсуждался вопрос продовольствия.

Игнатов лежал на нарах с устало прикрытыми веками, перед глазами ломались и осыпались калейдоскопом огненные беличьи шкурки, мелко дрожащие сосновые иглы, зигзаги еловых ветвей в брызгах солнечных пятен. Сквозь полусон прислушивался к тихой беседе переселенцев.

Охотников среди них не обнаружилось (если бы и были, усмехнулся про себя Игнатов, огнестрельного оружия в руки бы не получили), но нашелся один рыбак – по-подростковому щуплый, весь помятый и затертый, как обмылок, рыжебородый и беззубый Лукка. Разложили перед ним оставленные Кузнецом снасти, спросили, сможет ли наловить завтра рыбы.

Лукка по-русски говорил плохо, но что от него требуется, понял сразу. «На реку смотреть надо, – ответил трескучим, как костер, голоском, не глядя на путанку снастей и крючков на полу, – слушать, говорить с ней. Потом – ждать. Даст – будет рыба. Не даст – не будет».

Дипломатичного Константина Арнольдовича отправили к игнатовским нарам на переговоры: просить коменданта об освобождении Лукки от трудовой повинности на пару дней, чтобы тот смог порыбачить (по распоряжению Игнатова все переселенцы с утра и до вечера занимались заготовкой дров и отлучаться куда-либо не имели права).

– Пусть, – сказал Игнатов с закрытыми глазами, не дожидаясь, пока Константин Арнольдович подберет слова и выразит общую просьбу, – пусть идет. Два дня ему даю на эти *разговоры*. Не принесет рыбы – по ночам у меня лес пилить будет, все отработает.

Следующим днем Лукка соорудил удочки, наловил слепней. Походил по берегу, поговорил с Ангарой. Вечером принес в лагерь ведро, в котором меж бархата зеленых лопуховых листьев дрожали серебром увесистые тельца плотвы. Это было очень кстати, потому что Игнатов в этот день впервые вернулся с охоты без добычи.

Сентябрь встретил солнцем. На холмы дохнуло желтым и красным. Небо разголубелось, и оттого огненные краски земли глянули еще жарче и радостней. Дни стояли звонкие, сухие, а ночи уже – холодные и по-зимнему длинные.

Пришла мошка.

Спасения от нее не было. Комары и слепни, до этого казавшиеся переселенцам жестоким наказанием тайги за вторжение на ее территорию, исчезли, уступив место меньшим братьям. Мошка налетела как облако, как туман, заполонила тайгу, поляну, берег, землянку. Набилась под одежду, в складки кожи, в нос, в рот, в уши, в волосы, в глаза. Ее съедали вместе с едой (а на вкус оказалась – сладкая, как ягода), вдыхали вместе с воздухом. Она и была – сам воздух.

От слепня можно убежать, комара – прихлопнуть. А мелкую, с песчинку, мошку? Люди опухли от укусов (раны мошка оставляла большие, кровоточащие), одурели от непрекращающегося телесного зуда. У кого были силы – размахивали руками и ногами, бегали по берегу как безумные (на бегу гнус сдувало с кожи), кто-то омывал расчесанные в кровь руки и ноги в ледяной ангарской воде, кто-то, надрывно кашляя, с покрасневшими глазами, *курился* в едком дыму костра, немного спасавшем от насекомых. Работа встала: о походе за дровами или дичью в глубь леса, откуда пришло облако гнуса, никто даже помыслить не мог.

«Съедят заживо», – отстраненно думал Игнатов, погружая распухшие, в жирных красных точках руки в прозрачную и до невозможности холодную воду. Руки онемели – не то от холода, не от укусов. Почувствовал, что кто-то стоит позади. Обернулся – Лейбе: губы раздулись и выпятились, как у верблюда, глаза – крошечные от вспухших розовых век.

– Деготь, – говорит, – нужен березовый – известное инсектицидное средство. Только способ приготовления данного дегтя мне неизвестен. Он обычно в аптеках продается, в стеклянных флаконах, по тридцать две копейки за штуку.

Мужики способ приготовления знали. Снарядились тут же за берестой, ободрали все березы вблизи поляны, сверху донизу. Заложили в котел, ведром прикрыли, дровами обложили; курили долго, до самого заката. Получившуюся густую, как мед, и абсолютно черную жидкость замешали с водой, обмазались с головы до пят. Стали, как негры: только глаза высверкивают да зубы. Забавнее всех выглядел достопочтенный хаджи – он не пожелал мазать дегтем бороду, как остальные мужики, и она сияла белым флагом на его глянцевом, будто щедро надраенный ваксой сапог, лице.

Ночью удалось поспать – мошка отступила.

Для нежной кожи Юзуфа Лейбе посоветовал Зулейхе замешать деготь на грудном молоке. С этого дня она начала называть про себя Вольфа Карловича *доктором*.

Когда сентябрь перевалил за половину, Игнатов стал подумывать о том, не снарядить ли экспедицию до Красноярска.

За прошедший месяц переселенцы обжились, обустроились. Землянка, в которой, не затухая, жарко горела печь, просохла изнутри, прожарилась. Вокруг землянки соорудили поленницы – по совету Авдея, на высоких камнях, *стогами*: дрова лежали в них кругом, друг на друге, образуя высокие башни. Кто-то предложил укрыть сверху лапником, но Авдей запретил: сопреют.

Каждое утро, еще до восхода солнца, Игнатов стучал револьвером в дно пустого ведра – поднимал лагерь на работу, и сонные переселенцы, ворча и кашляя, отправлялись под присмотром Горелова за дровами. Игнатов определил ежедневную норму заготовки – до ее выполнения никто не смел возвращаться в лагерь. Однажды попробовали, жалуясь на холодную и дождливую погоду – Игнатов, ни слова не говоря, схватил ведро с приготовленным Зулейхой ужином и швырнул содержимое в Ангару. С тех пор норма выполнялась неукоснительно: люди приползали в лагерь измученные, еле живые, иногда в ночи, но с требуемым количеством спиленных бревен и заготовленного хвороста. Стога с дровами росли вокруг землянки, как грибы, но Игнатову все казалось: мало, мало еще собрано, нужно непременно больше.

«Мы готовим дрова так усердно, будто собираемся ими питаться всю зиму», – услышал он однажды слова Изабеллы. Старая ведьма намекала на то, что съестных припасов у них не было вовсе. А откуда им взяться, если тридцать ртов съедали подчистую все, что он успевал настрелять, а Лукка – выловить? Игнатов подумал – и с этого дня велел Лукке делить улов пополам: половину отдавать на уху, а половину – засушивать впрок. Люди пробовали было протестовать против уменьшения рыбного пайка – «И так живем впроголодь!» – но с комендантом разве поспоришь.

Женщины несколько раз просились отпустить их по ягоды: работая *на дровах*, часто встречали в лесу заросли черники и брусники, попадались усыпанные оранжевыми гроздьями рябинки, а Константин Арнольдович утверждал, что здесь непременно должна водиться и клюква. Игнатов был непреклонен: сытости от этих ягод – чуть, а трудовой день пропадет. За это время сколько ж дров можно заготовить!

На заготовку дров не ходили только рыболов Лукка да Зулейха. Иногда отпрашивался за травами Лейбе (после истории с мошкой Игнатов слегка потеплел к нему, отпускал). Остальные – работали каждый день. Илья Петрович завел было однажды разговор о том, что даже при загнивающем империализме, в дремучей царской России у рабочих на заводе были предусмотрены выходные, но Игнатов демагогию пресек немедленно: «Зимой с метелью будешь об империализме беседовать».

Дрова, дрова... Вид неказистых, вразномасть, стогов-поленниц радовал Игнатова чрезвычайно. Понемногу растущие связки сушеных рыбин – тоже (в солнечные дни Зулейха развешивала их на улице, в дождливые – заносила в землянку). А беспокоила – одежда.

Многим раскулаченным удалось сохранить в пути захваченные из дому теплые вещи, у кого-то Игнатов заметил даже пару валенок и мохнатый рыжий малахай. У ленинградских же зимней одежды не было – в их узлах лежало преимущественно бесполезное барахло: тонкие демисезонные пальто с блестящими круглыми пуговицами; мятые шляпы с шелковыми, ярких расцветок подкладками; скользкие на ощупь, переливчатых цветов кашне с длинной нежной бахромой; замшевые и нитяные перчатки.

У самого Игнатова из одежды была всего одна смена – та, что на нем: летнее обмундирование офицера ГПУ – рубаха-гимнастерка, легкие шаровары и сапоги. Ну и фуражка, конечно. Поэтому он с нарастающей тревогой следил за движением длинных, чернильного цвета туч на горизонте. Они обещали дожди и снега. Эти тучи появились недавно, приплыли с севера, несколько дней ходили кругами по небосводу и вот теперь затягивали, заволакивали его со всех сторон. Задышало холодом. Когда последний кусок чистого неба растворился меж лохматых боков низко нависших туч, Игнатов понял: Кузнец не придет.

От этой мысли внутренности словно обметывает инеем, а голова гудит, горячеет, наливается яростью. Отставить страдания, приказывает сам себе. Отставить. Думать только о том, что можно сделать.

Снарядить ходоков? Не зимовать же здесь, в самом деле. Отправить в Красноярск пару мужичков потолковее (хоть тех же Горелова с Луккой)? Сварганить для них лодку – и вперед по Ангаре-матушке да по Енисею-батюшке. Четыре сотни километров, из них три четверти пути – вверх по течению, по холоду и дождям, без запасов еды... Не дойдут.

А если и дойдут? Что им, так и докладывать на месте? Мы, мол, раскулаченные, сосланы советской властью на Ангару, но временный комендант поселения по доброте душевной отпустил нас на лодочке до Красноярска прогуляться – не терпится ему, понимаете ли, смены дождаться и домой укатить...

Не доберутся его ходоки до Красноярска – утекут, ежу понятно. Даже если к ним Горелова смотрящим приставить. Горелов им первый же и предложит. Это он при Игнатове с револьвером такой послушный да ретивый. А чуть что – в бега уйдет и глазом не моргнет. Урка.

Самому идти в поход – оставить переселенцев здесь? Еще хуже. Вернутся они с Кузнецом в пустой лагерь: крестьяне все утекут, а ленинградцы перемрут за это время к чертовой матери.

И так неладно, и сяк нескладно. Что ни случись – он будет виноват, Игнатов, комендант. И так уже натворил дел – на троих с лихвой хватит. Будет отвечать перед партией и товарищами по всей строгости – и за убыль в эшелоне, и за побег, и за утонувшую «Клару». Как ни крути, сидеть ему здесь и ждать –

хоть Кузнеца, хоть самого черта лысого. Чтобы не словами оправдываться, а делами.

А на дне сознания ворочается другая мысль, от которой почему-то становится неловко: он *должен* их спасти. Часто снилось, что он снова тонет в Ангаре – погружается в мутные холодные воды, а навстречу из черной глубины тянутся, растут, шевеля водорослями длинных белых пальцев, сотни рук: спаси, спаси... Просыпался резко, садился на нарах, утирал мокрую шею. Это самое *спаси* потом весь день шелестело, перекатывалось в голове. Вот и нашептало: самому себе боится признаться, что хочет, отчаянно хочет спасти врагов, чтобы они непременно дождались новой баржи, выжили, все до одного. А хочет он этого – не для них, не для Кузнеца, не для предстоящего суда над ним за совершенные ошибки. Для себя хочет. Оттого и неловко.

Игнатов подбирает увесистую палку, стучит ею по рыжим чешуйчатым стволам бегущих мимо сосен. Затем размахивается и бросает в чащу. Представляет, что она падает на голову Кузнецу – ровнехонько в темечко. На душе становится светлее...

Вечером выпал первый снег – не та легкая крупа, что сыпанула на них с неба в первый день их жизни на берегу, а настоящий, пышный, из больших мохнатых снежинок. Ночью грянули заморозки, и на дне оставленного по недосмотру на улице ведра хрупким стеклом засверкал лед, а щетки еловых лап прихватило тонким инеем.

Наблюдать без смеха утренний выход переселенцев на работу было невозможно: каждый надел на себя все, что имел. Крестьяне укутались в платки, натянули яги и меховые тулупы без рукавов, а городские – некогда франтоватые клетчатые пальто, нежных оттенков перчатки и кашне, мятые донельзя кепи и ломанные по краям шляпы. Грузная Лейла несла на голове расшитую цветными стеклянными бусинами шляпку-горшок и прятала нос в свалявшееся, словно ощипанное боа. Константин Арнольдович явил миру слегка перекосившуюся от долгой транспортировки шапку-пирожок из какого-то очень гладкого и чрезвычайно тонкого меха цвета крепкого кофе со сливками. Изабелла обнаружила, что потеряла изумрудную шляпку с пером, чему сильно огорчилась, – пришлось покрывать голову уже прохудившейся в нескольких местах шалью. В руках у всех были одинаковые пилы-одноручки.

Один из крестьян отдал Игнатову старый, растрескавшийся на локтях кожух (остался от сына, сбежавшего из злосчастного восьмого вагона). Кожух был узковат в плечах, руки сильно торчали из рукавов, но – грел. Игнатов, последние дни откровенно мерзнувший и уже начавший тайком от всех подкладывать под рубаху сухую траву и листья, от подарка не отказался.

В этот день, привычно вышагивая по тайге в поисках добычи, он и задумал убить медведя: мясо пустить на засолку, а шкуру – на одежду. Крестьяне обещали справиться – отмездровать, заквасить, продубить хорошенько. Лишний тулуп зимой не помешает. А если медведь большой попадется, можно еще пару шапок из шкуры выкроить...

Действовать надо было быстро – зверь мог залечь в спячку. Три дня Игнатов, стесывая до кровавых волдырей ладони, рыл в тайге яму. Мужики предлагали помощь, но он отказался («Дрова-то, дрова – кто пилить будет?!»). Убрал гладкими жердями отвесные стены, вбил посередине заостренный кол. Заложил верх хворостом и лапником, забросал травой. Стал ждать. Медведь не приходил.

Пару раз кинул в яму приманку – то подстреленную белку, то половинку глухаря. Поутру приманки в яме не оказывалось: то ли рыси, то ли куницы утаскивали ее, разбрасывая заботливо уложенный Игнатовым хворост. Медведь так и не пожаловал. Изредка Игнатов захаживал к яме, проверял, потом бросил. Труда своего было не жаль, а вот трех впустую потраченных дней – очень.

В конце октября снег лег в тайге окончательно. Наступила зима.

Работать было решено в две смены. С утра по густой синей темноте на пилку леса шли одни, натянув на себя все имевшиеся в землянке теплые вещи. Через полдня возвращались, наспех сушили мокрую от пота одежду – и отдавали ее второй смене. Та работала допоздна, до самых звезд.

Тем, кто сидел в лагере, Игнатов велел плести корзины. Вечерней смене приходилось легче: люди просыпались по неизменному игнатовскому «набату» (револьвером о ведро) и, не вставая с нар, садились за плетение. Утренняя же смена, отработав пяток часов на свежем воздухе, приходила и от устали валилась на нары, засыпала. Игнатов в это время обычно промышлял в тайге. Он велел Горелову будить лежебок, а кто ослушается – лишать ужина. Ужин был в лагере единственным приемом пищи, и скоро большие, средние и малые корзины заполонили и без того тесную землянку. Когда однажды переселенцы осторожно поинтересовались у коменданта, не хватит ли им корзин, тот ответил: хватит, теперь плетите снегоступы и волокуши. А в ответ на красноречивое молчание закричал: «Зима на носу – как за дровами собираетесь ходить, сволочи?!»

Лютует, шептались люди. Покорялись.

Некоторые болели, подолгу горели в жару, беспрерывно кашляли ночами, мешая спать остальным. Лейбе отпаивал их отвратительно воняющими травами. Но чуть только в глазах больного мелькало облегчение, лоб переставал покрываться испариной и он впервые сам добредал до устроенного в «сенях» землянки отхожего места, Игнатов выгонял его на работу.

«Это безбожно, – сказала Изабелла, когда однажды утром он заставил иссиня-белого от перенесенной недавно лихорадки Константина Арнольдовича выйти со всеми в прихваченный звонким инеем лес на пилку дров. – Вы нас убьете». – «Чем меньше ртов – тем легче остальным», – ощерился в ответ Игнатов.

Иногда в глазах этих истощенных, истонченных голодом и страданием пожилых людей Игнатов читал что-то похожее на робкую ненависть. Если бы у него не было револьвера, возможно, они даже попытались бы его убить.

В начале зимы жизнь Игнатова осложнилась с совершенно неожиданной стороны. В тот день он отошел от лагеря совсем недалеко. Проинспектировал работы на поляне, где переселенцы отбывали свою трудовую повинность (деревья спилить и повалить, очистить от веток и коры, распилить на чурбаны, на волокуше оттащить в лагерь, крупные ветки уложить в вязанки, мелкий хворост – в корзины, бересту, сосновую кору, шишки и хвою – в отдельные корзины), и направлялся на свою – на охоту. Еще совсем близко слышались голоса лесорубов, визг одноручек, треск поваленного дерева, как вдруг – шорох в кустах можжевельника, дрожание веток: похоже на крупного зверя.

Игнатов замирает и медленно, очень медленно тянется к револьверу. Пальцы ползут по кобуре бесшумно, как тени. Наконец в ладони – холодная тяжесть оружия.

Куст по-прежнему размеренно дрожит, словно кто-то обрывает его с той стороны. Хрупает под тяжелой лапой ветка. Медведь? Пожаловал, значит, в гости. Мы для него – и яму, и приманки, а он сам пришел, незваный, шишечками можжевеловыми полакомиться...

Выстрелить сейчас, вслепую? Можно ранить, но не убить. Зверь либо рассвирепеет и задерет его к лешему, либо испугается и убежит – не догнать. Нужно ждать, пока животное покажет морду. Тогда можно стрелять в слабое место – в открытую пасть или в глаз – так, чтоб наверняка.

Дрожание куста сдвигается ближе. Идет, косолапый, сам идет в руки! Игнатов поднимает револьвер, кладет сверху вторую руку – готовится взвести курок. Сейчас нельзя – медведь услышит. А как только высунет нос – курок на себя и в морду ему палить, в морду!

Пересохшее горло сглатывает тяжелый неповоротливый комок слюны. Звук собственного глотка кажется оглушительным. Куст еще раз резко вздрагивает – из-за него выходит Зулейха. Игнатов коротко и зло мычит, швыряет руку с револьвером вниз. На мгновение – словно не хватает воздуха.

– А завалил бы?!

С дерева снимается пара испуганных ворон и шныряет за верхушки елей. Зулейха пятится, закрывает ладонями оттопыренное на животе платье, испуганно таращится.

– Мы, значит, к тебе со всем пониманием – на кухне оставили, за огнем присматривать. А она – по лесу гулять?!

– Орехов хотела набрать или ягод, – шепчет. – Есть больно хочется.

– Всем хочется! – Игнатов кричит так, что, наверное, слышно на лесоповале.

– Так не для себя, – она продолжает пятиться, утыкается спиной в старую, треснувшую рваными черными пятнами березу. – Для него.

Опускает глаза вниз, на чуть проглядывающую на груди темную макушку. Игнатов шагает к ней вплотную, приближает лицо, нависает. Дышит все еще тяжело, громко.

– Слушаться меня, – говорит, – беспрекословно. Велено сидеть в лагере – сиди. Велю по ягоды идти – пойдешь. Ясно?

Младенец на груди у Зулейхи вдруг тявкает беспокойно, шевелится, ворчит. В разрезе платья появляется на миг и исчезает крошечная морщинистая лапка с крючковатыми пальчиками.

– Видишь, опять молока подавай, – Зулейха расстегивает пуговицы на груди. – Уйди. Кормить буду.

Злой Игнатов стоит, не шелохнется. Младенец обиженно плачет, поводя носиком и ища вокруг открытым ртом.

– Уйди, сказала. Грех смотреть.

Игнатов не шевелится, смотрит в упор. Младенец надрывается, горько и обиженно рыдает, морща старческое личико. Зулейха вынимает из разреза тяжелую грудь и вставляет разбухший, с дрожащими каплями молока на конце сосок в его распахнутый рот. Плач тотчас прерывается – дите жадно ест, постанывая и быстро расправляя и сжимая тугие ярко-розовые щечки. По ним струится белое молоко вперемешку с еще не просохшими слезами.

А грудь-то у бабы – маленькая, круглая, налитая. Как яблочко. Игнатов не отрываясь смотрит на эту грудь. В животе шевелится что-то горячее, большое, медленное. Говорят, бабье молоко на вкус сладкое... Он делает шаг назад. Засовывает револьвер в кобуру, застегивает. Уходит в лес, через пару шагов оборачивается:

– Как докормишь – ступай в лагерь. Медведи – они тоже есть хотят.

Шагает прочь по натоптанной уже тропинке меж елей. Перед глазами: маленькая рука ныряет в проем платья, обхватывает и достает тугой и круглый, молочно-белый, с голубыми прожилками вен шар груди, на котором горит крупная темно-розовая ягода соска, дрожащая густым молоком.

Шутка ли – полгода без бабы...

С тех пор Игнатов старался не смотреть на Зулейху. В тесной землянке это было нелегко. Когда, бывало, встречался глазами, опять чувствовал в животе шевеление того самого, горячего, – и тотчас отворачивался.

Снегоступы Игнатов отобрал себе самые лучшие. Переселенцы наплели их несколько десятков пар, но эти, вышедшие из-под корявых пальцев бабки Янипы – молчаливой марийки с абсолютно коричневым лицом и мелкими, потерявшимися среди лохматых бровей и глубоких морщин глазами, – были самыми ходкими: ладно сидели на ноге, не проваливались по насту, не пропускали снега. Он носил их уже три месяца. Березовый прут поистрепался на изгибах, измочалился. Игнатов хотел заказать марийке вторую пару, но та уже несколько недель не вставала с постели – болела.

Изготовленные другими крестьянами снегоступы были тяжелыми, неловкими: для коротких выходов по дрова годились, а для долгих и быстрых охотничьих прогулок – нет. Произведения же ленинградцев были настолько уродливы, что узнать в них снегоступы было затруднительно, они напоминали не то причудливой формы веники, не то неудавшиеся корзины. «Супрематизм», – непонятно сказал однажды Иконников, разглядывая лохматое плетеное нечто, только что сотворенное его руками. Ретивый Горелов хотел выкинуть супрематизм из землянки, но Игнатов не разрешил – велел развесить под потолком (на полу места уже не было)...

Игнатов переставляет снегоступы по плотному и твердому насту. Слушает собственные шаги. Январское небо серо и холодно, темные, с белой поддевкой тучи висят неподвижно, сквозь них золотится предзакатное солнце. Пора возвращаться.

Сегодня он не добыл ничего.

За месяцы, проведенные в тайге, Игнатов так и не стал охотником. Ходить стал тихо, слышать – остро, стрелять – метко. Уже различал на снегу следы, будто читал оставленные зверями послания: длинные и редкие – заячьи, покрупней и потяжелей – барсучьи, легкие и размашистые – беличьи. Бывало, даже чувствовал зверя, – выбрасывал вперед руку с револьвером и нажимал курок до того, как голова успевала сообразить, что вот она, добыча, мелькает меж кустов. Но полюбить охоту по-настоящему так и не смог. Ему нравилось догонять и стрелять – но по-другому, в открытую и понятную мишень. Как в бою: видишь противника и палишь по нему или догоняешь и рубишь шашкой. Все просто и ясно. А на охоте – сложно. Иногда представлял себе, что лесные звери вылезают из нор и берлог и, не прячась, не петляя, не заметая следы, ровными рядами скачут по огромному полю. Он – сзади, на коне; наводит револьвер и стреляет – одного за другим, одного за другим. Вот это была бы действительно охота. А так...

Охотничья фортуна была строга к Игнатову, удачи радовали редко. Самой большой из них был, конечно, лось. Это случилось в декабре, под самый Новый год. Игнатов случайно забрел тогда к вырытой осенью и позабытой медвежьей яме – и увидел, что в нее кто-то попался. Обмирая от предчувствия крупной добычи, заглянул внутрь: кто-то большой и темно-серый устало лежал там, чуть подрагивая лохматыми голенастыми ногами с длинными, как пальцы, копытами. Торчащий вверх заостренный кол оплели буро-алые, еще слабо дымящиеся кишки. Игнатов тогда сразу рванул к лагерю. Прибежал запыхавшийся, с дикими глазами, перепугал всех. Собрали мужиков, схватили волокуши, самодельные факелы – и скорее обратно в лес. Игнатов боялся, что волки придут на запах мяса раньше, но в яме они встретили только рысь – та уже изрядно потрепала тушу и злобно скалила на людей кривые, пузырившиеся лосиной кровью клыки. Игнатов убил и ее. Притащили в землянку, ели почти неделю. Тем и отметили Новый год.

Больше в яму никто не попался. Этот лось словно разом израсходовал всю отведенную Игнатову долю удачи – с тех пор добыча шла мелкая, несерьезная. Спасибо, выручал Лукка. Ангара покрылась льдом еще в ноябре. Мужики выпилили под присмотром Лукки с десяток больших прорубей, и тот с тех пор целыми днями пропадал на льду. Носил широких и плоских, как тарелки, отливающих медью лещей, пятнисто-зеленых, со злобным оскалом щук, неизвестных Игнатову, светящихся перламутром рыбин с большим ромбовидным плавником на жирной спинке.

А недавно Лукка заболел. После Нового года слегли многие, один Игнатов держался. Пришлось отменить выходы в лес за дровами в две смены – работали теперь в одну, и только здоровые (а вернее сказать, не слишком больные). Профессора Лейбе Игнатов скрепя сердце также освободил от трудовой повинности: кто-то должен был присматривать за *лазаретом*. Из-за болезни Лукки пришлось питаться рыбными припасами. Сушеной рыбы надолго не хватило, за пару дней съели все, что заготовили осенью. Теперь только и была надежда – на Игнатова.

Он шагает по снегу. Мимо плывут ели, опершись о сугробы широкими, склоненными к земле лапами в снежных подушках. Взбухли крутыми белыми валунами кусты, мелькают крытые густым инеем золотые стволы сосен. Спускается к знакомой поляне с гигантским остовом обугленной березы в углу, пересекает замерзший ручей в буграх прихваченных сугробами камней. Лагерь – уже близко, еле заметный горько-сладкий запах дыма касается ноздрей.

В скупом закатном свете видит меж деревьев высокие колья, на которых скалятся два серых черепа. Один – большой и длинный, с хищно изогнутым носом, крупными пластинами жевательных зубов и крепкими корнями рогов, растущими прямо от небольших овальных глазниц, – лось. Второй – мелкий и круглый, как картофелина, с безобразной дыркой носа, выставивший вперед клыкастые, цепко лежащие друг на друге челюсти, – рысь. Черепа повесил Лукка: отпугивать духов леса. Игнатов хотел было снять вопиющую контрреволюцию, но, заметив умоляющие взоры крестьян, плюнул – оставил. Подумал: лучше бы эти черепа болезни отпугивали. Так и висели они: утром провожали Игнатова на охоту, пялились вслед черными дырами глаз; вечером – встречали, равнодушно заглядывали в руки: что добыл? есть чем людей накормить? или помирать время пришло?

Игнатов отворачивается от немигающего взгляда черепов, угрюмо спешит мимо – к землянке. На ходу привычно пересчитывает высокие круглые сугробы, грибами покрывающие поляну, – поленницы. За последний месяц их стало меньше – переселенцы начали расходовать запасенные дрова. Иногда тайгу накрывала метель – несколько дней выла над землянкой, пела, кричала в печной трубе; снег летел по земле плотным потоком, застилая солнце над головой. В такую непогоду в лес было не выйти – сгинешь. Даже к поленницам ходили на привязи: дрова искали руками, на ощупь, бредя по пояс в снегу, а в землянку возвращались, натягивая веревку, привязанную одним концом к поясу, а другим – ко входу. Когда пришли болезни и переселенцы даже по хорошей погоде не смогли заготавливать дрова в прежних объемах, запасы стали таять еще быстрее...

Он втыкает снегоступы в сугроб у входа, становится на колени и лезет в землянку. Наружная дверь, сплетенная из березовых прутьев и укрепленная дерном вперемешку с глиной, лежит на земле – ее нужно приподнять и протиснуться в образовавшуюся щель. Игнатов оказывается в холодных «сенях». Спускается по земляным ступеням, откидывает пологи (рогожи, лосиную шкуру). Ныряет в тесное, заполненное тяжелым и теплым воздухом, запахом трав, рыбы, древесной коры, еловых иголок, дыма, раскаленных камней, звуками кашля и тихими разговорами пространство землянки.

Он пришел домой.

Вялые голоса где-то в глубине тут же стихают. Ярко горящая над котлом с водой лучина освещает неровным светом мрачные, с четко обрисованными углами скул и складками морщин лица. Десяток глаз неотрывно смотрит на Игнатова, на его пустые руки.

Он не глядит в их сторону, пробирается к своим нарам. Достает из-под самодельной подушки из лапника сильно похудевший за зиму мешок с патронами (с наступлением зимы перестал его прятать в лесу, стал держать при себе, в изголовье). Заряжает револьвер. Не скинув обвязанные обрывками рысьей шкуры сапоги, ложится, руку с револьвером кладет под голову. Прикрывает глаза, продолжая ощущать направленные на себя взгляды.

В такие минуты он обычно чувствовал приливы злости, хотелось замахать оружием, заорать: «Что уставились, сволочи?!» Но сегодня – нет сил. Усталость навалилась какая-то тягучая, муторная. Надо бы просушить сапоги, одежду, выпить хотя бы горячей воды, чтобы заполнить чем-то сосущую пустоту в животе. Сейчас, думает Игнатов. Сейчас, сейчас...

– Ну что ж, будем есть солянку, – Изабелла черпает ложкой из пузатого мешка соль и опускает в давно кипящий на огне котел. Прозрачная вода мутнеет, белеет, словно в нее замешали молока, шипит – и через мгновение вновь становится прозрачной. *Солянка* готова.

Ее мало кто любит. Большинство даже не встает с нар, отворачивается к стенке. К котлу подсаживаются лишь Константин Арнольдович и Иконников.

Константин Арнольдович долго разглядывает свою ложку с черпаком из перламутровой ракушки, внезапно улыбается:

– Чувствую себя на авеню Фош. Субботний вечер, устрицы ля неж, бокал монтраше...

– А все-таки лучшие устрицы, – подхватывает Иконников, с аппетитом прихлебывая солянку, – водились на рю де Вожирар. С этим-то вы не будете спорить?

– Илья Петрович, дорогой! Вам-то откуда знать? Вы были тогда совсем юнцом и ничего, кроме этих ваших этюдов, не видели. Удивительно, что вы вообще куда-то выходили со своего Монмартра.

– Messieurs, ne vous disputez pas![1] – Изабелла смеется, обстукивая ложку о край котла, словно стряхивая с нее прилипшие жирные куски мяса, прозрачные ломти лимона и мелкие кружки оливок.

Рядом плюхается Горелов, достает из-за пазухи ложку, облизывает, хищно смотрит на беседующих. Разговор затухает.

Зулейха утыкается лицом в макушку Юзуфа. Игнатов опять вернулся пустой с охоты. Ужинать сегодня нечем – значит, молока не прибудет. Впрочем, теперь молочные приливы бывали скудными даже после еды.

Молоко начало убывать в середине зимы. Сначала думала – от скудного питания, но когда в январе целую неделю ели досыта жирное и душистое лосиное

[1] Господа, не ссорьтесь! (*Фр.*)

мясо, а груди по-прежнему оставались слабыми, мягкими, поняла – молоко заканчивается. Стала прикармливать сына мясом и рыбой. Лучше бы, конечно, картофелем или хлебом, но где ж взять... Вкладывала кусочек в тряпку, всовывала в створ крошечных беззубых десен – Юзуф поначалу плевался, затем распознал вкус, сосал. Соленого не любил, плакал, поэтому сушеную рыбу Зулейха не давала. Когда выдалось несколько совсем голодных дней, пробовала распаривать сохранившиеся на ветках лапника ароматные желтые шишки, но от растительной пищи у сына случился изумрудно-зеленый, липкими комочками, понос, и доктор Лейбе ругал ее на чем свет стоит (она даже не знала, что он умеет так громко и грозно кричать).

После Нового года грянули болезни, и Игнатов отменил жестокие вылазки в лес за дровами дважды в день. Многие переселенцы оставались теперь днем в землянке, и Изабелла часто подменяла Зулейху у печи – можно было полежать не двигаясь, опустив усталый взгляд на спящего сына и слушая его тихое размеренное дыхание. Минуты сна Юзуфа стали для нее наслаждением. Тем острее и горше были минуты его пробуждения и резкого, требовательного плача: ее мальчик все время хотел есть.

А она хотела поставить его на ноги. Смеживала веки и представляла, как подросший Юзуф – ножки из кривеньких и тощих стали крепкими, в перетяжках упругого младенческого жирка, на пальчиках отросли круглые розовые ногти, голова покрылась плотным темным волосом, – топает по землянке к ней навстречу. Перебирает ножками, переваливается, как уточка, – идет. Доживет ли она до этого? Доживет ли он?

От постоянных мыслей о сыне Зулейха часто забывала о своем ноющем животе – внутренности постоянно сосало, временами накатывала слабость. Очень боялась заболеть: кто же тогда присмотрит за Юзуфом? Прошлая жизнь – юлбашские просторы, грозный Муртаза, вредная Упыриха, долгая дорога в обитом деревом и пропахшем сотнями людей вагоне – ушла так далеко, осталась за такими крутыми поворотами, что казалась полузабытым сном, смутным воспоминанием. Да и с ней ли все это было? Ее жизнь теперь: поймать спокойный взгляд доктора («С Юзуфом все хорошо, Зулейха, не волнуйтесь»), дождаться Игнатова с охоты и Лукку с рыбалки («Мясо! Сегодня будем есть мясо!»), свернуться кольцом вокруг спящего на нарах сына и вдыхать, вдыхать его нежный запах...

В землянке тихо. Переселенцы уже прижались друг к другу, спят: наевшись солянки и обнявшись, сопят Константин Арнольдович с Изабеллой, тонко подхрапывает Иконников, забылся тяжелым нервным сном Горелов, лежит без движения, как мертвый, Игнатов на своих отдельных нарах.

Юзуф вздрагивает, сонно ведет носиком – ищет ее. С недавних пор Зулейха перестала носить его на себе, и он привыкал жить один, без окружающего со всех сторон материнского тепла и запаха. Но как только она оказывалась рядом, по-прежнему стремился вжаться в нее, втереться, прилипнуть всей кожей. Вот и сейчас, найдя мать лицом, уткнулся в ее грудь, расплющил нос. Полежал минуту-другую спокойно, затем все же заерзал, зашлепал губами – почувствовал запах молока. Сейчас проснется.

Так и есть. Постанывает, покряхтывает, пару раз всхлипывает и – разражается голодным требовательным плачем. Зулейха шикает ласково, берет сына на руки. Путаясь пальцами в размахрившихся застежках кульмэк, спешно расстегивает ворот. Достает мягкую, невесомую грудь и вставляет в жадно раскрытый младенческий рот. Юзуф торопливо жует вялый сосок, плюет – молока нет. Плачет громче. Кто-то хрипло кашляет в глубине нар, кто-то со стоном ворочается, бормочет невнятно.

Зулейха перекладывает Юзуфа на другую руку, дает вторую грудь – сын замолкает на мгновение, остервенело терзая беззубыми деснами второй сосок. «Как больно, – замечает она с радостным изумлением. – Неужели – первый зуб?» Додумать не успевает – Юзуф выплевывает грудь, обманчиво поманившую знакомым запахом, и громко, навзрыд плачет. Маленькое личико мгновенно наливается кровью, кулачки сучат по воздуху.

Она вскакивает и, пригибаясь, чтобы не задеть головой свисающие с потолка пучки перьев, корзины, свертки бересты, связки шишек и прочий хлам, качает Юзуфа.

Иногда его удавалось укачать, утрясти, уговорить, ушептать, – и он засыпал, так и не поев, дарил Зулейхе еще несколько часов жизни без плача. Пробовала однажды качать Юзуфа в колыбели – большой, подвешенной к потолку корзине, – но засыпать один он напрочь отказался. Он хотел всегда быть на руках у матери.

Она прижимается губами к мокрой от пота, горячей головке. Мычит в нежное ушко полузабытые колыбельные, шепчет, заговаривает. Качает его – сначала нежно и плавно, потом сильнее, резче, размашистее. Вставляет в крошечный рот самодельную тряпичную соску – плюет, продолжает кричать. Меж его широко раскрытых, уже подернутых легкой нервной синевой губ хорошо видны крошечные, сверкающие слюной темно-розовые десны – совершенно гладкие, нет на них первого зуба. Юзуфу было уже почти полгода, а зубы не росли.

Зулейха трясет напряженное, выгнувшееся дугой тельце. Плач такой визгливый и громкий, что больно ушам. Люди на нарах ворочаются, вздыхают, но продолжают спать – привыкли.

Она берет чью-то оставшуюся с ужина ложку и зачерпывает со дна котла пару капель солянки, вставляет Юзуфу в рот. Тот обиженно морщится, плюет, захлебывается криком. Голос уже усталый, с хрипотцой, мягкое место на темечке пульсирует часто и сильно, будто хочет взорваться.

Спину ломит. Зулейха кладет надрывающееся тельце на нары, садится рядом. Опускает голову на колени, затыкает уши, но тише не становится – плач сына будто поселился в голове. В такие минуты Зулейхе иногда кажется, что Юзуфу было бы легче, *уйди* он при рождении.

Краем глаза замечает легкое движение в центре землянки – словно дохнуло ветром, и бегущие от створа печи длинные тени встрепенулись, колыхнулись, заерзали. Зулейха поднимает голову. У самой печи, на корявом топчане из обломка старого соснового пня, облокотившись локтями о расставленные в стороны острые колени, сидит Упыриха.

Желтые блики огня дрожат на пергаментном лбу, струятся по бугристым щекам, утекают во впадины рта и глазниц. Косицы тощими лохматыми веревками свисают к земляному полу. Тусклого золота серьги-полумесяцы чуть заметно покачиваются в вислых морщинистых мочках, брызжут светом на темные стены, на нары, на сонно ворочающиеся людские тела.

Упыриха долго размешивает остатки солянки, затем тщательно обстукивает ложку, кладет на край котла.

– Мой сын так не плакал, – говорит спокойно. – Так – не плакал.

Белые капли солянки стекают с ракушечного свода и со звоном падают обратно в котел. «Как же я их слышу – сквозь плач?» – удивляется Зулейха.

Юзуф по-прежнему надрывается, хрипит у нее на руках. Мелкая судорога бежит по перекрученному тельцу, губы наливаются быстрой густой синевой.

Капли продолжают падать с ложки в котел – большие, тягучие, тяжелые. Каждая – как удар молота. Уже не звенят – грохочут. Так громко, что заглушают голос сына.

Зулейха подходит к котлу, берет ложку. Сжимает черенок в кулаке и ударяет острием перламутровой ракушечной створки ровно посередине среднего пальца другой руки. Маленький и глубокий полукруглый надрез – как полумесяц, брызжет чем-то густым и темным, рубиново-красным. Она возвращается к нарам и вставляет палец в рот сына. Чувствует, как его горячие десны тотчас сжимаются, кусают, прихватывают ноготь. Юзуф жадно сосет, постанывая, постепенно успокаивается. Еще спешит дыхание, еще вздрагивают изредка ручки. Но он уже не кричит – деловито ест, покряхтывая, как ел когда-то ее молоко. Зулейха смотрит, как уходит синева с крошечных губ, как розовеют щеки, как спокойно прикрываются и постепенно наливаются усталым сытым сном глаза. Как изредка вспухают в уголках крошечного рта тугие красные пузыри, лопаются и бегут извилистыми струйками к подбородку.

Совсем не больно.

Она поднимает взгляд – у печи уже никого нет.

Весна пришла неожиданно, вдруг – звонкая, громкая, пахучая. В заткнутые кусками ветоши окошки землянки все утро прорывался неугомонный птичий щебет, звал куда-то, дразнил и, наконец, превратился в тяжелую отчетливую мысль: надо идти на охоту.

Игнатов разлепляет веки. Тело в последнее время стало легкое, как без костей, а носить его отчего-то трудно. И даже думать стало – трудно. Голова – пустая и будто плоская, бумажная; и мысли тоже – невесомые какие-то, летучие, как тени или запахи, – не ухватишь, не додумаешь до конца. И оттого эта, утренняя, мысль – неповоротливая, ленивой рыбой шевелящаяся в черепе – кажется такой важной и нужной: надо вставать и идти на охоту.

Вчера он никуда не ходил, весь день пролежал на нарах, отдыхал. Настырный птичий гомон разбудил его сейчас, разбередил, заставил опять надеяться: а если какую-то из этих птиц удастся подбить? Надо немедленно вставать и идти на охоту.

Игнатов скидывает ноги с нар – на полу хрустит корка льда (вода стала натекать в землянку уже давно, как только подтаяли снега). Находит в изголовье револьвер, долго копается в мешке, нащупывая патрон: это – последний. Как тогда Кузнец при расставании сказал? *На все зверье в тайге хватит?* Выходит, не хватило. А ведь это смешно – надо бы посмеяться, похохотать всласть над удачной шуткой, но отчего-то нет сил. Позже посмеемся, когда вернемся с охоты. Лишь бы только не забыть ее, шутку. Игнатов отшвыривает пустой мешок, с трудом открывает барабан, вставляет патрон. Управляться с револьвером стало в последнее время тоже трудно – слишком тяжелый. Такой же, как и неотвязная мысль в голове: надо непременно идти на охоту и вернуться с добычей.

Опираясь руками о край нар, он встает на ноги. Голова кружится, воздух куда-то исчезает из легких. Игнатов стоит, упершись руками в вертикальное бревно-стойку и ждет, пока стены перестанут качаться. Выровняв зрение и дыхание, шагает к выходу.

На нарах плотными кучками, обнявшись, лежат переселенцы. Не двигаются. Может, спят. Он велел дежурным проверять людей по утрам: если случится труп – сразу вынести наружу. Наверное, нужно сделать проверки более частыми – дважды в день.

У печки слабо шевелится небольшая груда тряпья – Горелов. Харкает, изредка подкидывает дрова в печь – сегодня он дежурный. Дров мало, на полдня – все, что осталось от великолепных, некогда высоких стогов-поленниц. Топили они в последнее время экономно, понемногу, то и дело разбавляя дрова плетеными корзинками и снегоступами – сожгли все, что наплели за осень, даже *супрематизм* Иконникова, предварительно счищая мягкую березовую кору (ее толкли, вываривали и пили). Но дрова все равно ушли быстро – как растаяли. «А ночью-то – околеем», – мелькает равнодушная мысль.

На бревне у выхода – *выпильной* календарь, изобретение Константина Арнольдовича. Половина августа, сентябрь, октябрь, ноябрь, декабрь, январь и даже февраль, нанесенные твердой упрямой рукой. С марта отметки стали нерегулярными, плохо заметными, неровными, а к апрелю и вовсе пропали. Теперь уже неважно – наверное, апрель кончился.

Игнатов пробирается под жесткой, как древесная кора, шкурой лося, нещадно исполосованной ножом – вырезали кожу из разных мест, разваривали, но есть все равно не смогли, слишком жесткая. Зато съели обе рогожи. И хвою с лапника, уложенного на нары для мягкости. И заготовленные Лейбе лекарственные травы.

Игнатов упирается теменем в наружную дверь, толкает, ползет наружу – в открывшуюся щель плещет свежим воздухом и звоном капели. Перед глазами – просторная, местами укутанная снегом, местами уже дышащая бурой землей поляна; черными кругами – оставшиеся от поленниц основания из речных камней. Лес вдали – тихий, прозрачный: нежно-серые стволы пообтрепавшихся за зиму елей, бело-черные, в тонких волосах ветвей – редкие березовые, ломкие рыжие кружева можжевеловых кустов.

От густого прелого духа земли опять кружится голова. Игнатов, все еще на корточках у входа в землянку, отдыхает, разглядывая сквозь полуприкрытые веки темнеющую внизу Ангару. Она вскрылась несколько дней назад. Всю зиму пугала, дыбилась льдом, подбиралась к пригорку. Потом заблестела местами, пошла большими серыми пятнами, заиграла на солнце – и однажды вдруг грохнула, разбилась в угловатые куски ослепительно-белого льда, поплыла. «Врешь – не возьмешь», – думал тогда Игнатов, наблюдая за быстрым и грозным ходом льдин по вспученной реке. Сейчас уже успокоилась, потемнела, съела весь лед. Стала такая же синяя, блескучая, как прошлым летом.

Шаркая ногами в развалившихся, потерявших всякую форму сапогах и держа на отлете руку с револьвером, Игнатов шагает в тайгу на охоту. Вслед ему щерятся с кольев черепа: старые товарищи лось и рысь, пара зубастых росомах, плосколобый барсук.

Вот он, птичий гомон, вверху: в скрещении тонких, припухших почками веток и облезлых еловых лап что-то звенит, поет, журчит. Игнатов поднимает голову: пятна голубого, рыжего, желтого, палевого – качаются, скачут, летят. Птицы слишком высоко – не разглядеть, не достать. А почки на обратном пути нужно будет оборвать – на ужин.

Держась за стволы и ветки, обходя подтаявшие с боков сугробы и лужи с черной неподвижной водой, Игнатов медленно продвигается в глубь леса. Ноги сами ведут его куда-то, и он покоряется, шагает. Кое-как перебирается через вскрывшийся недавно и теперь оглушительно звенящий по камням ручей. Поднимается по серой, в буграх прошлогодних шишек земле, меж горящих рыжим огнем сосновых стволов. Тайга манит: скоро, скоро будет добыча.

Он прислоняется спиной к старой высокой лиственнице, громко дышит. Грудь ходуном, ноги сгибаются, складываются пополам, – отвыкли так много ходить. А ведь далеко зашел. Выберется ли обратно? Игнатов прикрывает глаза – от птичьего щебета нестерпимо звенит в ушах. Видно, обманывает тайга, заманивает – обратно не выпустит.

Вдруг шорох – совсем рядом. На ветке у самого игнатовского лица – белка: худая, грязно-серая, с тощим белым подпушком и желтыми щеками, длинными разбойничьими кистями ушей – мясо! Зыркает блестящим карим глазом и – юрк! – по стволу вверх. Он тянет вверх дрожащую руку с мгновенно отяжелевшим, словно пудовым револьвером. Облезлая метелочка хвоста насмешливо мелькает в вышине, дразнится – сливается со щетками веток, со слоистой корой, с игольчатыми солнечными лучами, пропадает. А от удара белкиного хвоста небо вдруг начинает кружиться, быстрее, быстрее; за ним – верхушки деревьев, облака...

Игнатов жмурится, роняет голову. Повернуть назад? Впереди – зовут, кричат, обещают птицы. Прижмурив веки, опустив глаза, не глядя на обезумевшее небо, он шагает вперед. Спотыкается о сосновый корень, падает. Как же раньше не догадался, что ползком удобнее? Передвигается дальше на четвереньках, смотрит только в землю.

Совсем близко, меж узловатых сосновых корней, мелькает нежно-розовая спинка, блестит пара любопытных глаз – деловито прыгает куда-то крупная сойка. Так вот кто пел все это время! Вот кто заманил его сюда! Игнатов наводит на сойку неверную руку. Порск! – улетела. Он поднимает вслед за ней взгляд, но, увидев прежнее кружение небосвода, торопливо опускает.

И вдруг понимает, что все это время полз на утес. Давно здесь не был, с осени. И до вершины осталось – совсем немного. Если б только это чертово небо перестало вертеться хоть на миг... Собрав силы, Игнатов ползет вверх.

Еще издали замечает на самой вершине, на клочке согретой солнцем земли меж камней ослепительно-зеленую поросль свежей травы с ярко-желтыми звездами цветков. Сжимает мышцы, змеей бросается вперед, падает на траву лицом, рвет зубами, жует. Мычит от наслаждения – прекрасный свежий вкус наполняет рот, разливается по жилам, молодым вином ударяет в голову. Счастье! Желудок вздрагивает – сильно, неумолимо. Плохо прожеванная изумрудная зелень с вкраплениями желтых цветков вперемешку со слизью и желудочным соком выплескивается на траву. Игнатов ревет и судорожно кашляет, стучит револьвером по земле – все выблевал, до последней травинки. Надсадно дыша, роняет лицо в грязь, в не принятую его нутром траву и понимает: это конец – домой не дойти, сил нет.

Не выкормил он переселенцев. Не спас.

С усилием подносит к лицу холодное, неподъемно тяжелое тело револьвера, сует длинный ствол в рот – зубы клацают о железо, твердая мушка царапает небо. «Сволочи», – мелькает последняя мысль.

Вдруг чувствует, что небо вверху перестает вращаться. Поднимает взгляд: вдали, на ярко-синей ангарской воде, отчетливо темнеет длинное коричневое пятно баржи и жирная черная точка рядом – катер.

Поселок

Зиновий Кузнец выпрыгивает из лодки. Крупные холодные брызги падают на его тщательно натертые ваксой крепкие сапоги – и отскакивают, скатываются обратно в Ангару. Хозяйским взглядом окидывая каменистый пляж и нависающий над ним пригорок, он не торопясь идет по берегу. Сзади уже с шипением врезаются в землю носы других лодок, стучат весла, гремят цепи, несутся крики конвойных вперемешку с робкими голосами контингента.

– Кудыть?! Кудыть ты все попер?! Кинь у воды, нехай сами разбираются.

– Стоять, собаки! Кучней становись! Ровней! Кррррасивей!

– Не плачь, Вано, приехали уже, видишь...

– Товарищ Кузнец! Строить их – или так пускай стоят, сбродом?

– Я думал – в настоящий поселок едем, где люди, а тут...

– Списки-то, списки – где?!

– По головам пересчитай, Артюхин! Тоже мне – математик...

Внезапно голоса обрываются. Кузнец поворачивает гордый профиль на наступившую за его спиной напряженную тишину.

С пригорка спускается, пошатываясь и странно приседая, будто приплясывая на плохо гнущихся ногах, странная темная фигура. Человек. Лохмотья на нем грязные и ветхие, потерявшие цвет, бесформенные сапоги чем-то обвязаны, через грудь крест-накрест – затертая бабья шаль; волосы гривой, борода мочалкой. Шагает медленно, с усилием. Скоро становится видна его измазанная грязью морда, выпученные, совершенно дикие глаза и револьвер в напряженно вытянутой руке.

Кузнец щурит карий глаз. Показалось? Или все же...

– Игнатов, ты?! Мать честная – живой! Вот уж не думал...

Игнатов бредет, видя впереди одну мишень – светлую, круглую, словно очерченную циркулем харю Кузнеца с изумленно распахнутыми щелками добродушно-сытых глаз. Подлое небо опять кружится, увлекает в свой неистовый бег, но Игнатов не поддается, упрямо переставляет ноги. Долго, очень долго круглая харя приближается, что-то торопливо бормочет; кузнецовский голос несется издалека – не то из леса, не то из-под воды.

– Как ты тут, голуба? Ханурики твои где? Выжили? Во дают, черти, а?! А у нас тогда такое началось... Кулачье повалило эшелонами... Не до тебя было, уж прости...

Наконец харя оказывается совсем рядом. Хочется что-то сказать напоследок, но слова куда-то делись из памяти. Игнатов мычит и приставляет дрожащий револьвер к широкой кузнецовской груди. Курок – тяжелый, тугой, словно врос. Он сжимает зубы и всю волю, все остатки сил направляет в указательный палец. Жмет спусковой крючок – револьвер сухо щелкает.

Кузнецовская харя смеется, сжимает глазки:

– Кто старое помянет – тому, как говорится...

Игнатов сглатывает сухим горлом и снова жмет крючок – еще один щелчок.

– Хорош обижаться, Игнатов, – уже хохочет Кузнец. – Все, новая жизнь у тебя начинается. Смотри, какой я тебе контингент привез – на них пахать можно...

Чьи-то руки осторожно забирают револьвер из скрюченных игнатовских пальцев. Улыбка Кузнеца расплывается, растворяется в нестерпимо ярком солнечном свете. Небо делает еще один, последний круг и накрывает Игнатова, как простыней...

Первое, что он увидел очнувшись, было круглое и довольное лицо Кузнеца. Застонал, как от боли. А тот по руке его хлопает: мол, ничего, брат, скоро придешь в себя. Двое суток, говорит, ты проспал. Проснулся вчера ненадолго, сожрал весь мой офицерский шоколад – и опять спать. Неужели ничего не помнишь? Игнатов мотает головой, приподнимается на локтях: лежит на каких-то мешках под брезентовым навесом у большой ели. Укрыт тулупом. Со всех сторон – визг пил, грохот топоров, перестук молотков, матерок соленый.

– Где, – говорит, – я?

– Да все там же, – смеется Кузнец (горазд смеяться, морда усатая). Сам сидит на каком-то чурбачке рядом, черкает карандашом в планшете.

– А люди мои где?

– Живы твои покойники, не полошись. Все до одного. Живучие, черти! Никогда таких тощих не видел. Мы их пока в землянке оставили, чтобы ветром не посдувало.

Игнатов откидывается обратно на спину. Лежал бы так – вечно: смотрел на ленивое шевеление хвои над головой, слушал запах еловой смолы, деловитые голоса людей. Он ощупывает ладонью тугие бока мешков под собой.

– Это что?

– Продовольственный фонд, – Кузнец произносит это так просто, словно говорит о воде или воздухе.

Игнатов быстрым движением перекатывается на бок, оказывается на земле. Слабыми руками нащупывает завязки, тянет, рвет на себя – один из мешков открывается. Внутри – мелкая россыпь длинных и острых грязно-серых зерен в серебряных ошметках шелухи. Он погружает руку в прохладную рассыпчатую глубину мешка, достает полную горсть – горьковато-мучнистый, немного пыльный запах касается ноздрей: овес.

– А ты думал! – Кузнец смотрит на Игнатова по-отечески, как на малолетнего сына, восхищенного новой игрушкой. – Да ты лучше вокруг, вокруг посмотри.

Игнатов, превозмогая слабость, садится рядом с мешками (не может он на хлебе – лежать), прислоняется спиной к липкому от смолы еловому стволу, оглядывается. За прошедшие дни лагерь преобразился. Землянка по-прежнему стоит на месте, из трубы вьется тонкая мятая лента дыма («Подтопили печь-то, – с облегчением вздыхает он. – И на том спасибо»), а вокруг – кипит жизнь. Незнакомые люди – сотня? больше? – суетятся, бегают, таскают сверкающие ровными сливочно-желтыми спилами бревна, машут топорами, стучат молотками. Земля щедро усыпана щепками, опилками, кусками коры, обрезками дерева, в воздухе такой густой смоляной дух, что хоть ложкой ешь. Десяток рядовых в сером и при оружии – тут же: надзирают, подгоняют, покрикивают. Посередине пригорка растут основания трех широких и длинных строений – будущие бараки.

Вокруг костра шурует пара баб, сытный запах поднимается над двумя кипящими на огне ведрами.

Под елью, где сидят Игнатов с Кузнецом, – груда ящиков, коробок, мешков, укрытых рогожей связок лопат и вил, больших корзин, ведер, котлов – ага, натуральный фонд.

– Знатно, – только и может сказать Игнатов. – Лихо ты тут... распорядился.

– А то! – Кузнец со значением ведет могучим римским подбородком, рассеченным продольной складкой. – Раньше ведь я был – кто? Так, охраняющая функция. А ты? Сопровождающая функция! А нынче мы с тобой – всецело ответственные лица. Все кулачье теперь – наше, голуба.

Так Игнатов узнает, что с тысяча девятьсот тридцать первого года все трудовые поселки, созданные для обитания и трудового перевоспитания раскулаченных, отданы под ведомство ОГПУ и вошли в созданную всего полгода назад, но уже успевшую эффективно себя зарекомендовать систему ГУЛАГа. На молодое и успешное управление была теперь возложена ответственность за надзор, устройство, хозяйственно-бытовое обслуживание и трудоиспользование переселенцев.

– А уж мы с тобой, Игнатов, в грязь лицом не ударим, развернемся. Научим эксплуататоров пролетарскому труду и покажем, что такое настоящая советская жизнь. Вон там, у леса, – лазарет срубим. У бараков, сбоку, – столовую. А на возвышении – комендатуру. – Кузнец долго и пристально смотрит на Игнатова.

– Домой-то – когда? – Игнатов ищет по реке глазами – находит лишь кузнецовский катер, болтающийся на якоре недалеко от берега; видимо, баржа ушла сразу после выгрузки людей.

– Я вечером ухожу. – Кузнец складывает карандаш в твердый кожаный планшет, крепко застегивает ремешок. – И так уже с тобой засиделся.

Игнатов чувствует, как медленно и больно, до хруста, стискиваются челюсти – аж в висках ломит.

– Мы, – говорит он через минуту сквозь зубы. – Мы вечером уходим.

– А далеко собрался-то? – Кузнец спокоен и миролюбив, будто обсуждает, не сходить ли им вдвоем по ягоды.

– Домой, – шипит Игнатов. – Домой я собрался, харя твоя улыбучая.

– Ага, езжай. Там у вас в Казани как раз – самое горячее время. Что ни день – то новая подпольная группировка раскрывается. То вредители, то меньшевики, то немецкие шпионы, то английские, то едрить-лешего еще какие. Как началась с прошлой весны катавасия, так и покатилось... Из одного ТатЦИКа человек тридцать уже сидят, сволочей продажных. Ну и в управлении не без иуд. Пересажали у вас там всех в ГПУ, Игнатов, – непонятно, кто работать остался. Статья даже была в «Правде», «Татарская гидра» называлась.

– Врешь, сука!

– Так я тебе привезу, газетку-то, – Кузнец невозмутим, даже ласков. – Весь вечер в библиотеке просижу, времени не пожалею, а найду – сам и почитаешь.

Врешь, твердит про себя Игнатов, врешь, врешь... А перед глазами уже: разворошенный кабинет Бакиева, двое солдат с напряженными взглядами у входа и серый силуэт, перебирающий кипы бумаг на столе. Неужели Бакиева тогда не выпустили? Это он-то – *гидра*? Глупость. Чушь. Бред.

– Только ведь ты не доедешь, – замечает Кузнец. – Видел я твое дело. Это же просто сказка на ночь, *Тысяча и одна ночь* называется: и убыль в эшелоне несметная, и организованный побег в полсотни душ, и укрывание важного свидетеля от следствия (да не просто свидетеля – кула́чки, заметь!), и – подумать только, Игнатов! – дача взятки должностному лицу, начальнику железнодорожной станции. Уж ты расстарался – другому и не угнаться.

Игнатов – кулаком об землю, глаза закрыл. Прав Кузнец, по всем статьям прав.

– ...Так что не рыпался бы ты, голуба. Мы тебя здесь оформим, припишем. Посидишь пока за моей широкой спиной, замолишь грехи. Хватятся через пару лет – а вот он ты, уважаемый комендант, большой человек, план даешь такой, что им и не снилось. Труженик Сибири! Кто тебя тогда тронет... – Кузнец встает, оправляет ремень, планшет на боку. – Пойдем. Документы тебе сдам, с людьми познакомлю. Только сперва – отмыться и переодеться в чистое. А то испугается тебя личный состав, за лешего примет.

– Тебе-то я зачем? – измученно спрашивает Игнатов, глядя снизу на могучую фигуру Кузнеца.

– Людей не хватает. Поселков уже по тайге – скоро сотня. На кого их оставишь? Кому доверишь? А спросят – с меня. По тебе, Игнатов, видно – идейный ты, до ногтя. Потому отдаю тебе двести душ –

и спокоен. Выкормил зимой своих доходяг – выкормишь и этих.

– Откуда знаешь? – Игнатов медленно поднимается, опираясь рукой о липкий, в белых потеках смолы ствол. – Может, я – гидра?

Ноги еще слабые, подрагивают, но уже держат: шагать можно.

– Темный ты, Игнатов. У гидры голов много, не сосчитать. Одним змеенышем на ее башке ты быть можешь, а всей гидрой – нет. Знать надо такие вещи.

А газетку ту Кузнец все-таки привез. Явился через месяц, в начале лета. Игнатову из окна хорошо был виден его длинный и черный, с хищными усами антенн и выпученными глазищами фонарей катер, вдруг нарисовавшийся на темно-синем зеркале воды. Комендатура располагалась на самой высокой точке пригорка, и отсюда одинаково хорошо обозревался и поселок, и широкая лента берега, и сама Ангара.

«Не пойду встречать», – подумал тогда и быстро набросал на самодельный стол из перевернутого ящика сухарей, рыбы вяленой, котелок с размазанными по стенкам остатками вчерашней каши: будто обедал. Спрятавшись за проемом окна (рамы и стекла еще не вставили, обещали к середине лета привезти), наблюдал, как судно быстро, по-хозяйски кинуло якорь у берега и сплюнуло на воду маленькую деревянную лодку.

По берегу к лодке торопливо и старательно бежала какая-то фигура, аж галька из-под ног летела, – Горелов. Спешил показаться на глаза начальству, оставил вверенный ему участок (достраивали лазарет). Вкатать бы ему за это карцеру пару дней, лизоблюду. Но карцера в поселке не было.

Горелов ринулся в воду не разуваясь. Поймал острый лодочный нос, вытянул на берег. Что-то торопливо говорил, мелко кивая лохматой собачьей головой, кривил позвоночник то в одну, то в другую сторону – выслуживался. Начальство не слушало – прыгнуло на землю, бросило Горелову канат и зашагало к комендатуре.

Игнатов сел за стол, положил на полусырой, крошившийся сухарь мелкую жесткую рыбеху в белых потеках соли. Откусить не успел – Кузнец распахнул дверь резко, без стука. Вошел быстро, как к себе домой. Посмотрел на застывшего с сухарем в руке Игнатова, шмякнул перед ним на стол свернутую вчетверо газетку. Почитай, говорит, пока, а я тут у тебя сам осмотрюсь, не беспокойся. И – вон.

Газетный лист – обтрепанный по краям, пожелтевший до темноты, прохудившийся на сгибах. Игнатов берет его осторожно, как гада; разворачивает. В правом верхнем углу – лиловый штамп красноярской городской библиотеки, по боку – две драные дыры, словно газету вырвали из подшивки. Сердце стучит низко, холодно – не обманул Кузнец про библиотеку-то.

На первой странице передовица – речь Калинина о героях индустриализации. Далее – групповое письмо парижских ткачих: обращение к работницам Советского Союза с призывом *окружить особой любовью и заботой* бойцов Красной армии. Требование германских безработных о расстреле вредителей, саботировавших социалистическое строительство в советской Сибири... Игнатов листает шершавую и хрусткую, пахнущую сладковатой пылью бумагу. «Пятилетку – в четыре года!», «Даешь сталь!», «Сахарной свекле – образцовый уход!». По подвалам – заметки рабкоров и рабселькоров, поэма о трамвае...

И вдруг – через весь разворот спешат наискосок огромные буквы: «Пригрели гидру». Целый взвод фотографий – мелькают неизвестные и смутно знакомые лица (вроде встречались в коридорах?). И – Бакиев: лицо строгое, торжественное; очки снял, и оттого взгляд немного детский, мечтательный; на груди серебрится орден Красного Знамени. Эту фотокарточку Бакиев делал на партбилет. Статья длинная, подробная, расплескалась мелким шрифтом по развороту. В углу рисунок: чья-то могучая рука сжимает шею выпучившей безумные глаза старухи с добрым десятком змей вместо волос; шея у нее тонюсенькая, дряблая, того и гляди порвется, а змеи – злые, как черти, скалятся на поймавшую их руку, пытаются укусить.

Игнатов трет горло – вдруг запершило, зачесалось.

А ведь Бакиев специально его в командировку отправил. Да, теперь это очевидно. Как он тогда сказал? «Я ведь тебя, дуру стоеросовую...» Что? Спасти хотел, вот что, из-под удара вытащить, отправить подальше. И странный в последнее время ходил, как в воду опущенный, – знал. Знал, а не утек – сидел в своем кабинете, бумажки перебирал, ждал.

Игнатов кладет голову на руки. Мишка, Мишка... Где-то ты теперь?

Со стола таращится полузадушенная гидра.

Свежеструганая дверь распахивается, в проеме – широкая улыбка Кузнеца.

– Ну что, – говорит он, – товарищ комендант. Молодцом! Столовая у тебя – дворец. Лазарет – тоже, хоть всех разом клади. Налаживаешь жизнь эксплуататоров. Пора и о трудовых буднях поговорить. За такую-то столовую – им двойной план полагается.

Игнатов расправляет газету ладонью, кидает сверху еще пару рыбин:

– Садись, начальство.

– Думал – не предложишь, – ухмыляется Кузнец. Присаживается, ныряет в объемистый планшет на боку, выуживает длинную и узкую прозрачную бутыль.

– Стаканов еще не завезли, – говорит Игнатов, разрезая на газете жесткие, словно деревянные, тельца рыбин. – Так будем пить.

Кузнец машет ладонью – о чем разговор! – откупоривает бутыль, с наслаждением втягивает ноздрями запах из тонкого горла. Игнатов пилит кривым самодельным ножом из бывшей одноручки плотные рыбьи волокна и кости – прямо на лице испуганной гидры. Острие то и дело цокает об газету – режет гидру, полосует, крошит в бахрому.

Население пока еще безымянного поселка составляло в июне тридцать первого года сто пятьдесят шесть переселенцев, включая переживших первую зиму *старичков*. Плюс десять человек охраны и комендант.

Жили в трех (после тесноты землянки казалось – невероятно просторных и светлых) бараках. Стены длинных и ровных срубов были оструганы, двери – навешены на петли. Печки обещали привезти из города, железные. У каждого были свои – собственные! – нары. Застилали их все еще лапником, укрывались одеждой. В одном *доме* поселили женщин и детей, в двух других – мужчин. Охрана разместилась в небольшом срубе, пристроенном наискосок к одному из бараков. Комендант, как и полагается начальству, – отдельно, в комендатуре.

Питались в столовой (*в ресторации*, как говаривал Константин Арнольдович). Готовили все еще на костре, но вкушали пищу уже культурно, сидя ровными рядами за празднично-желтыми, пахнущими сосновой смолой столами, под крышей. Ели уху (под Луккой собрали рыболовную артельку из трех человек), реже – дичь (Игнатов отпускал иногда ребят из охраны в тайгу, размяться), еще реже – привезенные из города каши, сухари и макароны (норма выдачи была маленькая, будто детская, но – была!). Иногда перепадал сахар, один раз даже роскошные, практически окаменевшие галеты. Кормили дважды: обед приносили в ведрах в лес, на место работы, а ужинали в столовой. Ели все еще ракушечными ложками (тарелки и кружки завезли, а вот ложки – забыли по недосмотру). Так разве в ложках счастье!

Лазарет срубили большой, на десять коек. В передней части – приемный покой, нары для больных (одноэтажные, Лейбе настоял), в задней – каморка для персонала. Вольф Карлович там и поселился. Выдал Кузнецу список из двухсот позиций – медикаменты и инструментарий к закупке. Тот усмехнулся, в следующий раз привез затертый плоский саквояж с полустершимся красным крестом, на дне которого что-то звякало и перекатывалось. Пусть и не двести позиций, но все же...

По хозяйственному договору, заключенному между ОГПУ и Наркомлесом, поселок был передан последнему для трудового использования в лесной промышленности, а именно – для лесозаготовительных работ. Каждое утро под бодрые крики охраны переселенцы вылезали на утреннюю перекличку, затем шли в тайгу.

Работали *боянами* – двуручными пилами – и топорами (ненавистные одноручки остались в прошлом), в звеньях по трое: двое валили дерево, третий обрубал сучья и собирал в вязанки; пилили на *хлысты* (по шесть метров – строительные, по два – для крепежника), трелевали их к волокуше; впрягались в нее втроем и везли на *катище*, недалеко от поселка, там штабелевали и увязывали.

Вечером возвращались. Заданную норму (четыре плотных метра на человека) давал мало кто, женщины – так вообще никогда, поэтому паек часто срезали. Новенькие жаловались, старички больше молчали, как Иконников, или отшучивались, как Константин Арнольдович. Есть хотелось нещадно, и после ужина многие торопились обратно в тайгу – за грибами (рядом с поселком в изобилии водились боровики и серушки, реже попадались рыжики и даже грузди), ягодами (летом – морошка с черникой, осенью – брусника с клюквой), орехами; не брезговали рогозом (молодые побеги, по вкусу чем-то напоминающие картофель, варили, а пахучую желто-коричневую пыльцу разводили водой и пили); выкапывали мясистые луковицы саранки.

Администрация не возражала. Охранники подобрались в поселке веселые, с огоньком: то соек на ужин настреляют, чтобы похлебка наваристей была, то бабу какую из своих в кустах поймают, порезвятся. Парни были простые, без затей. За ослушание – били, одного пристрелили (не то за подготовку побега, не то еще за что). Коменданта боялись (уж больно суров), а в лесу – отдыхали душой, раскрепощались.

В центре поселка поставили агитационный стенд, на котором то и дело сменялись яркие, остро пахнущие красками плакаты. Агитация была призвана ускорить процесс перевоспитания эксплуататорского класса.

В общем, жизнь налаживалась.

Зулейхе с Юзуфом уступили нижние нары, подальше от входа, куда не долетал сквозняк от постоянно открывающейся двери. Рядом – нары Изабеллы, дальше – бабушки Янипы, еще нескольких ленинградских (*старички* по возможности старались держаться друг друга). Грузинка Лейла, несмотря на солидный возраст и вес, устроилась на верхних. Для нее пришлось набить на стойки пару крепких перекладин, по которым она взбиралась на второй этаж, как по лестнице.

Расторопную Зулейху так и оставили при кухне. Поставили над ней не старого еще, но уже иссохшего, как древесная кора, и до горбатости сутулого мужчину из *новеньких*, с очень хрупким на вид, когда-то наголо обритым, а теперь поросшим редкой черной порослью черепом, – Ачкенази. Он был молчалив, глаза имел вялые, испуганные, полуприкрытые, а подбородок опущенный, словно подставлял бритый затылок любому, кто захочет взять его за шиворот. Ачкенази когда-то был поваром и, говорили, отменным. Он никогда не резал – *шинковал*, не лущил – *очищал*, не жарил – *пассеровал*, не ошпаривал – *бланшировал*, не тушил – *припускал*. Суп называл – *буйоном*, сухари – *гренками*, а куски рыбы и вовсе – *гужоном*. С Зулейхой не разговаривал, лишь перебрасывался короткими фразами, чаще – жестами. Она его слегка побаивалась: Ачкенази был одним из немногих, кто попал в поселок по замене меры наказания, а значит, сейчас должен был бы сидеть в тюрьме или в лагере вместе с настоящими ворами и убийцами. Преступления его Зулейха не знала, но на всякий случай старалась исполнять просьбы быстро и старательно, не раздражать. Впрочем, работать с ним было приятно: дело свое он знал, а к Зулейхе относился ровно, без придирок.

На поврежденную руку новой помощницы смотрел поначалу критически: не помешает ли работе? Концы всех пяти пальцев левой руки были у Зулейхи слегка покореженные, в странных коротких и кривых шрамах, похожих на запятые. «В молотилку попала», – объяснила она новому начальнику, не дожидаясь вопроса. Увидев, как ловко она управляется с дичью и рыбой, он успокоился.

Вдвоем они держали всю кухню в поселке: Ачкенази *мэтром*, по выражению Константина Арнольдовича, а Зулейха – при нем, на побегушках: мыла, чистила, щипала, потрошила, разделывала, резала, терла, скоблила, опять мыла. Ну и разносила обед по лесу. Ведро с похлебкой в одну руку, с питьевой водой в другую, и – вперед: до первой рабочей станции – обратно, до второй – обратно, до третьей... Пока всех обежишь, накормишь – ужин пора ставить. Вечером до нар еле добредала, падала. И думала: счастье, что при кухне.

Во время зимнего голода, который Зулейха вспоминать не любила и не хотела, Юзуф рос медленно, может, и не рос вовсе. Волосы у сына были слабые, жидкие, кожа – бледно-синяя, ногти – прозрачные и ломкие, как пчелиное крыло, зубов – ни одного. Двигался мало, неохотно, словно берег силы, смотрел всегда сонно, капризно; сидеть так и не научился – спасибо, что жив остался. А летом, как только показалось солнце и появилась еда, вдруг стал наверстывать и быстро пошел в рост. Ел много, как взрослый (Ачкенази замечал, что Зулейха его прикармливает, но ничего не говорил, отворачивался). Стал улыбаться, показывая широкие и крепкие пластины прорезавшихся зубов, гулить. Научился сидеть и быстро, как таракан, ползать. Волос на макушке потемнел, закурчавел, а ноги и руки выросли, даже приобрели небольшую младенческую припухлость. Вот только стоять и ходить не хотел совсем. Скоро ему исполнялся год.

К Зулейхе был привязан болезненно, донельзя. Работая на кухне, она то и дело ощущала на подоле его подвижные цепкие ручонки – Юзуф вылезал из-под стола, ощупывал мать и уползал обратно. Убегая по делу во двор или на реку за водой, знала: будет ее искать. Спешила обратно, запыхавшаяся, распаренная от бега, – а он уже сидит на пороге, уже ревет, размазывая по лицу обильные слезы грязными кулачками.

Носить обеды в тайгу поначалу брала его с собой. Измучилась: таскать туда-сюда два полных ведра и увесистого годовалого младенца оказалось делом нелегким, практически невозможным. К тому же в чаще Юзуфа нещадно жрали комары, и он потом долго не мог заснуть, мучаясь от покрывавших нежную кожицу укусов.

Скрепя сердце первый раз оставила его на кухне надолго. Через несколько часов, накормив всех поселковых обедом, прибежала, с колотившимся сердцем распахнула дверь на кухню: тишина. Бросилась искать сына – а вот он, под столом, спит, уткнув опухшее, в белых полосках слез лицо в тряпку, которой она обычно вытирала столешницу. С тех пор стала оставлять ему свой платок – пусть лучше утыкается в него. Голову пришлось носить непокрытой.

В последнее время Зулейха делала многие вещи, которые раньше казались стыдными, невозможными.

Молилась редко, впопыхах. В том, что Аллах их не видит и не слышит, убедилась во время недавнего голода: если бы Всевышний услышал хоть одно из тысяч слезных молений, посланных ему Зулейхой в ту суровую зиму, он бы не смог оставить ее и Юзуфа без своего милостивого попечения. Значит, высочайший взор не достигал этой глухомани. Жить без постоянного внимания и строгого надзора всевидящего ока было поначалу страшно, будто осиротела. Затем – привыкла, смирилась. Иногда, по привычке, посылала в небесную высь небольшие торопливые молитвы – как отправляют короткие письма из далеких и диких мест, не надеясь, что они долетят до адресата.

Ходила в урман одна и надолго. То, что это был настоящий урман – мрачный, глухой, буреломный, – поняла в первый же день, когда, животом холодея от страха, побежала по еле приметной тропе на повал, кормить лесорубов. Знала, что молитвы в урмане не действуют, потому времени на них не теряла – тенью летела меж деревьев, не замечая хлещущих по лицу веток, от ужаса сжимая челюсти и таращa глаза, думая лишь о том, что в поселке ее ждет сын, а значит, она обязана вернуться. Осталась жива – урман не тронул ее. Скоро осмелела, стала не бегать – ходить. Замечала то куницу, черной молнией мелькнувшую в рыжей хвое, то шустрого желтого клеста, спешившего куда-то по еловой ветке, то торжественно плывущую меж красных сосновых стволов гигантскую тушу лося, увенчанную разлапистым кустом рогов, – поняла, что урман милостив к ней, не сердится за вторжение. Когда нашла у старого, поросшего лохматым мохом пня несколько ягод черники (с благодарностью сорвала и спрятала в карман кульмэк – для Юзуфа), успокоилась: урман ее принял.

Духов местных не знала, почитать не умела, лишь приветствовала про себя, входя в урман или спускаясь к реке, – и только. Возможно, водилась и здесь всякая лесная и речная нечисть: длиннопалые озорники-шурале, шныряющие по лесным чащобам в поисках заблудившихся путников; мерзкие албасты, вылезающие из-под земли на запах человечины; лохматые и вечно мокрые обитатели водоемов су-анасы, норовящие утянуть человека на речное дно. Никого из них не встретила Зулейха в урмане – то ли духи не жили вовсе на этих задворках вселенной, то ли были тише и смирней своих сородичей в юлбашских лесах. Можно было попробовать прикормить их, чтобы они дали о себе знать, показались, а после взяли бы под свое покровительство. Но Зулейха даже помыслить не могла о том, чтобы кусок еды – будь то остатки каши, вываренная рыбья шкурка или мягкие тетеревиные хрящики – отдать не сыну, а какой-то нечисти.

Перестала ежедневно поминать мужа, свекровь и дочек – сил не хватало, а все, что оставались, отдавала Юзуфу: казалось глупым, неразумным тратить драгоценные минуты жизни на воспоминания об умерших – лучше было дарить их маленькому живому существу, которое целый день жадно ждало материнской ласки или улыбки.

Работала целыми днями бок о бок с чужим мужчиной (она часто сталкивалась с Ачкенази плечами и даже касалась руками – помещение столовой было тесным).

Все, чему учила когда-то мама, что считалось правильным и нужным в полузабытой жизни в мужнином доме, что составляло, казалось, суть Зулейхи, ее основу и содержание, – рассыпалось, распадалось, рушилось. Правила нарушались, законы оборачивались своими противоположностями. Взамен возникали новые правила, открывались новые законы.

И – бездна не разверзалась у нее под ногами, карающая молния не летела с небес, бесы урмана не ловили в свои липкие паутины. Да и люди не замечали этих прегрешений, не видели – не до того было.

А еще – каждый вечер Зулейха носила ужин в комендатуру.

Переселенцы и охрана ужинали вместе, в столовой: работники за своими столами, охранники – за своим, отдельным. Игнатов же всегда ел у себя, один. Обедал он редко, скудно (перекусывал парой сухарей или куском хлеба), а ужин просил ему приносить обильный, горячий.

Разогрев в мелком котле остатки обеденной похлебки и побросав в большую миску самые жирные и крупные куски рыбы или кашу со дна, погуще, Зулейха ставила все на широкую доску и несла из столовой по пригорку вверх, в небольшой аккуратный домик, единственный в поселке с застекленными окнами. Тропинка вверх была длинная, долгая, и Зулейха шла по ней медленно, осторожно переставляя ноги – собиралась с духом. Она не знала, что происходит. Нет, знала. Она знала, что происходит. Перед собой-то – что таиться...

Поначалу Игнатов словно не замечал ее вовсе. Она входила, робко постучавшись, и, не услышав ни слова в ответ, торопливо ставила еду на стол, чувствуя, как густ и плотен здесь воздух, будто и не воздух – вода. Выныривала обратно в дверь и с облегчением летела вниз по тропинке, глубоко вдыхая и понимая, что в комендатуре отчего-то затаивала дыхание, словно и вправду была под водой. Все это время комендант стоял у окна лицом на улицу или лежал на своей кровати, прикрыв глаза. Не то что не взглянул – бровью ни разу не повел.

А однажды вдруг посмотрел – тяжело, пристально. Она почувствовала этот взгляд, не поднимая глаз. «Все ли хорошо? – спросила. – Достаточно ли солона еда?» Игнатов не отвечал, все смотрел. Выскользнула вон, перевела дыхание. Спускаясь по тропинке, чувствовала этот взгляд на шее, в том месте, где начинают расти волосы. Стала ходить к Игнатову в платке. А он стал на нее смотреть. От этого воздух становился – даже не вода – мед. Зулейха текла в этом меду: напрягая все мышцы, вытягивая сухожилия – а медленно, как во сне. Случись пожар – не смогла бы двигаться быстрее. Выходила за дверь усталая, словно дрова рубила, всегда хотела пить.

Она знала, что происходит: так смотрел на нее Муртаза – много лет назад, когда юная Зулейха только вошла к нему в дом женой. Убийца мужа смотрел на нее взглядом мужа.

Ей бы не ходить в Игнатову, не попадаться на глаза. А как не пойдешь – не Ачкенази же к нему с тарелками посылать... И она ходила: медленно поднималась по тропе, открывала тяжелую дверь, вдыхала поглубже и – ныряла в густой тягучий мед. Ощущала, как в мед постепенно превращается и она сама, она вся: руки, которые ставили котел на стол и словно стекали по нему; ноги, которые шагали по полу и словно приклеивались к нему; голова, которая хотела гнать ее прочь с этого места, но мягчела, плавилась, таяла под крепко-накрепко завязанным платком.

Убийца мужа смотрел на нее взглядом мужа – и она превращалась в мед. От этого становилось мучительно, невыносимо, чудовищно стыдно. Словно весь ее стыд, прошлый и настоящий, слился воедино, вобрал в себя все, за что недостыдилась в этот безумный год: за многие ночи, проведенные бок о бок с чужими людьми, чужими мужчинами – в темноте казематов и тесноте вагона; за беременность, выношенную на людях, с первых месяцев и до конца; за прилюдные роды. Чтобы хоть как-то укрыться от этого стыда, преодолеть неподобающие мысли, Зулейха часто представляла себе большой черный шатер из толстых, грубо выделанных овечьих шкур, наподобие башкирской юрты. Шатер плотной крышкой накрывал комендатуру и Игнатова, полог задергивался – все плотское, стыдное, некрасивое оставалось там, внутри. Зулейха вскакивала на большого аргамака и, крепко сжимая его босыми пятками, уносилась прочь не оборачиваясь.

Константин Арнольдович пришел в комендатуру уже затемно, когда отужинавший и утихший поселок спал. Долго несмело скребся у двери. Не получив ответа, семенил вокруг, шаркал ногами, наконец заглянул в окно. И наткнулся на строгое лицо коменданта с жирной красноватой искрой самокрутки в зубах – сидит на подоконнике, курит.

– Ну?

– Гражданин комендант, – Сумлинский произносил шипящие как-то особо тщательно, долго и усердно катая их по небу, и оттого получилось *граж-ж-жданин.* – Гражданин комендант, у переселенцев есть к вам дело.

– Ну?

Константин Арнольдович подбирается, запахивает на груди засаленный пиджачок без единой пуговицы.

– У нашего поселка нет имени.

– Чего нет? – не сразу понимает Игнатов.

– Имени. Названия, если угодно. Сам поселок есть, а названия – нет. Мы живем в не нанесенном на карту и неназванном населенном пункте. Возможно, завтра он прекратит свое существование, но сегодня-то, сегодня! – он есть. И мы в нем тоже есть. И мы хотим, чтобы наш дом имел имя.

– А водопровод с горячей водой – не хотите?

– Нет, водопровод не хотим, – серьезно вздыхает Сумлинский. – Название – оно не требует никаких материальных затрат. Поселку все равно дадут название, рано или поздно. Так вот, мы как... ммм... самые первые его обитатели хотели бы воспользоваться правом его назвать.

Игнатов затягивается. Оранжевый манжет на кончике его самокрутки вспыхивает – острые скулы Константина Арнольдовича загораются на секунду и тотчас опять растворяются в темноте, одни глаза блестят (пенсне свое Сумлинский потерял в лесу еще осенью – пришлось обходиться без него; лишенные привычного золотого обрамления глаза его с тех пор казались иногда чересчур пронзительными, даже дерзкими).

– И как же вы хотите назвать... это все?

Константин Арнольдович смущенно усмехается, отчего-то кивает головой.

– Вила, – произносит он наконец торжественно.

– Как?!

– Понимаете ли, – речь Сумлинского внезапно становится торопливой, – это акроним: сокращение, образованное путем слияния первых букв. Мы взяли четыре имени: Вольф, Иван, Лукка и Авдей. Получается: Вэ, И, Эл, А – Вила. Все просто!

Троих он знает, а Иван? Нет среди *старичков* никакого Ивана, Игнатов точно помнит. Он выпускает дым в темноту, где слышно взволнованное дыхание Константина Арнольдовича.

– Четыре человека, спасшие наши жизни этой зимой, стоят того, чтобы их именем был назван поселок. Не считаете?

Где-то на Ангаре громко плещет увесистая рыба.

– Вот еще какой момент... – Константин Арнольдович делает шаг к окошку, сжимает на груди руки в замок. – Они не знают, что мы хотим их... ммм... увековечить. Ни Вольф Карлович, ни Авдей с Луккой. Вы вот теперь знаете.

Откуда переселенцы узнали, что его зовут Иваном? Кроме как *гражданином комендантом* его никак не называли, только зарвавшийся Горелов иногда – *товарищем Игнатовъым.* И что это: его именем – трудовой поселок?! Черт, лешего за ногу... Игнатов давит окурок о плоский камешек на подоконнике, швыряет в темноту.

– Нет, – говорит.

– Официальное объяснение мы предлагаем совсем другое! – Сумлинский подскакивает к окну, вцепляется в раму сухонькими лапками. – Мы же все понимаем. Вы не думайте... Мы сообщим, что называем так поселок в честь Владимира Ильича Ленина – Ви-ла!

Он довольно хихикает, потирая ладони.

– Нет, – повторяет Игнатов. – Никаких вил с граблями.

– Отлично! – отчего-то радуется «бывший», словно получив одобрение. – Мы так и думали, что вы не согласитесь! И приготовили запасной, более... ммм... конспиративный вариант.

– Идите спать, Сумлинский, – Игнатов берется за открытую створку.

– Семь рук! – торопливо и страстно восклицает Константин Арнольдович в закрывающееся окно. – Потому что на четверых у вас – семь рук. Давайте назовем поселок так – никто и никогда не догадается, слышите? А имя – звонкое, возможно, даже уникальное...

Окно с треском захлопывается. Сквозь толщу стекла видно, как худенькая фигурка с опущенными плечами семенит по тропе вниз, в поселок.

...Сумлинский как в воду глядел. Через пару недель во время очередного обхода владений Кузнец между делом бросил Игнатову:

– Имя твоему поселку хотим дать, комендант. Будешь теперь – Ангара двенадцать. Так на карте и нарисуем.

– Есть уже имя, – неожиданно для себя возразил Игнатов. – Зимой в землянке нечем было заняться – составили.

– Ну?! Что ж молчал?

– Гвозди гну. А ты и не спрашивал.

– И как же вас теперь звать-величать? – Взгляд Кузнеца внимательный, цепкий.

– Семь рук, – не сразу ответил Игнатов.

– Заковыристо. Вам не поп часом имя снарядил?

– Чего-о-о?!

– А то! Предрассудками религиозными ваше имя пахнет, вот чего. Серафимами шестикрылыми и прочими явлениями.

– Дурак ты, Кузнец, хоть и начальство. – Они недавно перешли на имена, но во время споров по-прежнему хлестали друг друга фамилиями. – Контингент у меня – сплошь татары да мордва с чувашами, они, может, и попа живого ни разу в жизни не видали, не то что про серафима...

– Черт с тобой! – махнул рукой Кузнец. – Пусть будет Семь рук!

Так придуманное Сумлинским имя осталось жить, полетело по бумагам, по инстанциям. В общем чрезвычайно длинном списке новообразованных населенных пунктов (а их к тому времени в Восточно-Сибирском крае было уже под добрую сотню) попало на утверждение к председателю Иркутского обкома партии. Ветреная машинистка в печатном отделе, донельзя расстроенная тем, что вчера не удалось прикупить у спекулянта вожделенные фильдеперсовые чулочки за три рубля, допустила опечатку в названии: написала его без мягкого знака. Списки утвердили. Наборщик в типографии принял нужный пробел за ошибку, исправил – и во все справочники, на все карты поселок вошел под несколько измененным, но не менее звучным названием: Семрук.

Впервые это случилось в конце июля. Зулейха тогда и не поняла ничего. Она только внесла на кухню два полных ведра с водой, потащила к разделочному столу, где, согнувшись крючком, Ачкенази уже колдовал над раскинутыми веером на столе перламутровыми рыбинами.

Ждавший мать у двери Юзуф метнулся к ней на корточках, как зверок, – и вдруг рухнул на пол, лежит без движения, как подстрелили. Она – к нему, схватила, трясет. У того лицо белое, губы – сизые, с чернильным отливом, сам – не дышит. Ачкенази ей: «В лазарет, быстро!» Подхватила вмиг захолодевшее неподвижное тельце, полетела.

Лейбе какого-то старика осматривал, у которого от истощения кожа слоями начала сходить, как сосновая кора. Зулейха сына на стол положила, как раз между стариком и доктором, вцепилась в Лейбе, подвывает, объяснить ничего не может. Тот осмотрел мальчика, послушал, нахмурился и вкатал ему какого-то остро-пахучего лекарства из длинного и тонкого, как палец, стеклянного шприца.

– Благо, – говорит, – что привезли все в прошлом месяце – и лекарства, и шприцы.

Через минуту Юзуф очнулся, глазками хлопает, сонный. Зулейха все воет, никак успокоиться не может.

– Ладно уже, сейчас-то... – переводит дух Вольф Карлович (а сам тоже – ворот расстегнул, воды полкружки выпил). – А вот если в следующий раз что – немедленно ко мне.

Понесла Юзуфа обратно на кухню. Идет по поселку, вокруг – все качается, а она сына к себе прижимает, никак наобнимать не может. Стала рыбу чистить – глаза все время под стол тянутся, куда уполз сонный Юзуф. Каждую минуту приседала проверять: все ли в порядке, не упал ли опять. Тот в комочек свернулся – и спать. Зулейха подползала к нему, слушала: дышит ли? «Я бы отпустил вас сегодня домой, Зулейха, но это может не понравиться администрации», – словно извиняясь, произнес тогда Ачкенази. Это была самая длинная фраза, которую он сказал ей за все время.

Через несколько недель повторилось еще раз, уже вечером, когда Зулейха с Юзуфом укладывались ко сну. Опять отнесла к доктору, опять сделали укол.

Она перестала спать по ночам. Как уснешь, если это и ночью может случиться? Лежала рядом с сыном, слушала его дыхание – стерегла. Отлучки на лесоповал с обедом для работников стали мучением. Бежит Зулейха с полными ведрами по тропинке, а сама думает: вдруг с ним сейчас – это? Или через минуту? Через две? Ачкенази ничего не заметит, он дальше разделочной доски взгляд не поднимает. Да и Юзуф постоянно под столом. Прибегала каждый раз взмыленная, с разрывающимся от бега сердцем, кидалась под стол: жив ли? Управляться с делами на кухне стала хуже. Боялась, что Ачкенази пожалуется и ее сошлют с кухни на общие работы. Но тот оказался человеком с сердцем, терпел.

А в августе это все-таки случилось ночью. Зулейха глядела в темноту открытыми глазами и слушала дыхание Юзуфа – будто качалась на волнах: вдох–выдох, вдох–выдох, вверх–вниз, вверх–вниз. Усталость последних недель тянула за ноги куда-то в глубину, в черный сон. Чуть смежила веки – сладко, уютно – погрузилась с головой. Вода укачивает, уговаривает, вдруг рядом – лицо Игнатова, спокойное, ласковое. Руку мне, говорит, давай, утонешь же в меду. Глядь – а вокруг все желтое, словно из золота. Высунула кончик языка – и вправду: мед. От этого и проснулась. Во рту сладко, густо от слюны. Звуки – и дыхание соседей, и храп, и шевеления ночные – все где-то далеко, не здесь. Рядом тихо, благостно.

Юзуф – не дышит.

Она его – трясти. Нет, не дышит. Кинулась с ним к лазарету, босая, с распущенными косами. В небе кругляш луны, как тэнке, с Ангары ветер хлещет, под ногами шишки, палки, камни, земля – ничего не заметила. Сначала колотила в переднее окошко, чуть стекло не выбила (к тому времени их уже и в лазарете вставили) – никого. Опомнилась, побежала вокруг, назад, к жилой части.

Лейбе выскочил к ней лохматый со сна, в одних истертых до полупрозрачности кальсонах. Керосинку зажег, мальчика – к себе на кровать. У Юзуфа уже и кончик носа, и лоб, и руки – ледяные. После укола задышал, закряхтел, заплакал. У матери на руках успокоился, опять заснул. А у Зулейхи самой – руки дрожат, сильно, по-плохому, чуть ребенка не выронила.

– Положите-ка сына, – говорит ей Лейбе шепотом. – И успокойтесь.

Она кладет Юзуфа на докторову подушку (вывернутый наизнанку малахай). Ноги – подламываются, не держат. Оседает – коленями на свежеоструганные половицы, телом на кровать, лицом к потеплевшим сыновьим пальчикам.

– И в этот раз обошлось, – Лейбе протягивает ей кружку воды. – Хорошо, что вы заметили. Еще бы несколько минут...

Зулейха хватает морщинистую, в сыпушке коричневых пятен руку доктора, тянется к ней губами. Вода выплескивается из кружки на пол.

– Прекратите немедленно! – сердится тот, вырывает руку. – Пейте лучше!

Она берет кружку. Зубы стучат о жесть дробно, громко – не разбудить бы Юзуфа. Отставляет воду: потом напьюсь.

– Доктор, – шепчет Зулейха, не вставая с колен (и сама себе удивляется – ее ли уста говорят?), – разрешите нам пожить в лазарете – мне и Юзуфу. Я ведь не вынесу, если с ним что. Не прогоняйте, позвольте остаться. Спасите. А я для вас все – и постирать, и прибраться, и ягод набрать. И с больными могу помогать, если надо. Лишь бы Юзуф был по ночам здесь, к вам поближе.

– Живите, сколько хотите, – пожимает плечом доктор. – Если комендант не будет против.

Через полчаса Зулейха перетащила свои нехитрые пожитки в лазарет, Юзуф даже не успел проснуться – так и проспал спокойно на докторовой меховой подушке всю ночь, до самого утра.

К коменданту Лейбе пошел сам, не дожидаясь вопросов. Так и так, доложил, пациент требует стационарного лечения. На производительности труда Зулейхи Валиевой данная ситуация никак не скажется. Игнатов посмотрел хмуро, недобро, но возражать не стал.

Зулейхе с Юзуфом выделили нары, отгородили занавеской. После духоты общего барака пахучий воздух лазарета – карболка, спирт, можжевельник, брусничный лист, зверобой, багульник – казался чистым и свежим. Утром, с Юзуфом под мышкой, Зулейха убегала в столовую. Вечером спешила обратно и вместо обычных походов в лес за серушками или рогозом убирала лазарет. Промывала полы, стены, столы, лавки, окна, нары (даже те, которые пустовали) – боролась с антисанитарией. Затем перебиралась на жилую половину – драила половицы, сложенную из камней большую печь, скребла крыльцо. Перестирала в Ангаре всю одежду доктора. Научилась кипятить в котелке бинты и нехитрые медицинские инструменты.

– Не надрывайтесь, прошу вас! – восклицал Лейбе, поднимая к низкому потолку длинные сухие ладони. – Идите лучше спать!

Они дежурили у постели Юзуфа попеременно, по полночи. Лейбе утверждал, что у него самого сон уже короткий, старческий и потому ему легко даются ночные дежурства. Если бы это был кто угодно другой, Зулейха не смогла бы заснуть, но доктору доверяла – ложилась и проваливалась в черноту сна, без мыслей, без сновидений.

Доктор сам предложил на время ее дневных отлучек на лесоповал приносить Юзуфа из столовой обратно в лазарет, и Зулейха с благодарностью согласилась.

Когда в стационар положили лимонно-желтого, с постоянным надрывным кашлем и черными подглазьями мужчину, Вольф Карлович велел им перебираться к нему, на жилую половину. Зулейха замялась было – что люди скажут? – но, встретившись со строгим взглядом доктора, торопливо перенесла сына в заднюю часть лазарета, за прочную дверь.

Это было в конце лета. Начинался второй год пребывания переселенцев в поселке.

Зулейха ставит котелок с бинтами в горячую печь. Она всегда стирала и выполаскивала бинты в Ангаре, в проточной воде, руки после этого деревенели, ныли, – тем приятнее приложить их к жаркому печному боку, вновь ощутить ток крови в ладони, почувствовать кожу на кончиках пальцев. Огонь под днищем закопченного дочерна котелка трещит, жадно доедая брошенное полено. Пока вода закипит, Зулейха успеет сбегать на двор за дровами – кипятить бинты полагалось недолго, но она любила выварить их основательно, до белизны.

Юзуф возится на полу – ползает, играет глиняными игрушками. Их вылепил Иконников: сначала пузатого, похожего на толстое веретено пупса с пухлыми и словно вывернутыми наружу губами; затем важную хохлатую птицу с мохнатыми ногами и смешными, не приспособленными для полета крыльями; крепкую увесистую рыбину с нагло выпученными глазами и упрямой нижней челюстью. Игрушки были хороши – не слишком крупны и не чересчур мелки (каждая легко и удобно ложилась в маленькую детскую ладонь), не тяжелы, а главное – смотрели, как живые. У них было и еще одно, чрезвычайно важное преимущество: отбитые Юзуфом ноги, крылья и плавники имели обыкновение отрастать заново после того, как Иконников заглядывал в лазарет по своим делам.

Зулейха спешит во двор, пока сын увлеченно сталкивает хрупкими глиняными лбами вечных соперников, птицу и рыбу, и не заметит ее ухода. Дверь распахивается сама – на мгновение раньше, чем Зулейха успевает ее коснуться. В проеме, сквозь бьющие в лицо солнечные лучи – высокий темный силуэт. Широкое платье до пят бьется на ветру, сурово стукает о порог корявый посох.

Упыриха.

Шагает в избу. Ведет носом, дергает широкими ноздрями, втягивает воздух.

– Пахнет чем-то, – говорит.

Зулейха отскакивает назад, закрывает спиной играющего на полу Юзуфа. Тот ползает себе, лепечет что-то под нос, таранит ручонкой с крепко зажатой рыбиной спешно отступающую под вражеским натиском птицу – словно и не замечает ничего. Свекровь идет, шумно принюхиваясь и расшвыривая клюкой попадавшиеся на пути вещи, словно ясно видит их: вот грохнулся перевернутый стул, катится, звеня, пустое ведро, летят со стола на пол пустые глиняные плошки.

– Пахнет! – повторяет она громко и настойчиво.

В избе крепко пахнет раскаленными печными камнями и кипящими бинтами, немного – дымом, сухими дровами, свежим деревом. Витает еле слышный запах карболки и спирта, от висящих под потолком толстых пучков трав идет пряный цветочный аромат.

Старуха приближается. Зулейха видит плоские белые глазницы, подернутые голубоватой, как кожа свежеочищенной рыбины, пеленой и покрытые толстой сетью узловатых красных сосудов, аккуратную дорожку пробора ровно посередине лба, мягкие и очень редкие волосы цвета пыли, свитые в длинные тонкие косы.

Упыриха втягивает в себя воздух сильно, аж ноздрями хлюпает. Кончиком палки тянется к подолу платья Зулейхи, приподнимает, обнажая ее бледные, словно светящиеся в полутьме избы голые ноги (шаровары Зулейха пустила на пеленки давно, еще прошлой осенью). Старуха ухмыляется – уголок рта ползет вверх и утопает в крупных складках морщин.

– Нашла, – говорит, – чем пахнет: фэхишэ – блядью.

Так Зулейху еще никто не называл. Противное удушливое тепло поднимается от груди по шее, по щекам, по лбу – до самой макушки.

– Да! – повторяет Упыриха громче. – Блядью, что думает по ночам о русском мужике Иване, убийце моего Муртазы...

Зулейха мотает головой, жмурится. А что возразишь?

– ...А живет – с немецким мужиком, иноверцем Вольфом!

– Мне сына вырастить нужно, – шепчет Зулейха пересохшим горлом, – на ноги поставить. Второй год ему пошел – не ходит, даже стоять не умеет. Ведь это внук твой.

Она делает шаг в сторону, открывая Упырихе сидящего на полу сына, словно та и вправду может его увидеть. Юзуф продолжает играть как ни в чем не бывало: рыба и птица, объединившись в его цепких ручонках, сообща нападают на оставшегося в меньшинстве и уже без одной руки пупса.

Упыриха брезгливо отдергивает клюку от Зулейхи, словно испачкавшись в нечистотах:

– Забыла законы шариата и человеческие законы. Говорила я Муртазе: негодная эта женщина, грязная и телом, и помыслами...

– Муртаза умер. Имею право второй раз замуж выйти!

– ...На глазах у всего народа – ночует с чужим мужиком под одной крышей! Кто она после этого? Блядь и есть! – Старуха громко и жирно плюет себе под ноги.

– Я стану доктору законной женой!

– Фэхишэ! Блядь! Блядь! – Упыриха мелко трясет головой, и увесистые загогулины серег тихо позвякивают в ее вислых мочках.

– Клянусь! – Зулейха вжимает голову, вскидывает руку, защищаясь.

Когда опускает – рядом никого уже нет. Мирно возится Юзуф, увлеченно постукивая глиняными игрушками. Трещат, догорая, дрова в печи; громко булькает вода, переливается из котла, шипит на раскаленных углях. Зулейха садится на пол рядом с сыном, утыкает лицо в ладони и тихо, по-щенячьи, скулит.

В последний день лета облака белы и летучи, как яблоневый цвет, а Ангара – темна глубокой, отдающей в черное синевой, которая проступает сквозь толщу воды в особенно теплые и солнечные дни. Жара стоит легкая, сухая, осенняя.

Зулейха шагает по лесной тропинке: на спине шаль с замотанным в нее Юзуфом, в одной руке корзинка, в другой посох. Хрустит под ногами рыжая хвоя и первые опавшие листы, хрупкие, уже прихваченные болезненной желтизной. Спасибо Ачкенази, отпустил ее сегодня в тайгу, ягод для компота набрать – вечерами темнело уже рано, после ужина не сходишь. Хитрил мэтр: могли они сегодня и без компота обойтись – день был не праздничный, приезда начальства не ожидалось. Жалел ее Ачкенази – решил дать выходной. Видит, что она в последнее время сама не своя, спит мало, работает за троих.

Далеко от поселка Зулейха отходить боится (вдруг что с Юзуфом), идет к знакомому черничнику в сосновом бору. Перебирается по большим плоским камням через звонко гремящий ручей (про себя его называла – Чишмэ), шагает дальше, вдоль, до подножия большого утеса, где раскинулась широкая светлая поляна (про себя называла – Круглая поляна). Здесь, под охраной огромной, выжженной молнией старой березы и отряда красноствольных сосен, спряталось богатое ягодное место. Крупные бусины черники растут щедро, как звезды на небе в ясную ночь: садись да собирай. Ягода – тяжелая, лиловая, а сверху будто голубым бархатом покрытая; тронешь – на круглом бочку темный след остается. И – сочная, сладкая, медовая. Зулейха сама наелась, накормила Юзуфа. Тот улыбается, блестя черничными от ягод зубами: и вкусно, и радостно, что мать так долго с ним возится, не уходит.

– Все, улым, – говорит Зулейха, вытирая ему перепачканный липким красным соком подбородок, – наигрались. Пора мне за работу.

Расстилает в тени сосен шаль, сажает на нее Юзуфа. Накидывает на волосы платок, чтобы не напекло голову. И начинает улиткой ползать вокруг – собирать. Корзина большая, глубокая, если хорошенько постараться, можно полную набрать.

Юзуф лепечет что-то, цветам рассказывает (говорить пока не научился, ни единого слова, лишь мекал-бекал по-своему). Любит с цветами разговаривать, рассматривать их. Зулейха поначалу пугалась: не дурачок ли растет? Но глазки у сына умные, вдумчивые. Решила, может, время придет – заговорит. Если и немым останется – пусть, она его и таким любить будет, выкормит, вырастит. Лишь бы только на ноги встал, ходить начал...

Она тянется за тяжелыми, разомлевшими на солнце ягодинами, раздвигает пальцами тонкие проволочки черничных ростков в круглых зеленых лепестках. Вдруг в ярко-блестящей зелени – сапоги: черные, новые, ваксой до жирного зеркального блеска натертые; совсем рядом – протяни руку и дотронешься. Зулейха медленно поднимает взгляд: из узких высоких голенищ вырастают широкие серые галифе. Подол коричневой рубахи, туго стянутый на поясе рыжий ремень. Две руки, в одной – длинное охотничье ружье с вороненым стволом. Выше – два нагрудных кармана с клапанами, посередине наискось – тонкий ремень, для кобуры. Еще выше – блестящие на солнце пуговицы подпирают высокий, наглухо застегнутый ворот. Малиновые нашивки на воротнике, широкий разворот плеч. И где-то в далекой выси, под небесным куполом – лицо, обрамленное нимбом фуражки: огненно-красный околыш, синяя тулья.

Смотрит на нее. Игнатов.

Сосна над головой мягко шумит хвоей, чуть постанывает на легком ветру. Стрекот кузнецов в траве – громкий, тяжелый, оглушительный. Жужжат на поляне пчелы, ухают, перелетая от цветка к цветку, увесистые шмели.

Игнатов прислоняет ружье к ярко-рыжему, словно налитому солнечным светом стволу, снимает и роняет в траву фуражку. Расстегивает верхнюю пуговицу рубахи, вторую, третью. Снимает ремень – пряжка на груди, пряжка на поясе. Рвет через голову рубаху.

Зулейха пятится назад – как была, на корточках. Вокруг колышутся сухие осенние травы, гремят погремушками поспевших семян.

Он делает к ней шаг, приседает – его лицо из поднебесья стремительно приближается, пока не оказывается совсем близко. Протягивает руку – большая длинная ладонь совершает бесконечно долгий путь и касается ее подбородка. Пальцы тянут узел платка – плотно завязанная ткань легко подается, расходится, струится вдоль ее щек, обнажает голову. Обеими руками Игнатов берет концы ее кос и тянет. Зулейха хватается за косы ладонями, перетягивает к себе, не дает. Он медленно пропускает пальцы в ее волосы – и косы слабнут, расплетаются.

– Жду ведь – каждую ночь, – говорит.

Пахнет от него сухо, теплом и табаком.

– Так не жди.

Снять бы его пальцы с волос – да никак, цепкие. И горячие, как тогда, в юлбашском лесу.

– Ты же баба. Тебе мужик нужен.

Лицо у него гладкое, морщинки – тонкие, волосками. А на лбу – едва заметный красный след от фуражки.

– Есть мужик, нашла.

Глаза – ярко-серые, с зеленью на дне, с широкими черными зрачками.

– Кто?

Дыхание чистое, как у ребенка.

– Муж законный – замуж я вчера вышла, за доктора.

– Врешь.

Его лицо – на ее. Зулейха жмурится, упирается во что-то ногами, отталкивается, перекатывается по земле. Вскакивает, хватает прислоненное к дереву ружье, целит в Игнатова.

– Перед людьми и небом – муж, – говорит она и делает стволом знак: отойди. – А я ему – жена.

– Опусти, дура, – отвечает он из травы. – Шмальнет.

– Верная жена!

– Опусти ствол, кому говорят.

– И ты за мной в урман больше не ходи!

Зулейха щурит глаз, неумело берет Игнатова на мушку – тонкий черный конец ствола подрагивает, гуляет из стороны в сторону. Игнатов со стоном откидывается на спину, в высокую траву.

– Дура, вот дура-то...

Наконец ей удается поймать непослушно дрожащий кончик мушки в прорезь прицела. Она медленно поводит стволом, глядя через прицел: мир кажется иным, более четким, ярким, выпуклым. Зеленее и сочнее трава над тем местом, где лежит на спине Игнатов; крупнее и красивее вьющиеся над поляной бабочки, сидящие на колосьях стрекозы – Зулейха различает даже паутинный рисунок их прозрачных крыльев и радужные сферы крошечных выпуклых глаз. Дальше – затылок Юзуфа: лепестки розовых ушек в мраморном узоре сосудов, тяжелая капля пота медленно катится из-под темных кудрявых волос на белую шейку. Еще дальше – коричневый лохматый треугольник: медвежья морда.

Медведь стоит на опушке поляны – огромный, лоснящийся. Лениво косится на Юзуфа, влажный кругляш носа подрагивает, в приоткрытой пасти светятся два нижних клыка – как растопыренные пальцы.

– Иван, как стрелять?

В горле – как песка насыпали.

– Извести меня решила? – из травы поднимает злое лицо Игнатов; оборачивается, видит медведя.

– Курок сначала взведи, – шепчет.

Мокрые пальцы скользят по холодному липкому железу. Где он, этот курок? Медведь негромко урчит, оглядывая то сидящего перед ним младенца, то застывших в отдалении Зулейху с Игнатовым. Юзуф смотрит на зверя не отрываясь.

Зулейха тянет курок на себя – раздается громкий щелчок. Медведь рычит громче, встает на задние лапы, вырастает в могучую лохматую громадину. Становится видно светлое, в неровных серых подпалинах, впалое брюхо, бочкой выдающуюся вперед грудь, кривые серпы когтей на длинных, почти до земли, передних лапах. Зверь скалится – блестящий черно-розовый язык мелькает между желтых клыков. Юзуф радостно взвизгивает и тоже встает на ноги.

Зулейха жмет крючок – грохает выстрел. Приклад сильно и больно ударяет в плечо, отбрасывает ее назад. В нос резко шибает порохом. Короткий испуганный вскрик сына – как птичий крик.

Медведь делает шаг к Юзуфу. Второй. Третий... Валится на землю – трава расходится в стороны широкими зелеными волнами. Некоторое время лохматая туша еще колышется огромным коричневым студнем, потом замирает. Юзуф поворачивает недоуменное лицо к матери, затем – обратно к зверю.

– Ш-ш-ш… – Игнатов кладет руки на ее закаменевшие на прикладе пальцы, по одному расцепляет их. – Вот и хорошо… Хорошо…

Наконец освобождает ружье, отставляет в сторону. Зулейха этого не замечает: смотрит, как Юзуф, слегка пошатываясь на кривоватых ножках, идет к мертвому медведю. Первый шаг, второй, третий…

Блестящий медвежий глаз заволакивается мутной пленкой, из-за желтых клыков течет густая серая пена. Юзуф подходит, звонко хлопает ладошкой по бугристому лбу; хватает за мохнатые уши и тянет; оборачивается к матери и ликующе хохочет, крепко стоя на обеих ногах.

Хороший человек

– Уходи, – Игнатов унимает частое дыхание, перекатывается на спину; в теле – усталая пустота.

– Случилось чего, Вань? – Аглая оправляет смявшееся платье, садится на кровати.

– Уходи.

Она еще немного смотрит на него, тонкими пальцами перебирая застежки на чулках (сливочная кожа пышного бедра мелькает в складках темной шерсти): не расстегнулись ли? – нет, не успели; затем встает. Бесшумно ступая мягкими ступнями, идет к жестяному умывальнику, где приютился меж бревен кривой осколок зеркала.

– Шалеешь ты, Ваня, – она поправляет короткие рыжие локоны, едва прикрывающие уши. – С каждым днем – все больше.

Не вставая с кровати, Игнатов нащупывает на полу ее тяжелый башмак, мужской, с толстой подошвой и квадратным носом, размахивается и швыряет – попадает в спину, как раз в то место, где под вытертым ситцем темнеет на мраморно-круглой лопатке небольшая изюмина – родимое пятно. Аглая вскрикивает, пятится.

– Велено – уходи! – швыряет второй башмак.

– И вправду – бешеный! – торопливо подобрав обувь, Аглая юркает за дверь.

Игнатов тянет руку вниз, под кровать, вытаскивает длинную узкогорлую бутыль – на дне еще маслянисто плещется что-то мутное, желтоватое, но мало, пальца на полтора-два.

– Где?! – спрашивает он в потолок, устало, словно повторяя в десятый раз. – Горелов, пес... Где?!

Путаясь в скомканном одеяле, смятых подушках, собственных ногах, падает с кровати. С трудом поднимается, держась за стены, бредет к двери, распахивает – в лицо ударяет злым холодным ветром (лето тридцать восьмого года выдалось прохладным). Внизу раскинулся Семрук: посередине – три широких и длинных, занимающих почти всю площадь поселка барака; пара десятков строений помельче скучковались вокруг, сложились в некое подобие кривенькой улочки. Маленький повар в белом фартуке бьет поварешкой в гонг – резкие дребезжащие звуки летят по пригорку, катятся дальше, за Ангару, в тайгу; со всех концов Семрука спешат в столовую мелкие фигурки – на ужин.

Стоя на крыльце в одном исподнем и потрясая пустой бутылью, Игнатов с высоты комендатуры орет в вечерний поселок:

– Где?! Горелов, убью! Где?!

А откуда-то из-за угла уже бежит запыхавшийся Горелов, уже тащит, заботливо прижимая к груди, вторую бутыль – в ней тяжело булькает, обильно пузырясь от тряски, что-то тягучее, серое, с оранжевым отливом.

– Вот! – по-собачьи дыша открытым ртом, ставит ношу на ступени крыльца. – Из морошки, свеженькое.

Игнатов, пошатываясь, наклоняется, роняет пустую бутыль, поднимает полную и, чудом не запнувшись о порог, уходит в дом.

– ...Моя магистерская диссертация – еще в девятьсот шестом, в Мюнхене, – была посвящена теории питания злаковых. Я рассматривал свой труд скорее как теоретический, имеющий стратегическое, нежели конкретное практическое значение. Мог ли я тогда подумать, что мне придется самому выращивать эту самую пшеницу? – Константин Арнольдович трясет бурой лепешкой, зажатой в сухонькую лапку с обломанными ногтями. – Более того – есть приготовленный из нее хлеб?

Вокруг – быстрый мерный стук металлических ложек: поселенцы ужинают, сидя за длинными деревянными столами, за годы натертыми их локтями и ладонями до приятной, почти домашней гладкости. Две сотни ртов торопливо жуют, не теряя времени на лишние слова. Столовую расширили несколько лет назад – пристроили второй сруб, длиннее и шире первого, но четыреста голов все равно не помещались – семрукцы ели теперь в две смены, поочередно.

Стол для охраны, просторный, раз в неделю застилаемый чистой клетчатой скатертью, остался на прежнем месте, недалеко от раздачи. Здесь едят не торопясь, с чувством, наслаждаясь простым, но весьма достойным вкусом подаваемой пищи. Тут же, на краю, не занимая много места и готовый вскочить по первому зову, хлебает баланду Горелов. Никто из охранников не помнит, когда и по чьему разрешению он стал есть с ними, но его не гнали, терпели: раз сидит – значит, есть на то причина.

– И вы считаете все это, – Иконников ведет вокруг стертой, будто обкусанной с боков, железной ложкой с винтом закрученной ручкой, – разумной платой за возможность, как вы выражаетесь, выращивать пшеницу?

Он зло отхлебывает из миски. Жует, достает изо рта перепачканными в ультрамарине и кобальте пальцами тонкую кривую рыбью кость.

– Да нет же, речь совсем не о том! – Сумлинский ерзает на лавке, мнет в ладошке хлеб. – Ну вот вы, Илья Петрович, что по-настоящему важного создали на воле? Двадцать три усатых бюста?

– Двадцать четыре, – поправляет Изабелла, аккуратно наклоняя миску от себя и добирая ложкой остатки бурых листьев в мутном сером бульоне.

– И сваяли бы еще столько же! – Константин Арнольдович грозно стучит ладошкой об стол.

За столом охраны приподнимается Горелов, озирает столовую с обеспокоенным видом: что за шум?

Изабелла ласково хлопает мужа по руке.

– А здесь... – тот не может успокоиться, говорит быстро, громко. – Вы же Рафаэль! Микеланджело! Вы же не клуб расписываете – Сикстинскую капеллу. Вы сами-то это понимаете?

– Кстати, Илья Петрович, голубчик! – Изабелла крепко, со значением, сжимает ладонь мужа. – Вы обещали нам показать...

Висящий у входа в столовую, изготовленный из большой жестяной тарелки гонг внезапно стонет от сильного удара, раскачивается, дрожит – в него истово колотит револьвер. Люди переглядываются, откладывают ложки, привычно поднимаются из-за столов, опуская головы; кто-то стягивает с макушки кепку. Вваливается комендант – в мятых, перепачканных грязью галифе, кое-как натянутых поверх кальсон; сверху – грязная исподняя рубаха, туго прихваченная перекосившимися подтяжками. Темно-русый, слегка тронутый белым чуб шапкой навис над бровями, острые скулы – в щетке неровной щетины.

– Подъем! – кричит комендант гулко и сам будто слегка пошатывается от собственного крика. – На р-р-работу! У меня – не забалуешь!

Горелов спешит к нему из-за стола, торопливо отирая руки о форменный коричневый китель смотрящего.

– Уже отработали, товарищ комендант! – встает навытяжку, грудь навыкате, распяленные короткопалые ладони по швам.

Игнатов окидывает мутным взором две сотни склоненных голов, две сотни мисок с недоеденной баландой на столах.

– Жрете, суки, – заключает он горько.

– Так точно, товарищ комендант! – Горелов отвечает звонко, задорно, до рези в ушах.

– Твари ненасытные, – голос Игнатова тихий, усталый. – Кормишь вас, кормишь... Когда же вы нажретесь...

– Проголодались, товарищ комендант! План давали!

– Пла-а-ан... – Брови Игнатова нежно ползут вверх по сложенному в морщины лбу. – И как?

– Перевыполнили, товарищ комендант! На целых десять кубов!

– Хорошо, – Игнатов идет по рядам, вглядываясь в хмурые лица со сжатыми губами, опущенными глазами и напряженными скулами. – Очень хорошо.

Неверной рукой он хлопает по впалой сколиозной груди сутулого худышку с коротко бритым черепом и большими, по-детски торчащими ушами. Берет со стола миску, – в ней плещется что-то серо-зеленое, комочками – и надевает ему на голову.

– План – нужен! – Игнатов с высоты своего богатырского роста наклоняется к худышке, доверительно заглядывает в испуганно зажмуренные глаза, шепчет в залитые баландой уши. – Без плана – никуда! – сокрушенно качает головой, стучит револьвером по миске – получается глуше и тусклее, чем в гонг.

По лицу худышки течет зелень вперемешку с рыбьими головами. Игнатов удовлетворенно кивает, грозит стволом остальным, как указательным пальцем: смотрите у меня! Поворачивается, медленно идет к выходу. Напоследок шваркает револьвером о гонг: так-то – лучше!

Когда его шаги затихают, переселенцы по одному садятся, молча берут ложки, продолжают есть. Дрожащий звук гонга висит в воздухе, лезет в уши. Худышка стягивает миску с головы, все еще стоит, мелко дыша и вытирая рукавом перепачканное лицо; кто-то осторожно трогает его за плечо.

– Вот, – угрюмый, как обычно, повар Ачкенази протягивает другую миску, доверху полную баландой – густой, видно, с самого дна котла. – Возьмите, Засека. Я вам добавки положил.

– А в сущности ведь наш комендант – неплохой человек, – Константин Арнольдович наклоняется через стол к Иконникову. – Он по-своему нравственен. У него есть свои, пусть и не осознаваемые им в полной мере, принципы, а также несомненная тяга к справедливости.

– Хороший человек, – отрезает Изабелла. – Только мучается сильно.

Они стали являться ему в тридцать втором – лица. Зачем-то вспомнил перед сном, как первый раз увидел Зулейху, – кульком сидящую в больших санях, закутанную в толстый платок и безразмерный тулуп. Вдруг – вспышкой – лицо ее мужа: брови кустистые, в комок собранные на лбу, нос с широкими и толстыми ноздрями, раздвоенное копыто подбородка. Ясно увидел, как на фотографическом снимке. Значения не придал, заснул, а тот возьми и приснись: смотрит на Игнатова и молчит. От этого взгляда проснулся, досадливо перевернулся на другой бок, а тот – опять снится, не уходит.

С тех пор поехало. Убитые стали приходить по ночам и смотреть на него. Каждый раз, глядя на очередного гостя, Игнатов мучительно вспоминал: где? когда? как? Просыпался от напряжения памяти. И уже наяву, в десятый раз перевернув подушку холодной стороной к щеке, вспоминал: этого – под Шемарданом, зимой тридцатого; этого – в Варзобском ущелье, под Дюшамбе, в двадцать втором; этого – на Свияге, в двадцатом.

Многих убил в перестрелках и боях, лиц не видел – но приходили и они, тоже смотрели. Каким-то странным, только во сне возможным образом он узнавал их – по повороту головы, по форме затылка, по развороту плеч, по взмаху шашки. Всех вспомнил, до самого первого, в восемнадцатом. Все как один – враги отъявленные, заматерелые, опасные: деникинцы, белочехи, басмачи, кулаки. Ни одного не жалко, успокаивал он себя. Встретил бы – и в другой раз убил бы не дрогнув. Успокаивал себя – а спать почти перестал.

Эти странные молчаливые сны, в которых давно забытые и вовсе незнакомые лица бессловесно и бесстрастно смотрели на него, ничего не прося и ничего не желая сообщить, были мучительнее, чем кошмар про тонущую «Клару» (его Игнатов в последние годы почему-то перестал видеть). Не помогала ни многодневная бессонная усталость, ни тепло женского тела под боком. Иногда помогал самогон.

Поэтому неожиданному приезду Кузнеца Игнатов обрадовался – пить с ним было много приятнее, чем одному или с Гореловым, который с каждым годом наглел все больше, все бессовестнее.

– Зи-и-и-на! – распахнул объятия еще с крыльца комендатуры, завидев за холмом длинный черный катер начальства.

– Э, да ты, голуба, ждал меня, – усмехнулся Кузнец, спрыгивая на берег и по достоинству оценивая крепость идущего от Игнатова перегарного духа и угольную черноту подглазий.

Кузнец являлся с инспекцией регулярно, раз в полтора-два месяца, и они, прогулявшись для порядка по Семруку и на лесоповал, направлялись в комендатуру – *посидеть. Сидели* основательно, иногда дня по два-три. Горелов не участвовал, но помогал всесторонне: сам носил еду из столовой (под его личным присмотром Ачкенази доставал из своих кладовых припасенных к такому случаю вяленых лещей и моченую бруснику, тушил в травах срочно добытую в лесу дичь, готовил кисели и морсы – *для доброго утречка*); командовал заготовкой веников и затопкой бани (сложили в прошлом году в отдалении от поселка, за поворотом, мылись поочередно – мужчины в одно воскресенье, женщины в другое); заставлял баб драить до блеска стоящий на приколе у крошечного деревянного причала кузнецовский катер.

Судя по всему, в этот раз посиделки ожидались душевные – Горелов взмок, пока тащил с берега тяжелый, будто каменный, кузнецовский портфель, в котором что-то глухо и дорого позвякивало и побулькивало (питье Кузнец обычно привозил свое, покупное, местным самогоном брезговал).

Прошлись по берегу, осмотрели полное людей и до отказа забитое высокими, с человеческий рост, штабелями катище. Заглянули в свежесрубленную избушку школы (первые занятия должны были начаться в сентябре). Полюбовались на раскорчевку целины (опыт с выращиванием хлеба оказался удачным, и было решено освоить под поле еще один кусок тайги). Поглядели друг на друга с облегчением: ну что, пора и *посидеть*? И пошли.

Разговоры за столом у них выходили теплые, даже сердечные. Игнатов знал: Кузнец мотает на свой черный, блестящий, завитком уходящий от носа к щеке ус все, что он говорит в трезвости, подпитии или беспамятном пьяном угаре, но не боялся этого – скрывать было нечего. Все игнатовские грехи лежали у Кузнеца на широкой и твердой, как доска, ладони. В этом было даже что-то притягательное, какая-то особая, отдающая местью радость – пить с человеком, от которого нет и не может быть уже тайн и у которого, в свою очередь, могли быть тайны. Пусть Кузнец напрягается, сдерживается, хватает себя за язык, боится проболтаться. Он, Игнатов, садится за стол легко и радостно, словно предъявляя напоказ свою обнаженную душу.

– Откуда? – Кузнец берет с уставленного мисками, плошками, чашками, котлами и котелочками стола маленькую, с детский кулачок, желтую репку с длинным и пышным, как комета, зеленым хвостом.

– Да есть тут у меня один... агроном, – Игнатов, сглатывая от нетерпения, разливает звонкую московскую водку по прозрачным, сверкающим острыми гранями стаканам.

Обычно пили из кружек, но в этот раз Кузнец прихватил с собой стаканы – видно, хотел посидеть со вкусом, по-городски. Сочно-зеленая, как первые лиственничные иголки, этикетка на круглом бутылочном боку обещает чистое пятидесятипроцентное наслаждение, гарантированное товарным знаком Главспиртпрома СССР. Наконец чокнулись. Репка под водку оказалась что надо – остренькая, сочная, слегка отдающая нежной горечью.

– Считаем наше собрание открытым, – Кузнец съедает репу целиком, вместе с ботвой, машет над стаканами толстыми пальцами: давай уже скорей по второй. – Вот тебе, Ваня, первый пункт: кулацкий рост, леший его задери.

Кулацким ростом стали называть быстрое обогащение сосланных крестьян. Отправленные за тысячи километров от родного дома, они, за шесть-восемь лет оправившись от удара и немного освоившись на чужбине, исхитрялись и тут заработать лишнюю копейку, отложить, а после прикупить на нее личный хозяйственный инвентарь и даже скот. Коротко говоря, до нитки разоренное крестьянство *окулачивалось* заново, что, конечно, совершенно недопустимо. Потому в государственных верхах было принято мудрое решение: рост – немедленно прекратить; виновных – наказать; кулаков, даже в ссылке так коварно проявивших свою неистребимую индивидуалистическую сущность, организовать в колхозы. Карательная волна за допущенное окулачивание прокатилась по рядам НКВД, включая и высшие его эшелоны, и влилась в общий поток репрессий тридцать седьмого – тридцать восьмого годов.

С первым вопросом повестки расправились быстро, даже бутыль не успела опустеть, – что тут рассусоливать, все ясно: частную застройку запретить (в Семруке некоторые особо прыткие уже отстроили себе небольшие крепкие дома, отселялись из бараков, заводили семьи); на общем собрании провести разъяснительную беседу, предостеречь от окулачивания.

– Ой, проведем... – обещает Игнатов зеленой этикетке, ковыряя ее нарядный край ногтем. – Ой, предостережем...

Вторым пунктом заседания в семрукской комендатуре, органично вытекавшим из первого, стала организация местного коллективного хозяйства.

Еще в январе тридцать второго вышло постановление Совета труда и обороны СССР «О семенах для спецпереселенцев», в соответствии с которым трудовые поселки регулярно снабжались зерновыми семенами для самостоятельного обеспечения себя хлебом и крупами. Поставлялись семена и в Семрук: овес, ячмень, пшеница и зачем-то даже теплолюбивая, так и не успевавшая вызреть под скупым сибирским солнцем конопля. Сумлинский, взваливший на себя обязанности агронома, справлялся с делом весьма неплохо, более того, в последние два года с осторожного разрешения Игнатова взял на себя смелость заказывать в центре дополнительные семенные ресурсы (да еще с указанием конкретных сортов, наглец!); так в поселке появились репа, морковь, репчатый лук и редис (Константин Арнольдович вот уже два года носился с идеей вырастить дыню, но Игнатов запретил ему включать в заказ дынные семечки – побоялся, что засмеют). Урожаи были нельзя сказать чтобы обильные, хотя вложенные трудозатраты окупали: в поселке ели свой хлеб и изредка овощи. Правда, на всю зиму заготовленного зерна не хватало, поэтому сейчас шла подготовка второго поля, которое Сумлинский намеревался засеять озимыми.

...Опустела вторая бутылка, были съедены вся репа, мелкий, как горох, и отчаянно-кислый на вкус редис, принесенный Гореловым ужин (жаренная в сухарях, еще шипящая салом рассыпчатая плотва), выкурен десяток дорогих кузнецовских папирос, и керосинка уже горела лимонно-желтым, сквозь плотный сизый дым, светом, – а вопрос все еще не был закрыт. Кузнец хотел, чтобы семрукский колхоз не только снабжал продуктами поселок, но и поставлял их на Большую землю.

– Что я тебе поставлю?! – Игнатов трясет перед малиновым лицом Кузнеца бледно-зелеными, с белым отливом перьями лука. – У меня самого этих овощей – на один раз поужинать. Хлеб – еле вызревает! Год работаем – месяц едим! Четыреста ртов!

– А ты постарайся! – Кузнец вырывает из игнатовских пальцев лук, запихивает в широкую пасть, перемалывает зубами. – Ты думаешь, для чего мы колхоз создаем, голуба, – чтобы ты тут в одну харю репу свою трескал? У тебя – четыреста пар рук! Изволь – потрудись и поделись с государством!

Послали за Сумлинским. Тот прибежал, лохматый со сна, в накинутом поверх исподнего пиджаке. Ему плеснули в кружку, но Константин Арнольдович пить отказался, – так и стоял перед столом, испуганный, с мятыми щеками и вздыбленными волосами. Поняв суть вопроса, задумался, поводил бровями, пригладил длинную и редкую бороденку, принявшую с годами совершенно козлиный вид.

– Отчего, – говорит, – не поставлять. Можем и поставлять.

Игнатов с досады аж руками по столу жахнул: я их, дураков, – защищать, а они сами голову в петлю суют... Вслед за руками уронил на стол и голову – устал от разговоров. А Кузнец хохочет: молодец, дед, люблю таких!

– Только, – добавляет Сумлинский, – есть ряд непременных условий.

И пальцы остренькие загибает. Работников в колхоз – пятнадцать человек, никак не меньше, мужиков покрепче и порукастей, и чтоб на постоянной основе, а не как сейчас, на общественных началах и нагрузкой в выходные, – это раз. Семенной фонд – в строгом соответствии с предварительным, лично мною составленным заказом, а также с правом отказаться от гнилого или порченого зерна, если таковое будет под видом фонда поставлено, как в тридцать четвертом, – это два. Инструмент на раскорчевку леса привезти новый, металлический, а то с деревянным мучаемся, порой камнями работаем, как первобытные люди; потребуются кирки, ломы, лопаты, мотыги, вилы разноразмерные; список я составлю. Это три. Инструмент сельскохозяйственный – особая статья. Тоже нужно будет много всего, я в списке отдельной графой укажу, чтобы не путаться, – четыре. Животную силу – обязательно, пяток бычков или больше, без них не вспашем; этих можно к следующей весне, к началу посевной, – пять. Теперь удобрения...

Кузнец слушает – его и без того багровая шея постепенно наливается лиловым. Когда пальцы на одной руке Сумлинского уже собраны в жилистый кулачок и он переходит к другой, Кузнец не выдерживает.

– Ты кто, – шипит, – сволочь, такой, чтобы мне, Зиновию Кузнецу, условия ставить?

Константин Арнольдович опускает кулачки, сникает.

– Да, пожалуй, никто, – говорит. – А когда-то – заведующий отделом прикладной ботаники в институте опытной агрономии, есть такой в Ленинграде. А совсем давно, можно сказать, в прошлой жизни – член ученого комитета министерства земледелия и государственных имуществ – это еще в Петербурге.

– Это не ты мне, а я тебе условия ставить буду, министр ты земледелия. Прикажу – будешь у меня один колхоз поднимать, без мужиков покрепче и порукастей да без бычков. Хером своим будешь землю пахать, а не инструментом.

– Мне-то вы приказать можете, – говорит Сумлинский в пол, – а вот зерну – навряд ли.

Игнатов отрывает от стола тяжелую, неповоротливую голову.

– Давай выпьем, Зина. А этого, – он с трудом нащупывает мутным взглядом щуплую фигурку Константина Арнольдовича, словно парящую над полом в плотном папиросном дыму, – в шею отсюда, пусть все письменно изложит.

Кузнец громко дышит, швыряет в рот листик петрушки, катает по зубам.

– Давай выпьем, – не унимается Игнатов, стучит ладонью по столу. – Вы-пьем!

– Давай, – наконец соглашается Кузнец, поднимая стакан и глядя в упор на бледного Сумлинского, – за будущий колхоз. За то, чтобы расцвел он пышным социалистическим цветом – и как можно скорей. Ладно, министр, принимаю условия. Ну а если обманешь…

Чокнулись. Пока выпивали, Сумлинский бесшумно растворился за дверью. Так было положено начало семрукскому колхозу и успешно закрыт второй пункт повестки дня, к тому времени уже перевалившего за полночь.

Третий пункт был настолько серьезен, что обсуждать его отправились в баню. Водку взяли с собой, охлаждали в ведре со студеной ангарской водой. А назывался он: агентурно-осведомительная работа. Таковая поставлена была у Игнатова из рук вон плохо. Положение следовало исправлять, причем немедленно.

– Кого мне – медведей, что ли, в агенты вербовать? – вяло сопротивляется Игнатов, пока Кузнец наяривает его по спине пышным, на совесть отмоченным в трех кипятках березовым веником.

– Хоть лосей с росомахами, – кряхтит тот, и густой жемчужный воздух живым облаком дрожит вокруг его могучего торса. – А пяток осведомителей вынь да положь.

Когда Игнатов вел эшелон, он регулярно вызывал к себе вагонных старост – на разговор. Но одно дело – поговорить-послушать, и совсем другое – записать наблюдения и отправить в центр, понимая, что бумага твоя, вложенная в личное дело *объекта*, останется там надолго, вероятно, навсегда, пережив и сам объект, и его наблюдателя.

Прохлестались до костей; не одеваясь, нагишом, сбегали на Ангару окунуться – поорали в ледяной воде, распугав окрест всю ночную рыбу, побултыхались, сиганули обратно в баню – греться.

– Понимаешь, Зина, брат... – Игнатов разливает водку по деревянным ковшикам, не попадая в них струей (стаканы из комендатуры взять забыли, а бежать за ними лень), – ...воротит меня от этой агне... аген... турной...

Кузнец хлебает из ковша, закусывает темно-коричневым березовым листком, прилипшим к игнатовскому лбу, сплевывает черенок.

– Смотри, Ваня, вот как надо.

Пинает ногой дверь – с улицы веет ночной прохладой, в темно-синем небе болтается сливочно-желтый полумесяц. Свистит – коротко, по-хозяйски, как зовут домашнего пса. Через минуту в дверном проеме появляется озабоченное лицо Горелова.

– Бабы, – докладывает, – уже у комендатуры сидят, на крылечке – ждут. Одна темненькая, вторая светленькая, как в прошлый раз. Если их вам сюда подогнать нужно, так вы только скажите...

Кузнец манит Горелова пальцем – тот осторожно забирается в тесную баньку, набитую запахами дыма, раскаленных камней, березовых листьев, водки, крепких мужских тел. Отводит глаза от деликатных частей тела голого начальства, смотрит только на ярко-красные, залитые блестящим потом лица.

– Как тебя... – Кузнец щелкает пальцами в воздухе.

– Горелов!

– Ты почто здесь, на поселении, прохлаждаешься, Горелов, а не в лагере срок трубишь? По тебе же лагерь плачет, горючими слезами заливается.

– Так я ж не по статье, – Горелов по-звериному щерится, пятится обратно к двери, – я ж деклассированный...

– Повезло тебе, собака, – Кузнец улыбается, плещет в ковш водки, протягивает Горелову – тот настороженно-благодарно кивает, пьет, острый кадык поршнем меряет глотки. – А я бы тебя все-таки по статье пустил... Ладно, не трухай. Скажи-ка мне лучше вот что: кто у вас в Семруке антисоветчину разводит?

Горелов ухмыляется, недоверчиво косит из-за ковша: проверяют?

– Много таких.

– О! – Кузнец со значением поднимает вверх напряженный перст. – А переписать всех – сможешь?

– Грамоте обучен.

– А найдутся ли такие, кто тебе может помочь, подсказать, чего ты сам не видел: что, кто, кому...?

– Найдем – как не найти, – Горелов усмехается половиной рта, словно все еще не веря, что руководство обращается к нему с такой важной просьбой.

– Хорошо! – Кузнец по-королевски взмахивает дланью. – Иди пока, свободен!

И победительно смотрит на развалившегося у стенки Игнатова: ну, как тебе? Молниеносная вербовка в два шага, даже в полтора.

– Я прям щас! Щас могу! – Горелова распирает от сокровенного знания, которое он хочет непременно и в полном объеме донести до благосклонного к нему в эту трепетную минуту начальства. – Главного показать! Он еще не спит – малюет свою антисоветчину, шкура! Я-то знаю!

– Кто? – Игнатов утыкает в Горелова тяжелый взгляд из-под набрякших век.

– Иконников! Говорят, у него в клубе *такое*!...

– Ну раз *такое* – давай, показывай, – Кузнец встает и, малость шатнувшись, завязывает белую простыню вокруг пурпурно-мускулистого тулова, сразу становясь похожим на древнеримского патриция в термах Каракаллы.

Клуб срубили пять лет назад по высочайшему распоряжению – в трудовых поселках необходимо было налаживать бытовую, а также агитационно-культурную составляющие жизни перевоспитуемого крестьянства. Игнатов охотнее пустил бы рабочую силу на расширение лазарета или складских помещений, но приказ есть приказ: построили.

Признаться честно, здание получилось бестолковым – высокий прямоугольный сруб вмещал от силы две сотни человек, и то стоймя. Поначалу в нем проводили общие собрания, но по мере стремительного роста народонаселения Семрука собрания перенесли на площадь, к агитационной доске, а клуб большую часть времени пустовал. Игнатов предлагал отдать помещение под школу или, на худой конец, под амбар, но Кузнец был непреклонен: клуб должен существовать в поселке как отдельная единица. В других трудпоселках при клубах работали кружки – союз воинствующих безбожников, общество «Долой неграмотность» и даже общество содействия развитию автомобилизма и улучшению дорог, сокращенно «Автодор», – каковые не мешало бы завести и в Семруке. «Черта лысого, – думал Игнатов, представляя себе рыжебородого Лукку, усердно слушающего доклад о месячнике по борьбе с бездорожьем в Туркестане, или бабку Янипу в рядах демонстрантов-безбожников. – Пусть лучше лес валят».

Решение украсить клуб агитацией было принято недавно. В последнее время агитационной работе придавалось все большее значение, хотя пока она ограничивалась только поставкой ярких, свернутых в тугие рулоны плакатов. С плакатов смотрели на зрителей кудрявые колхозницы, одной рукой ведущие стальные трактора, а другой настойчиво и со смыслом куда-то указующие (Константин Арнольдович только мечтательно вздыхал, ведя пальцем по тщательно прорисованному боку зубчатого тракторного колеса и доступно объясняя крестьянам, никогда не видевшим железного коня, его незамысловатую механику); упитанные фигуры, мужская и женская, обращали вдохновенные профили к младенцу с краснушными щеками, голосующему пухлыми ручонками за свое «радостное и счастливое детство» (тридцать восьмой был для Семрука переломным в демографическом плане – в этот год, впервые с основания поселка, рождаемость превысила смертность, видимо, в том числе благодаря и мощному агитационному воздействию плаката); раскаленно-красные комсомольцы шагали по поднятым к ним с надеждой длиннопалым ладоням (специальным циркуляром ГУЛАГа в тридцать втором году организация пионерских дружин из детей спецпереселенцев была запрещена, в тридцать шестом, наоборот, разрешена и более того – объявлена крайне желательной, а из новообращенных пионеров рекомендовано усиленно готовить будущих членов комсомольской организации). Также из центра прислали зачем-то пачку афиш Московского зоосада («Вход – всего двадцать копеек!») и три плаката с рекламой беличьих манто от Союзмехторга, но их на доску вешать не стали.

Как вдруг – распоряжение: украсить места досуга агитацией, да погуще, понаваристей. Из таковых мест в Семруке имелось только одно – клуб. Его-то и было решено декорировать. Игнатов хотел сначала ограничиться уже известными плакатами и парой перетяжек со звучными надписями, но Кузнец вспомнил: не у тебя ли художник какой-то обитает, из *бывших,* громких? Так пусть попотеет, изобразит нам что-нибудь позаковыристей. Кузнец знал, что московская проверка – а в том, что она когда-нибудь грянет, он не сомневался, – по достоинству оценит и наличие в глухом сибирском поселке мест общего культурного пользования, и творческий подход к непростому агитационному делу.

Кузнец сам привез из Красноярска холсты и краски, бачок скипидару. Иконников, перебирая в трясущихся от волнения, загрубевших на лесоповале пальцах свалившиеся на него драгоценности – неаполитанская желтая, кадмиевая, индийская... охра, темная и светлая... марс, сиена, умбра... киноварь, хром, веронезская зеленая... – в приступе творческого вдохновения неожиданно предложил: «А может – роспись по потолку пустить?» Кузнец недобро сощурился: «Как в церкви?» – «Как в метрополитене!»

Роспись так роспись. Завезли фанеры, обили потолок. «Лучше бы вместо этого баловства лекарств побольше или снастей новых», – хмуро размышлял Игнатов, наблюдая, как задумчивый Иконников бродит меж выстроившихся в пустом помещении клуба лесов и непрестанно брюзжит на помощников, «грубо» приколачивающих тонкие фанерные листы к бревенчатому потолку. Те не понимали, как можно стучать молотком «нежнее» и «мягче», подозрительно косились на чудака-художника и со значением переглядывались.

А Илья Петрович маялся. Его томило большое и сложное чувство, смесь вдохновения, тоски, давно забытого юношеского восторга, отчаяния и какой-то щемящей нежности к не созданной еще и даже толком не придуманной росписи. Еще неделю назад, допиливая одиннадцатый за день сосновый ствол или впрягаясь в веревочную сбрую для трелевания бревен к катищу, он даже представить себе не мог, что будет стоять вот так, подняв лицо к потолку – бескрайнему полотну, на котором уже мерещились ему, проступали на желтой фанере и лица, и города, и страны, и времена, и вся человеческая жизнь – от самого ее зарождения и до призрачных будущих горизонтов.

– Агитация должна быть простой и понятной, – объявил Игнатов. – И чтоб без фокусов, смотри мне.

За неделю творческих мук Илья Петрович опал лицом, вислый нос его заострился, придавая хозяину сходство с большой и угрюмой птицей, а в глазах разгорелся диковатый огонь. Днями и ночами, лежа на самодельных деревянных лесах под потолком и лишь изредка прерываясь на сон и принятие пищи, он грунтовал фанеру. По разрешению коменданта спал тут же, в клубе. Самогон пить перестал вовсе (кто-то из поселенцев научился гнать из ягод, и Иконников, бывало, приобщался). Израсходовал за пять дней месячный запас свечей (ночью работалось как-то радостнее, злее). Наконец приступил к росписи.

Игнатов, поначалу ежедневно заходивший в клуб для инспекции творческого процесса, с удивлением осознал, что агитация – дело не быстрое: спустя месяц после начала работ потолок был только расчерчен на какие-то мелкие квадраты, испещрен невнятными линиями и частично покрыт цветными пятнами непонятного предназначения.

– Скоро готово будет? – обреченно спросил у Иконникова.

– К ноябрьским праздникам постараюсь успеть, – пообещал тот.

Был разгар весны. Игнатов плюнул с досады и перестал ходить с проверками. О том, что Иконников в свободные от агитации минуты балуется – пишет на оказавшихся в его распоряжении холстах какие-то свои картины, – он слышал, но особого значения не придавал. Как выясняется, зря.

В дверь колотили так, что леса под Иконниковым тряслись и вздрагивали.

– Иду! – он торопливо ссыпался по стремянке, от волнения не попадая ногой на перекладины.

Свечку забыл наверху, и теперь она горела под самым потолком, освещая чью-то большую, наполовину выписанную ладонь с длинными рафаэлевскими пальцами и отбрасывая во все стороны угловатые черные тени – от лесов, громоздившихся высоко и грозно, от самодельного мольберта (смастерил из жердей), от самого Ильи Петровича, суетливо бегущего к входной двери. Наконец нащупал засов, отпер – дверь распахнулась от мощного удара, чуть не слетев с петель.

– Встречай шухер в гости! – раздалось из ночной синевы.

Держа керосинку в вытянутой руке и услужливо освещая пространство кому-то позади, в клуб вкатился Горелов. За ним – двое, одетые столь странно и с такими багровыми лицами, что Иконников в первую секунду их не узнал: комендант Игнатов, в кое-как натянутом исподнем, босой, с мокрыми растрепанными волосами и парой прилипших ко лбу березовых листьев; рядом – начальник из центра Кузнец; из привычной одежды на нем лишь – сапоги, натянутые на голые, покрытые черной курчавой шерстью ноги; тело обмотано влажной белой простыней, поверх которой почему-то надета рыжая офицерская кобура. У обоих в руках – большие деревянные ковши, которыми они изредка вдохновенно чокаются. Пьяны, понимает Иконников, вдребезги.

– Ну? – с грозной игривостью вопрошает Кузнец, почесывая темные каракулевые заросли на широкой, как парус, груди. – Что тут у вас? Предъявите!

Горелов мышью шныряет меж лесов, тени от керосинки нестройным хороводом мечутся по стенам.

– Чую, – бормочет он, – чую, здесь должно быть... – и вдруг ликующе: – Нашел!

Путаясь в перекрестьях мостков, роняя какие-то доски и инструменты, Игнатов и Кузнец пробираются на его голос.

В желтом пятне керосинового света – несколько холстов, беспорядочно стоящих у стены и на подоконнике: узкие мощеные улочки с крупными желтыми кристаллами фонарей и ютящимися на тесных тротуарчиках столиками кафе; увитые плющом и цветами трехэтажные домики, нарядившие первые этажи в пурпурно-сборчатые юбки навесов над зеленными лавками и булочными; торжественные дворцы с крышами, покрытыми благородной изумрудной патиной; закованная в песочно-серые набережные и стальные мосты река.

Горелов, поднеся лампу вплотную к одной из картин, принюхивается к твердым, маслянисто сверкающим толстым мазкам, ковыряет их ногтем.

– Вот она, – шепчет, – антисоветчина махровая, чистопробная! Самая что ни на есть!

На холсте – длинная, узким треугольником, башня из кружевного железа на фоне малахитово-зеленых, утекающих к горизонту холмов.

– М-м-м? – Кузнец приближает лицо к башне, ведет начальственным носом от ее макушки до коротконогого основания, затем обратно: вид у строения, следует признать, и вправду весьма буржуйский.

– Падаль ты козлиная! – взрывается Горелов, хватает Иконникова за пиджак. – Мы его – от работ освободили, красок не пожалели. Скипидару одного – целый бак! А он – так?! Завтра же – на лесоповал! Ты у меня полторы нормы дашь, гнида!

– Отставить! – Игнатов, сделав широкий размах, шваркает ковшом Горелову в грудь: подержи; делает усилие, собирает взгляд на холсте, затем переводит на жмущегося в тени Иконникова. – Это – что? – спрашивает сурово, втыкая жесткий палец в картину.

Иконников смотрит на твердый игнатовский ноготь, пришпиливший верхушку Эйфелевой башни к прозрачно-синему парижскому небу.

– Это... – он чувствует, как слабеют, немеют, рассыпаются песком ноги, а внутренности оседают куда-то вниз, к земле, – ...это Москва.

Три пары замутненных алкоголем глаз вперяются в него.

– Москва, – повторяет он сухим горлом. – Здание Наркомтяжпрома.

Глаза перескакивают обратно на холст, пытаясь разглядеть на чугунных суставах башни какую-нибудь надпись или опознавательный знак.

– Вот здесь внизу – видите? – административные помещения, речка Яуза. Сзади – Сокольники, а дальше холмы – это Лосиный остров.

Игнатов громко, с присвистом, выдыхает и переводит взгляд на Горелова – тот аж ноги в коленях согнул от растерянности, присел, рот раззявил.

Кузнец забирает у Горелова лампу, освещает другую картину: на оживленной, нарядно освещенной улице раскинула ярко-рубиновые крылья большая мельница.

– И это, – спрашивает, – Москва?

– Да-да, конечно. Я по памяти рисую. У меня память – профессиональная, почти фотографическая... – Ноги Иконникова постепенно начинают чувствовать пол, а внутренности возвращаются на свои места; он слегка поворачивает картину – Мулен Руж взблескивает всеми оттенками красного, от огненно-рыжего до пурпурного. – Это Сретенка, недалеко от Кремля. Красная мельница, символ победы революции – еще в двадцать седьмом построили, к десятой годовщине. А это... – он выдвигает в круг света еще один холст: в перекрестье зеленых и серых лучей бульваров и жилых кварталов, возвышается над городом внушительной буквой «П» Триумфальная арка, – ...Никитские ворота. Сразу за Тверским бульваром, левее. Там еще Ленин выступал, в семнадцатом, помните?... В Москве-то приходилось бывать?

– Ленинградские мы, – тихо, со злобой цедит Горелов.

– Ленинградские! – Игнатов цепляет его за шкирку; не удержавшись, летит на пол, увлекая за собой, – часть лесов трещит, качается, падает, засыпая обоих крупными обломками. Иконников испуганно пятится, глядя, как на полу копошатся два мычащих тела. Кузнец, уперев руки в колени, чтобы не упасть, хохочет, мотая черной башкой и утробно прихрюкивая.

Игнатов вылезает первым – ползет на брюхе, подняться нет сил.

– Пойдем отсюда, Зина, – бормочет, – Горелов, дурак... Только зря время потратили. – Утыкается в лежащий на полу пустой банный ковш, изумленно его рассматривает. – А пить-то – нечего, что ли?

Сзади, треща обломками, корячится виновник.

– Как нечего? – кричит ретиво. – Вы вон у Иконникова спросите, у него должен быть запас!

У Иконникова действительно обнаружился запас самогона, и немалый. Пили тут же, из ковшей: Кузнец – позабыв про свою брезгливость к местному алкогольному продукту, Игнатов – с радостью ощущая во рту ставший уже привычным остро-ягодный вкус. Сидели на полу, разглядывали смутно мерцающие на потолке пятна будущей росписи; пятна качались и танцевали что-то хитрое, замысловатое – танго или фокстрот.

– Ты мне такую агитацию сделаешь, – горячо дышал Кузнец в иконниковское ухо запахом водки, жареной рыбы и самогона, – такую, чтобы – в дрожь! до хребта чтоб пробрало! до самых пяток! Понял?

Иконников покорно кивал: как не понять.

После самогона накатившая было усталость внезапно отпустила. Игнатов почувствовал, что откуда-то глубоко изнутри поднялась волна сильной и яростной радости. Хотелось смеяться: смешным было все – и круговерть лесов в полутемном клубе, и испуганная трезвая мордочка Иконникова, его вислый нос, и образовавшаяся от кувыркания на полу рваная дыра на форменном кителе Горелова, и простыня вокруг кузнецовского торса, то и дело норовившая сползти и обнажить внушительные начальственные чресла... Вскочил на ноги, шатнулся, устоял – раскинул руки: хорошо-то как, Зина-а-а-а!

А тот уже поднимается, запахивает царственно под кобуру выбившийся конец простыни, топает к выходу, роняя по пути что-то тяжелое, звонкое – не то ящики, не то ведра.

– Впер-р-р-р-ред! – кричит. – Ур-р-р-ра, товарищи!

Револьвер из кобуры – вверх, дверь – сапогом, и – вон. Игнатов с Гореловым – следом.

Небо уже дымчато-голубое, предрассветное. Звезды гаснут быстро, одна за другой. Игнатов бежит вперед за белой спиной командира и чувствует, как радость в теле ширится, растет. Земля пружинит под ногами, подбрасывает – и он летит вперед легко, стремительно. Так всегда бывало во время наступления. Кто там впереди трусливо прячется в засаде – беляки? узкоглазые басмачи? Почему-то в руке – ни револьвера, ни шашки. Он подхватывает с земли кем-то оброненный клинок, взмахивает – шашка со свистом режет воздух.

– За революцию! – кричит во всю глотку. – За Красную ар-р-р...

Кузнец стреляет. Эхо громом жахает по реке, перекатывается.

Впереди – какие-то дома, из окон выглядывают перекошенные страхом лица. Ага, испугались, суки!

– Вражины! – орет Кузнец. – Всех перебью!

– Порублю! – подхватывает Игнатов и начинает крошить все вокруг.

Они врываются – куда?.. Чьи-то голоса громко и пронзительно верещат, люди брызжут в разные стороны. Игнатов рубит по белому, мягкому (воздух наполнятся пухом, травяной трухой, пылью), и по твердому, деревянному (шашка в руке отчего-то ломается, но он находит новую), и по человеческому, упругому (кто-то кричит, матерится, воет).

Внезапно оказываются опять на улице, а враги – вот они, впереди, скачут врассыпную, утекают с воплями, быстро бегут, суки, не догнать. Кузнец стреляет еще раз, вслед, затем еще раз, еще – и крики становятся отчаяннее, переходят в визг. Вдруг, не то сраженный коварной встречной пулей, не то просто споткнувшись, Кузнец падает.

Бежавший следом Игнатов запинается о большое тело, летит на землю рядом – лицо втыкается во что-то склизкое, тягучее (грязь?), череп трещит и взрывается болью. Радость тотчас исчезает, испаряется – как не было, в груди опять плещется знакомая мерзкая сосущая тоска. Он смотрит на шашку в своей руке: то не шашка – палка; отбрасывает. Вытирает лицо ладонью – глиняная жижа. Ползет к распростертому недалеко телу Кузнеца. Двигаться тяжело, тело – вязким студнем, как подменили.

– Зина, – шепчет Игнатов, на зубах сочно хрустит грязь, – отпусти меня отсюда. Не могу я здесь больше, слышишь? Не могу.

Кузнец храпит, вздыбив к небесам мохнатую грудь.

Шах-птица

Зулейха открывает глаза. Солнечный луч пробивается сквозь ветхий ситец занавески, ползет по рыжему изгибу бревенчатой стены, по цветастой бязевой подушке, из которой торчат черные хвостики тетеревиных перьев, дальше – к нежному, розовому на просвет ушку Юзуфа. Она протягивает руку и бесшумно задергивает ситец: ее мальчику еще долго спать. А ей пора вставать – рассвет.

Осторожно высвобождает руку из-под его головы, опускает босые ноги на прохладный с ночи пол, кладет на подушку свой платок: сын надумает просыпаться, потянется лицом – уткнется в ее запах и поспит еще немного. Не глядя, снимает с гвоздя пиджак, торбу, ружье. Толкает дверь – в комнату врывается птичий гомон, шум ветра – и тихо выскальзывает вон. Обувается в сенях в кожаные поршни (бабка Янипа мастерила из лосиной шкуры), наскоро переплетает косы и – вперед, в урман.

Из всей охотничьей артели – а она к тому времени насчитывала уже пятерых – Зулейха уходила в тайгу самая первая. «Спит еще зверье твое, сны видит – а ты уже наладилась», – ворчал краснобородый Лукка (иногда встречались: он с ночной рыбалки – в поселок, она на охоту – из поселка). Она не перечила, лишь улыбалась молча в ответ; знала, ее зверь от нее не уйдет.

Своего первого медведя, убитого тогда, в тридцать первом, на Круглой поляне, вспоминала с теплотой: если б не он, до сих пор не знала бы, что глаз ее меток, а рука тверда. От медведя того всего-то и остался – изжелта-серый череп на колу. Навещала его иногда, гладила – благодарила.

Артель семрукская началась тогда же, семь лет назад. Когда Зулейха надумала уходить из столовой, Ачкенази ее отговаривал, даже ругался («Чем сына кормить будете?!»). Она принесла ему вечером пару глухарей – на похлебку для ужина. Мясо принял, отговаривать перестал. Нашли ему в столовую другого помощника.

Весной и летом носила из тайги жирных тетеревов, тяжеленных гусей с толстыми упругими шеями; пару раз посчастливилось подбить косулю, а однажды даже – трепетную пугливую кабаргу; на зайцев ставила силки, на лис – капканы (привезли по заказу артели из центра). За пушниной – белка, колонок, изредка соболь – ходила только зимой, когда зверь выкунит, покроется густой лоснящейся шерстью.

Летом продукция охотничьей артели шла в основном на нужды поселка: птицу ели и заготавливали впрок, пух и перья прожаривали на солнце, пускали на подушки и одеяла. В центр, в трест, отправляли только бобровые шкуры, но они случались нечасто, места вокруг Семрука были не бобровые.

Зимой другое дело, самая горячая пора. Центр брал всех пушных – от обычных белок и куниц до редких соболей, которых порой приходилось выслеживать по два-три дня. За шкурки платили – чаще переводами, реже живыми деньгами: большая часть их шла в поселковый бюджет, какая-то уходила на оплату налогов и прочих вычетов (к государственным налогам прибавлялись дополнительные поселенческие пять процентов, а также выплаты по поселковым кредитам), что-то оставалось и самому охотнику. Вот уже семь лет Зулейха зарабатывала деньги.

Говорили, с собаками охота шла лучше, но иметь их поселенцам запрещалось – *во избежание.* Даже ружья – и те разрешили с неохотой, верно, потому, что без огнестрельного оружия, на одних рогатинах и силках охоты не вышло бы вовсе. Все пять семрукских стволов стояли на учете в комендатуре. Строго говоря, их полагалось выдавать только на охотничий сезон, глубокой осенью, а с наступлением весны сдавать коменданту, но тут Игнатов не проявлял необходимой строгости: летом охотники снабжали поселок мясом, и три теплых месяца Семрук отъедался за длинную голодную зиму, которая каждый раз уносила то добрую четверть, а то и целую треть населения поселка – как языком слизывала. Умирали в основном новенькие, кого привозили к холодам и кто не успевал приспособиться к суровому местному климату.

Выделкой шкур занимались сами – поначалу в одиночку, затем объединились, отдали все в руки бабки Янипы; на повале от полуслепой к тому времени старушки толку было чуть, а отмездровать и выварить шкуры, просушить и вычесать она могла и без помощи зрения, одними руками. Так и числилось их в артели – пять с половиной человек: пятеро охотников и половинка от Янипы.

Сама Зулейха в артели была полноценной трудовой единицей, а еще одной своей половинкой – вписана санитаркой при лазарете. Выходило, что ее как будто даже не одна, а целых полторы. Лейбе объяснил: по бумагам она должна была иметь официальное занятие на летний сезон. Саму ее бюрократическая математика не волновала, надо – так надо.

Другим артельщикам было сложнее: свободных мест, куда можно было приписать пропадающего целыми днями в тайге охотника, было немного. Оформление на лесоповальные работы означало бы автоматическое повышение плана, который и так выполнялся (а иногда и не выполнялся) с огромным трудом. Исхитрялись, как могли: кого сделали помощником поселкового счетовода, кого – делопроизводителем. Добавлять лишние руки к столовой не разрешили – за кухонным штатом следили внимательно, чтобы не раздувался. Приписывание это не было обманом в чистом виде, охотники старались хотя бы частично отработать свои формальные полставки; дополнительная нагрузка была разумной платой за возможность оставаться вольным артельщиком. Кузнец милостиво закрывал глаза на эти неявные нарушения (проблема с охотниками так же решалась во всех остальных трудовых поселках), хотя и не упускал возможности напомнить Игнатову: все про тебя знаю, голуба, и вижу насквозь, как стакан *сам знаешь с чем.*

Зулейха свою *половину* отрабатывала честно. Возвращалась из тайги засветло, до ужина, и – в лазарет: драить, скоблить, чистить, натирать, кипятить... Научилась и повязки накладывать, и раны обрабатывать, и даже вкалывать длинный острый шприц в тощие, поросшие волосами мужские ягодицы. Лейбе поначалу махал на нее руками, отправлял спать («Вы же с ног валитесь, Зулейха!»), затем перестал – лазарет рос, без женской помощи было уже не обойтись. С ног она действительно валилась, но уже потом, ночью, когда полы были чисты, инструменты стерильны, белье выкипячено, а больные перебинтованы и накормлены.

Они с сыном по-прежнему жили при лазарете, с Лейбе. Пугавшие Зулейху судорожные приступы у Юзуфа прошли, и постепенно ночные дежурства у его постели прекратились. Но Лейбе не гнал их, более того, казалось, был рад их пребыванию на его служебной квартире. Сам он бывал на жилой половине мало, только ночью, чтобы поспать.

Жить в небольшой уютной комнатке с собственной печью было спасение. В стылых, насквозь продуваемых ветрами общих бараках болели не то что дети – взрослые. И Зулейха благодарно принимала подарок, каждый день до изнеможения отрабатывая свое счастье в лазарете с тряпкой и ведром в руках.

Поначалу думала: раз живет с чужим мужчиной под одной крышей, значит – жена ему перед небом и людьми. И долг жены отдать обязана. А как иначе? Каждый вечер, усыпив сына и незаметно выскользнув из кровати, тщательно намывалась и, до боли холодея животом, садилась ждать доктора на печную скамейку. Тот являлся за полночь, еле живой от усталости, торопливо глотал, не жуя, оставленную еду и валился на свою постель. «Не ждите вы меня каждый вечер, Зулейха, – ругался заплетающимся языком, – я еще в состоянии справиться со своим ужином». И немедленно засыпал. Зулейха облегченно вздыхала и ныряла за занавеску – к сыну. А назавтра – опять садилась на печную скамейку, опять ждала.

Однажды, упав, как обычно, ничком и не разуваясь, на лежанку, Лейбе внезапно понял причину ее вечерних бдений. Он резко сел в кровати, посмотрел на Зулейху, сидевшую у печи с аккуратно переплетенными косами и опущенными к полу глазами.

– Подойдите ко мне, Зулейха.

Та подходит – лицо белое, губы в полоску, глаза мечутся по полу.

– Садитесь-ка рядом...

Присаживается на краешек лежанки, не дышит.

– ...и посмотрите на меня.

Медленно, как тяжесть, поднимает на него глаза.

– Вы мне ничего не должны.

Испуганно смотрит на него, не понимая.

– Ровным счетом ничего. Слышите?

Прижимает косы к губам, не знает, куда деть глаза.

– Приказываю: немедленно гасить свет и спать. И больше меня не ждать. Ни-ког-да! Это ясно?

Она мелко кивает – и вдруг начинает дышать, громко, устало.

– Еще раз увижу – выгоню в барак. Юзуфа оставлю, а вас – выгоню к чертовой бабушке!

Он не успел договорить – Зулейха уже метнулась к керосинке, дунула на огонек и растворилась в темноте. Так вопрос их отношений был решен, окончательно и бесповоротно.

Лежа в темноте с широко распахнутыми глазами и прикрывая одеялом из шкуры громко колотившееся сердце, Зулейха долго не могла уснуть, мучилась: не в грех ли она впадает, продолжая жить под одной крышей с доктором – не как с мужем, а как с посторонним мужчиной? Что скажут люди? Не накажет ли небо? Небо молчало, видимо, соглашаясь с ситуацией. Люди же принимали как должное: ну живет санитарка при лазарете, что с того? Хорошо устроилась, повезло. Изабелла, с которой Зулейха, не выдержав, поделилась сомнениями, только рассмеялась в ответ: «О чем вы, деточка! Грехи у нас здесь – совсем другие».

Зулейха пробирается по лесу. Деревья звенят птичьими голосами, проснувшееся солнце бьет сквозь еловые ветки, золотом пылает хвоя. Кожаные поршни быстро скачут по камням через Чишмэ, бегут по узкой тропке вдоль рыжих сосен, через Круглую поляну, мимо горелой березы – дальше, в дебри таежного урмана, где водится самое жирное, самое вкусное зверье.

Здесь, в окружении сине-зеленых елей, нужно не ступать – бесшумно скользить, едва касаясь земли; не примять траву, не сломать ветку, не сбить шишку – не оставить ни следа, ни даже запаха; раствориться в прохладном воздухе, в комарином писке, в солнечном луче. Зулейха умеет: тело ее легко и послушно, движения быстры и точны; она сама – как зверь, как птица, как движение ветра, течет меж еловых лап, сочится сквозь можжевеловые кусты и валежник.

На ней серый, в крупную светлую клетку и с широченными плечами двубортный пиджак, оставшийся от кого-то из ушедших в иной мир новеньких; согревает в холодные дни и защищает от солнца в жару. На блестящих темно-голубых пуговицах, намертво пришитых суровыми нитками прошлым владельцем, мелкие непонятные буковки хороводом: Lucien Lelong, Paris. На некогда бирюзовой подкладке – едва различимая лилия. Хороший пиджак, напоминает Зулейхе кафтаны, в которых приезжали к ее отцу гости из далекой Казани.

Ружье, тяжелое, холодное, льнет к спине; если надо, само прыгает в руки, тянется к мишени, никогда не промахивается. «Заговоренное оно у тебя, что ли?» – полушутя, полузавидуя спрашивали другие артельщики. Зулейха отмалчивалась. А как объяснишь, что и не ружье это вовсе, а словно часть ее самой, как рука или глаз. Когда вскидывала длинный прямой ствол, упирала в плечо приклад, щурила глаз в прорезь прицела – сливалась с ружьем, срасталась. Чувствовала, как оно напрягалось в ожидании выстрела. Ощущала, как замирают, готовясь вылететь из ствола, увесистые пули, каждая – как маленькая свинцовая смерть. Не торопясь, плавно, с любовью давила на спуск.

Давно поняла: если не ее ружье подстрелит эту белку или глухаря, то найдется другой хищник, куница или лиса, кто задерет их день спустя. А через месяц или год хищник сам падет от болезни или старости, станет добычей червей, растворится в земле, напитает соками деревья, прорастет на них свежей хвоей и молочными шишками – станет пищей для детей убитой белки или задранного глухаря. Зулейха поняла это не сама – урман научил.

Смерть была здесь везде, но смерть простая, понятная, по-своему мудрая, даже справедливая: облетали с деревьев и гнили в земле листья и хвоя, ломались под тяжелой медвежьей лапой и высыхали кусты, трава становилась добычей оленя, а сам он – волчьей стаи. Смерть была тесно, неразрывно переплетена с жизнью – и оттого не страшна. Больше того, жизнь в урмане всегда побеждала. Как бы ни бушевали осенью страшные торфяные пожары, как ни была бы холодна и сурова зима, как ни свирепствовали бы оголодавшие хищники, Зулейха знала: весна придет, и брызнут юной зеленью деревья, и шелковая трава затопит выжженную некогда дочерна землю, и народится у зверья веселый и обильный молодняк. Оттого и не чувствовала себя жестокой, убивая. Наоборот, ощущала себя частью этого большого и сильного мира, каплей в зеленом хвойном море.

Недавно вдруг вспомнила про хлеб, похороненный на юлбашском кладбище меж могил дочерей. Подумалось: а ведь он не пропал тогда весь. Некоторые, пусть и редкие, зерна с наступлением весны проросли сквозь щели в деревянному гробу, остальные – хоть и сгнили, но стали пищей для молодых побегов. Представила, как нежная поросль пшеничных колосьев пробивается между кособоких могильных ташей, перерастает их, скрывает, кутает. На душе стало теплее и легче. Кто знает, заботится ли еще о дочках дух кладбища...

Она так и не поняла, водятся ли духи в урмане. За семь лет сколько холмов обошла, сколько оврагов исходила, сколько ручьев пересекла – ни одного не встретила. Иногда на мгновение кажется, что она сама и есть – дух...

Сначала Зулейха проверяет силки и капканы: на примеченной звериной тропе к Чишмэ; у большой полусгнившей ели, где едва заметно примята трава (видно, мелкому зверью ствол не перепрыгнуть, вот и бегают вокруг); у притаившегося в еловой чаще узкого, как щель, и глубокого озера с ледяной водой... Она обходит силки дважды в день, утром и вечером, чтобы пойманный заяц не попал в лапы хищнику. Затем поднимается вверх по Чишмэ, к болотистым оврагам – проведать излюбленные утиные места. Путь неблизкий, шагать – до самого полудня. Шагать и зорко смотреть по сторонам (каждый, кто встретится на тропе, в кустах или на еловых ветвях, может оказаться добычей) и – думать. За всю свою прежнюю юлбашскую жизнь Зулейха столько не думала, как за один-единственный день на охоте. За вольные охотничьи годы всю жизнь припомнила, по кусочкам разобрала, по щепочкам. Недавно вдруг поняла: хорошо, что судьба забросила ее сюда. Ютится она в казенной лазаретной каморке, живет среди неродных по крови людей, разговаривает на неродном языке, охотится, как мужик, работает за троих, а ей – хорошо. Не то чтобы счастлива, нет. Но – хорошо.

Ближе к середине дня, когда до утиных заводей остается всего полчаса ходу, мысли ее привычно сворачивают к опасной теме. Устала запрещать себе думать об этом. А не запрещать – можно додуматься до такого, что и представить страшно. Зулейха перекидывает ружье на другое плечо. Мысли – не речка, плотиной не перегородишь; пусть текут. Она часто вспоминает тот день на Круглой поляне, семь лет назад. Как из усыпанной черникой травы вырастают форменные черные сапоги, Игнатов садится перед ней на землю, тянет руку к ее платку... Она ведь тогда не его испугалась – себя: того, как мгновенно, от одного его взгляда, превратилась в мед – вся, без остатка, как потекла ему навстречу, ослепнув, оглохнув, забыв все, даже играющего неподалеку сына. И ружье целила не в него – в свой страх, в страх совершить грех с убийцей мужа. Грех не совершила – медведь помог.

Из столовой она скоро ушла, и обеды в комендатуру стал носить новый помощник Ачкенази. Игнатов с тех пор встреч с ней не искал. Все утекло, осталось в прошлом – как не было. Может, и вправду не было? Показалось? Но изо дня в день по опущенным игнатовским глазам видела – было. По тому, как внутри у нее что-то плавилось и таяло, когда поднимала глаза на комендатуру, – было. По тому, что думала об этом каждый день, – было.

Он скоро стал пить, и крепко. Зулейха терпеть не могла пьяниц. Думала, вот оно, лекарство: увидеть коменданта пьяным, глупым, озверевшим – сразу все мысли недостойные рукой снимет. Не вышло: при виде оплывшего игнатовского лица с красными глазами ей становилось не противно, а больно.

Когда в очередной партии новеньких он приглядел себе коротковолосую рыжую шалаву с острыми грудками и крепким задом, туго обтянутым материей слишком узкого платья и эта самая Аглая стала захаживать по ночам в комендатуру на огонек игнатовской папиросы, Зулейха решила: все, наконец, вот оно – кончилось. А кончилось ли?..

Она вскидывает ружье и палит в просвет между лохматыми еловыми ветвями. Пестрый рябчик кувыркается на землю, запоздало трепеща крыльями.

День пролетел быстро и выдался удачным: на поясе болтаются рябчик и пара уток (заветное утиное место не подвело, подарило Зулейхе изумрудноголового селезня с нарядными белыми щеками и увесистую черную самочку), в сумке за спиной – попавшийся в силки заяц. Она шагает по тайге домой размашисто, не таясь, хрустит ветками – охота закончена. Когда переходит Чишмэ по камням, прибрежные кусты взрываются – из них стремительно вылетает что-то маленькое, юркое. Зверок? Юзуф!

Зулейха распахивает руки. Он летит к ней, сверкая голенастыми ногами из-под коротких заплатанных штанов, обхватывает руками, вжимается головой. Она опускает лицо в макушку сына, вдыхает родной теплый запах.

– Я же запретила ждать меня здесь, улым. В тайге опасно.

Он лишь крепче зарывается в ее грудь, один затылок торчит да ухо-лопушок. Отругала бы его крепче за то, что опять нарушил ее запрет, да не может – сама рада, что пришел, что есть у них это короткое время, когда можно спокойно, не торопясь, словно впереди – вечность, идти вдвоем по тропе, касаться друг друга, слушать птиц, беседовать или молчать. Больше таких уединенных минут сегодня не выдастся: сразу по приходе Зулейха будет мыть лазарет, а Юзуф – помогать матери: таскать воду из Ангары, жечь во дворе мусор...

– Ты сыт?

– Меня доктор накормил.

Юзуф называл Лейбе доктором, как и Зулейха.

Он расцепляет руки, отпускает мать. Ему скоро восемь, а высокий какой, уже выше ее плеча (если и дальше так быстро расти будет – опять придется рукава куртки наставлять, а брюки – распарывать, выпускать). Голова лохматая (Зулейха не брила его наголо, как было принято в Юлбаше, – зимой волосы согревали, как вторая шапка), носик острый, глазищи большие. Ростом и статью в отца пошел, а лицом – в нее, сразу видно.

Юзуф важно берет ее сумку, перекидывает через плечо, обхватывает руками, тащит (был бы рад и ружье материнское носить, но Зулейха не давала); пальцы с обгрызенными ногтями перепачканы желтым и синим.

– Опять красками баловался?

В последнее время он зачастил в клуб к Иконникову – рисовать. Дома стали попадаться то обломки фанеры, исчерканные углем, то куски бумаги, покрытые жирными карандашными линиями; одежда Юзуфа постепенно и неумолимо покрывалась мазками и брызгами ярких цветов: краски, которыми Иконников готовил свою агитацию, были стойкими, холодной ангарской воде не поддавались – навсегда оставались гореть на штанах и рубахе, сшитых из чьих-то старых женских платьев, на больших мужских башмаках, доставшихся в наследство от кого-то из переселенцев. Зулейха увлечение сына не одобряла, но и не запрещала: пусть лучше в красках пачкается, чем один по тайге болтается. Юзуф чувствовал настрой матери, много о клубе не рассказывал.

– Расскажи про Семруг, мама.

– Тысячу раз рассказывала.

– Расскажи в тысячу первый.

Зулейха пересказывала сыну все слышанные в детстве от родителей сказки и легенды: про длиннопалых лохматых *шурале*, до смерти щекочущих запоздалых лесных путников; про лохматую водяную *су-анасы*, что добрую сотню лет не может расчесать свои космы золотым гребнем; про оборотня *юху*, который днем превращается в прекрасную девушку и соблазняет юношей, а по ночам выпивает из них жизненные соки; про огнедышащих драконов *аждаха*, что прячутся на дне колодца и пожирают пришедших за водой женщин; про глупых и жадных *дэвов*, похитителей невест; про могущественного узкоглазого Чингисхана, завоевавшего половину мира, а вторую половину ввергнувшего в страх и трепет; про его почитателя и последователя Хромого Тимура, разрушившего дотла добрую сотню городов и отстроившего взамен всего один – блистательный Самарканд, над которым в любую погоду сияют с вечно голубого неба огромные золотые звезды... История про волшебную птицу Семруг была у Юзуфа любимой.

– Что ж, слушай, – соглашается Зулейха. – Жила однажды в мире птица. Не простая – волшебная. Персы и узбеки называли ее Симург, казахи – Самурык, татары – Семруг.

– Ее звали, как наш поселок?

Юзуф неизменно задавал этот вопрос, и Зулейха неизменно отвечала:

– Нет, улым. Просто похоже. И жила та птица на вершине самой высокой горы.

– Выше, чем наш утес?

– Много выше, Юзуф. Настолько, что ни пешие, ни конные путники не могли достичь ее вершины, сколько бы ни поднимались. Никому не было дано увидеть Семруга – ни зверю, ни птице, ни человеку. Знали лишь, что оперение его прекраснее, чем все земные восходы и закаты, вместе взятые. Когда-то, пролетая над далекой страной Китай, уронил Семруг одно перо – и весь Китай оделся сиянием, а сами китайцы превратились в искусных живописцев. Семруг был не только блистательно красив, также и мудрость его была бескрайней, как океан.

– Океан шире, чем Ангара?

– Шире, улым... Однажды все птицы земли слетелись на общий туй, чтобы вместе веселиться и радоваться жизни. Но праздника не получилось: попугаи стали ругаться с сороками, павлины ссориться с воронами, соловьи – с орлами...

– А рябчики? – Юзуф трогает круглую, похожую на пестрое яйцо, головку рябчика, болтающегося на поясе матери.

– Рябчики с утками, – Зулейха поворачивает черную, с зеленым отливом, голову мертвого селезня к рябчику: птицы ударяются неподвижными клювами, словно клюют друг друга.

Юзуф смеется звонко, заливисто.

– От этой великой ссоры поднялся в мире такой шум и гам, что с деревьев послетали все листья, а звери, испугавшись, попрятались в норы. Мудрый удод три дня махал крыльями, успокаивая разбушевавшихся птиц. Наконец, они поутихли и дали ему слово.

«Не годится нам тратить время и силы в раздорах и распрях, – молвил он. – Надобно выбрать среди нас шаха, кто руководил бы нами и своим веским словом прекращал бы любые ссоры». Птицы согласились. Но вот вопрос: кого выбрать главным? Они вновь стали препираться и чуть было не подрались, но у мудрого удода уже было решение. «Полетим к Семругу, – предложил он, – и попросим его стать нашим шахом. Кому, как не ему, наипрекраснейшему и наимудрейшему на земле, быть нашим повелителем?» Слова эти так понравились птицам, что тотчас собрался большой отряд желающих отправиться в путь. Стая взмыла в небо и направилась к самой высокой в мире горе, на поиски сиятельного Семруга.

– Стая, огромная и черная, как туча, – поправляет Юзуф.

Он внимательно следит за тем, чтобы ни одна деталь не выпала из любимой истории, и Зулейхе приходится пересказывать ее так, как выучила в детстве от отца, слово в слово.

– Да, верно, – исправляется она. – Стая, огромная и черная, как туча, взмыла в небо и направилась к самой высокой в мире горе на поиски сиятельного Семруга. Птицы летели день и ночь, без перерывов на сон и еду, выбиваясь из последних сил, и наконец достигли подножия вожделенной горы. Здесь им предстояло отказаться от крыльев и пойти пешком – взойти на ту вершину можно было лишь путем страданий.

Сначала горная тропа привела их в Долину Исканий, где погибли те птицы, чье стремление достичь цели было недостаточно велико. Затем пересекли Долину Любви, где остались лежать бездыханными страдавшие от неразделенной любви. В Долине Познания полегли те, чей ум не был пытлив, а сердце не открыто новому.

Юзуф шагает рядом, молчит, пыхтит с натуги (заяц в сумке тяжелый, отъевшийся за лето). «Как можно открыть познанию сердце? – размышляет Зулейха. – Сердце – дом чувств, а не разума». Она умолкает на мгновение, и Юзуф нетерпеливо подгоняет:

– В коварной Долине Безразличия... ну же, мама!

– В коварной Долине Безразличия, – продолжает Зулейха, – пало больше всего птиц – все, кто не смог уравнять в своем сердце горе и радость, любовь и ненависть, врагов и друзей, живых и мертвых.

Для самой Зулейхи это место в легенде было самым непонятным. Как можно одинаково равно относиться к хорошему и плохому? Более того, считать это правильным и необходимым? Юзуф чуть заметно покачивает головой в такт шагам, будто все понимает, соглашается.

– Оставшиеся попали в Долину Единения, где каждый ощутил себя – всеми и все – каждым. Возрадовались усталые птицы, вкусив сладость единения. Но рано!

– Рано! – шепотом подтверждает Юзуф.

– В сотрясаемой грозами Долине Смятений смешались день и ночь, быль и небыль. Все, что птицы с таким трудом познали за долгое путешествие, было сметено ураганом, и в душах их воцарились пустота и безнадежность. Проделанный путь явился им бесполезным, а прожитая жизнь – потерянной. Многие пали здесь, сраженные отчаянием. В живых осталось тридцать самых стойких. С опаленными перьями, истекающие кровью, смертельно усталые доползли они до последнего дола. А там, в Долине Отрешения, ждала их лишь бескрайняя водная гладь, а над нею – вечное безмолвие. Далее начиналась Страна Вечности, куда нет входа живым.

Юзуф и Зулейха хрустко шагают по усыпанной хвоей и шишками тропе. Впереди меж деревьев уже голубеет просвет – поселок. Чем ближе к дому, тем медленнее идет Юзуф – хочет, чтобы мать успела досказать. Завидев стены клуба, он останавливается, чтобы дослушать конец истории в тишине.

– И поняли птицы, что достигли чертогов Семруга, а по растущей в сердцах радости почувствовали его приближение. Глаза их сомкнулись от наполнившего мир яркого света, а когда раскрылись – узрели лишь друг друга. В этот миг они постигли суть: они все – и есть Семруг. И каждая по отдельности, и все вместе.

– И каждая по отдельности, и все вместе, – повторяет Юзуф, шмыгает носом и шагает в поселок.

Когда мать ушла в лазарет драить полы, он понес добытых ею сегодня птиц на кухню, отдать Ачкенази. Мертвые рябчик и селезень с уткой, сами того не зная, проделали в его руках долгий путь – не через маленький таежный поселок, от скособоченного лазаретного сруба и до пахнущей рыбными потрохами и пшенкой кухоньки; они полетели над красными пустынями и синими океанами, над черными лесами и колосящимися золотом полями, к подножию горной цепи у края мира, а дальше – отказавшись от привычных крыльев, пешком (рябчик – быстро перебирая короткими лохматыми ножками, а селезень с уткой – кое-как, заполошно крякая и тяжело переваливаясь на широких перепончатых лапах), через семь широких и коварных долин, в обитель сказочной шах-птицы. Вот только познать суть и узреть друг в друге сиятельный образ Семруга они не успели: Ачкенази, увидев из окна играющего мальчишку, отобрал дичь и дал ему легкий дружеский подзатыльник. Дверь на кухню с треском захлопнулась; в воздухе осталось парить отливающее изумрудом перо.

Четыре ангела

Мир был огромен и ярок. Он начинался у жемчужно-серого, причудливо изъеденного жучком деревянного порога избы, которую Юзуф и мать делили с доктором. Простирался через широкий двор, затопленный волнами буйной травы, где островами возвышались рассохшиеся топчаны с криво торчащими в них топорами и ножами, отвесной скалой вздымалась поленница, широкой горной грядой тянулась кривая ограда, цветными парусами реяло сохнущее на ветру белье. Тек вокруг избы, к скрипучей двери лазарета, за которой скрывалось царство дожелта выскобленных матерью полов, прохладных белых простынь, причудливых, сверкающих невероятным блеском инструментов и горьких лекарственных ароматов.

От лазарета по хорошо утоптанной тропе мир стелился дальше, в поселок. Здесь высились черные бараки, длиннющие, в три сруба; агитационный стенд раскинул свои широкие крылья, на которых горели звонкими лозунгами атласные плакаты; что-то постоянно шуршало и шкворчало в таинственном, окутанном запахами еды, здании кухни; неприступным бастионом глядела с вершины холма мрачная комендатура; в отдалении светлел меж синих елей клуб, где день и ночь колдовал с пахучими красками художник Илья Петрович.

Здесь мир Юзуфа заканчивался – ходить дальше, в тайгу, мать запрещала. Он старался не огорчать ее, слушался. Но иногда, вечерами, ждать ее с охоты становилось невыносимо, и он мчался, сощурив глаза от страха, мимо клуба, мимо кривых жердей, на которых скалились длинными клыками потрескавшиеся черепа (лоси, олени, кабаны, рыси, барсуки и даже один медведь), – по еле приметной тропинке к звонкой Чишмэ, чтобы спрятаться под дрожащим рябиновым кустом и дожидаться, пока легкая фигура матери не мелькнет меж рыжих сосновых стволов.

Другая граница мира была – Ангара. Юзуф любил сидеть на берегу и всматриваться в ее изменчивую глубину: тяжелая холодная вода таила в себе все оттенки синего и серого, как урман – все оттенки зеленого, а огонь в печи – красного и желтого.

Мир был так велик, что можно было запыхаться, пробежав от одной его границы к другой, так ярок, что Юзуфу иногда не хватало воздуха и он зажмуривался, как от слепящего света.

Где-то далеко, за могучими спинами холмов, был еще мир: там жили мать и остальные поселковые до того, как приехать в Семрук. В Юлбаше, мать рассказывала, было не десять и не двадцать – целых сто! – домов, и каждый размером с лазарет. Представить себе этот гигантский поселок было трудно. Еще труднее, наверное, было там жить:

выйдешь погулять, а потом – среди ста-то домов, отыщи-ка свой, попробуй! По улицам Юлбаша бродили странные и страшные, известные Юзуфу только по рассказам матери существа: раскатисто громыхая привязанными на шею жестяными колокольцами, степенно брели *коровы* (отдаленно напоминающие лосей, но с толстыми гнутыми рогами и длинными, похожими на плетку хвостами); шныряли вредные голосистые *козы* (размером с кабаргу, но мохнатые, рогами в спину упираются, бородой землю метут); скалили зубы из-под заборов злобные *собаки* (ручные волки, что лижут руку хозяину и рвут глотку чужаку). Каждый раз, слушая рассказы матери о родине, Юзуф холодел животом и испытывал огромное внутреннее облегчение, что она вовремя догадалась переехать из Юлбаша в мирный уютный Семрук!

Таинственный Ленинград, который Изабелла то и дело называла Петербургом, а Илья Петрович – Петроградом, был, по видимости, меньше Юлбаша – количеством домов в нем никто и никогда не восхищался. Зато были эти дома сплошь каменные. И не только дома: улицы, набережные, мосты – все в этом городе было из гранита и мрамора. Юзуф жалел бедных ленинградцев, вынужденных ютиться в холодных и сырых каменных жилищах. Он представлял себе, как продрогшие Изабелла и Константин Арнольдович, стуча зубами, слезают туманным ленинградским утром с каменных нар, прижимаются друг к другу и выходят из каменного барака на покрытый камнями берег узенькой речушки Нева (что была меньше Ангары, но больше Чишмэ); пытаясь согреться, они бредут по берегу меж кучно сгрудившихся мраморных *львов* (больших мохнатых рысей с пышными гривами), гранитных *сфинксов* (львов с человеческими головами) и бронзовых *памятников* (огромных кукол в человеческий рост, наподобие тех, что лепит иногда из глины Илья Петрович); мимо рыжего, как глина, и высокого, с могучую ель, барака *Эрмитажа*; мимо желтого барака *Адмиралтейства*, крыша которого украшена длинной и ровной, как молодая сосна, иглой с парусным корабликом на острие; мимо серого барака *Биржи* и толстых красных бревен-*ростр*, на вершине которых горит бледный, не дающий тепла огонь; тусклое солнце еле проглядывает сквозь облака, которые то и дело сыплют мелким косым дождем.

Счастье, что эти холодные и жуткие миры – Юлбаш, Ленинград – были далеко от Юзуфа. Они лежали примерно в тех же краях, где обитали шах-птица Семруг, коварные и прекрасные *пэри*, огнедышащие *аждаха* и прожорливая великанша *жалмавыз*...

А недавно Юзуф увидел чудо. Это случилось в начале лета, вечером, перед самым ужином. Ачкенази попросил его отнести миску с овсяной похлебкой Иконникову (с тех пор, как тот занялся агитацией, он часто ел на рабочем месте, без отрыва от производства). Юзуф побаивался молчаливого и угрюмого художника, но покорно взял ужин из рук повара и поплелся в клуб. Старательно неся в вытянутых руках дымящуюся миску, Юзуф спиной толкнул дверь, втиснулся в щель, потоптался в темноте сеней, оказался наконец в ярко освещенном закатным светом пространстве клуба.

Горячая миска жжет пальцы, в носу – вкуснейший запах разваренного овса, кажется, даже на мясном бульоне, с жирком. Скорее – выполнить поручение и – обратно на кухню, за своей порцией...

Сутулая спина художника – у самого окна. Юзуф шмыгает носом, но тот не слышит; стоит как-то криво, скособочившись, будто наклонившись вперед. Юзуф подходит ближе, заглядывает через плечо: перед Иконниковым на кое-как, кривым домиком сколоченных жердях (на *мольберте*, пояснит позже Илья Петрович) – маленький квадрат холста, полторы ладони в ширину, полторы в высоту. А на холсте – Ленинград: широкая, как Ангара, улица течет по строгим каменным просторам меж серебрящихся в рассветной дымке домов и оград, перелетает через Неву кружевным зеленым мостом, исчезает на том берегу; бутонами цветов притаились в зелени купола храмов; спешат куда-то редкие прохожие. Волна бьет о серый гранит набережной, над рекой вьются длиннокрылые птицы. Пахнет свежей листвой, мокрыми камнями, большой водой. Отчетливо слышен крик – «И! И!» – Юзуф не понимает, кричит ли это ангарская чайка за окном или ленинградская, на холсте. Не картина – окно в Ленинград. Чудо.

Пальцы вдруг невыносимо обжигает. Миска хряпается на пол, ложка отскакивает и катится, тренькая, овес брызжет во все стороны. Юзуф стоит, выставив вперед руки с ошпаренными кончиками пальцев и раскрыв от страха рот, в животе бьется похолодевшее сердце. Ручейки овсяной похлебки струятся по голым коленям, по большим, подхваченным у щиколоток веревками башмакам, утекают сквозь половицы вниз, к земле.

– А? – Иконников отнимает кисть от холста и оборачивается. Глаза его строги, брови – косматы, вислый профиль – грозен.

Вконец обезумевшее от ужаса сердце прыгает в горло. Юзуф срывается с места и топочет за дверь.

Позже, в столовой, Ачкенази наливает Юзуфу полную миску, взрослую порцию («Ешь, помощник!») – похлебка не лезет в горло. Юзуф пытается незаметно вынести миску на улицу, чтобы отнести в клуб, но вездесущий злыдень Горелов перегораживает путь и больно дерет за ухо: «Куда подался, вошь? Не положено!» Приходится есть до дна, не чувствуя вкуса и давясь мелким, тщательно проваренным овсом. Если бы давали хлеб, Юзуф сумел бы спрятать его за пазухой и вынести, но хлеба сегодня не было.

Искусав ногти и исхлестав прутом всю крапиву на задворках лазарета, через пару часов Юзуф все же идет в клуб повиниться. Пусть злой художник его отругает, накажет – он готов.

Уже темнеет; громче скрипит дверь, длиннее и причудливее тени на бревенчатых стенах клуба. На окне горит желтым керосинка, законченная картина сохнет на мольберте. Самого Иконникова – нет.

Юзуф берет лампу и приближает вплотную к холсту. Теплый свет струится по жирным, упругим мазкам; в каждом – смешались, закрутились тонюсенькими канатиками разные цвета, ни один не повторяется; все переливается оттенками, течет, дышит. Юзуф осторожно, кончиком обожженного пальца касается Невы: на реке остается маленькая круглая вмятинка, а на пальце – прохладное синее пятно.

– Ну и что ты видишь? – Иконников вошел незаметно и стоит у двери, наблюдая.

Юзуф вздрагивает, торопливо ставит керосинку на место. Попался! И не убежишь – художник у самой двери, успеет поймать.

– Что на картине видишь, спрашиваю?

– Реку, – выдавливает из себя Юзуф и тут же поправляется. – Неву.

– Ну? А еще?

– Дома каменные.

– Ну?

– Набережную. Людей. Деревья. Чаек. Рассвет.

– Еще!

Еще? Юзуф уныло смотрит на холст: нет там больше ничего.

– Ладно, иди, – разрешает Иконников. – Посуду я сам на кухню отнес.

– Я вам хотел свою порцию... меня Горелов не пустил...

– Иди уж!

Иконников берет кисть и аккуратно выравнивает след, оставшийся на волнах от пальца Юзуфа. Глаза его теплеют, будто согретые восходящим над Невой солнцем.

– Еще я вижу, что в Ленинграде не холодно, – говорит Юзуф от двери.

Художник не обернулся.

С тех пор и повелось: сначала Юзуф носил Илье Петровичу обеды и ужины, затем стал забегать без повода, торчать в клубе целыми днями. Отмывал кисти, скреб палитры, а то и просто сидел, наблюдая за работой Иконникова.

Тот большую часть времени проводил наверху, под потолком. Лежа на самодельных лесах, резко и часто колол острием самодельной кисти фанеру, мычал что-то под нос. Иногда скатывался по ступеням вниз и, задрав голову, бегал кругами, рассматривал свои труды – то от входа, то от окна, то из центра помещения. На лице его при этом появлялось мученическое выражение, а большие костлявые руки непрестанно почесывали одна другую. После таких осмотров Илья Петрович либо хватал мастихин и остервенело соскабливал кусок росписи (в такие моменты Юзуф сидел тихо, забившись в угол, за мольберт), либо, удовлетворенно мурча, продолжал писать (и можно было не таиться, залезть на леса, чтобы рассмотреть картину поближе и даже задать какой-нибудь вопрос).

Вечерами Иконников спускался вниз. Разминал затекшие руки и ноги, набивал пахучей травяной трухой деревянную трубочку, курил. Ставил на мольберт чистый холст или кусок фанеры. Юзуф затаивал дыхание: вот оно, начинается.

Толстая кисть Ильи Петровича делала сначала несколько длинных размашистых мазков, разрезая пространство будущей картины на части, затем густо покрывала разными цветами получившиеся куски. Холст становился похожим на невнятный и неряшливый калейдоскоп, на мусорную кучу. От заботливых прикосновений тонкой кисти это беспорядочное скопление пятен вдруг приобретало стройность и смысл, сквозь него сперва еле проступали, а затем четко проявлялись яркие и выпуклые образы – *окно распахивалось*. Мальчишки в больших черных кепках и оборванных штанах рыбачили на набережной неизвестной Юзуфу реки *Сены*, полуобнаженные купальщицы нежились под солнцем на жемчужных камнях *Лазурного берега*, парусник летел по *Большой Неве* прямиком к *Стрелке Васильевского*, медные грации кружились в хороводе по аллеям пустынного *Ораниенбаума*... То, куда распахивались эти *окна*, слепило Юзуфа, оглушало. Он часами сидел, вглядываясь в переплетение мазков, вслушиваясь в него, внюхиваясь. Далекий, лежащий за таежными холмами мир вовсе не был холодным и неприютным; он резко пах масляной краской, но сквозь этот сильный запах отчетливо слышался аромат и весенней травы, и горячих камней, и ветра, и прелых листьев, и свежепойманной рыбы.

Когда однажды Илья Петрович спросил его, что бы он хотел увидеть на следующей картине, Юзуф, не раздумывая, ответил: корову. Иконников кашлянул, потеребил длинный нос, шлепнул пару раз кистью по фанере. На Юзуфа глянуло толстое и ласковое существо, большеглазое, мягкое на ощупь, с желтыми запятыми рогов над курчавой макушкой. Не страшное.

Козу, севшим голосом потребовал Юзуф. Шлеп, шлеп! Рядом с коровой выросла остроносая морда козы с белыми торчками рожек и смешной бородехой.

Собаку, приказал Юзуф. Появился запыхавшийся от бега, радостно свесивший розовый язык пес.

Юзуф замолчал. Больше желать было нечего.

С того дня Илья Петрович стал писать для Юзуфа. Соборы и набережные, мосты и дворцы были отложены. Пришло время игрушек, овощей и фруктов, одежды и обуви, бытовых предметов и животных из зоосада.

Это – яблоко, лимон, арбуз, дыня, фейхоа. Это – картофель, редька, кукуруза, баклажан, томат. Это – шляпа; вот такая называется – цилиндр, такая – сомбреро, а такая – шапокляк. Это – перчатки; мужчины носят кожаные и только осенью, а женщины круглый год: кружевные белые – в театр и на выход, митенки без пальцев – в прохладную погоду, меховые – зимой...

Мир хлынул с истрепанных холстов и обломков фанеры так обильно и стремительно, что грозил затопить Юзуфа. Ночью, во сне, к нему приходили коты в пышных балетных пачках, жирафы несли в желтых кожаных ранцах растрепанные азбуки, тюлени жадно, с хрустом ели мороженое из хлебных стаканчиков, а полосатые тигры набивали тупыми мордами большой кожаный мяч. Все они были сотканными из легких выпуклых мазков и оттого – чуть шершавыми, угловатыми, отсверкивающими при движении сотней бликов, пахучими, вкусными. Юзуф просыпался взбудораженный, с тяжелой головой, горящими ушами и холодным кончиком носа, чувствуя, что впитанные им цвета и образы переполняют череп, разрывают изнутри. Их нужно было както выпустить обратно, наружу.

Позже он не мог вспомнить, что именно нарисовал впервые. Как-то само собой получилось, что завалявшимся в углу огрызком карандаша он стал шкрябать на полу каракули. Это приносило облегчение – голова остывала, легчала. Постепенно каракули подползли к окну, заполнили подоконник, кусок стены. Однажды утром обнаружил на мольберте чистую фанерку и кисть, словно приготовленные кем-то и забытые. Он посмотрел вверх – Иконников привычно лежал под потолком, носом в агитацию, не обращая на него внимания. Юзуф осторожно взял кисть, ткнул в палитру, провел по фанерке, оставляя жирную оранжевую комету. Еще одну. И еще. С того дня стал писать маслом.

– Quelle date sommes nous aujourd'hui?[1]
– Le premier Juillet mille neuf cent trente-huit, madame[2].

---

[1] Какое сегодня число? (*Фр.*)

[2] Первое июля одна тысяча девятьсот тридцать восьмого года, мадам (*фр.*).

– Qu'est-ce que tu faisais aujourd'hui?[1]

– Je dessinais, madame[2].

– Et encore?[3]

– Je seulement dessinais, madame[4].

Юзуф и Изабелла идут по берегу: он пинает носком ботинка камешки, и они звонко плюхают в Ангару; Изабелла, как всегда во время уроков, чинно вышагивает рядом, руки заложены за спину, в одной – длинный березовый прут.

– Tu dessinais quoi, Usuf?[5]

– Вокзал и поезда, много поездов, – Эти слова они еще не проходили, и он отвечает по-русски. – Сначала Илья Петрович сам нарисовал, а потом я, следом.

Она останавливается и внимательно смотрит на него; чертит прутом на земле: train.

– Train – поезд.

Изабелла всегда произносит новые слова так спокойно и отчетливо, что они врезаются Юзуфу в память. Начертанные на влажной земле кривоватые буквы остаются перед глазами, даже когда их смывает волной. Gare – вокзал. Wagon – вагон. Rail – рельсы. Chemin – путь. Destination – место назначения. Voyage – путешествие. Partir – уезжать. Revenir – возвращаться. Сегодня много новых слов; к следующему уроку их нужно выучить наизусть.

– Вот тебе еще и пословица по теме, – говорит Изабелла. – Partir, c'est mourir un peu. Уезжать – это немножко умирать.

---

[1] Чем ты сегодня занимался? (*Фр.*)

[2] Рисовал, мадам (*фр.*).

[3] А еще? (*Фр.*)

[4] Только рисовал (*фр.*).

[5] Что же ты рисовал, Юзуф? (*Фр.*)

Юзуф знает уже много французских пословиц, задорных и метких, – про любовь и войну, королей и моряков, баранов и яичницу. А эта кажется – грустной, словно и не французская вовсе.

– А нет ли другой, веселой?

– Извини, я не то хотела сказать. Вот тебе другая: Pour atteindre son but il ne faut qu'aller. Чтобы дойти до цели, человеку нужно только одно – идти.

Красивые слова. Юзуф приседает и ведет пальцем по полурастаявшим в набежавших волнах буквам: partir, revenir... Хочется нарисовать усталого человека, который бредет – упорно, закусив рот и крепко сжимая в руке посох, – куда-то далеко, то ли к своему destination, то ли уже обратно домой... Изабелла треплет его по вихрам и уходит с берега, неожиданно заканчивая урок раньше обычного.

Скоро Вольфу Карловичу показалось, что у Юзуфа проснулся интерес к медицине. Равнодушный ранее к тому, что происходит в лазарете днем, и прибегавший туда по необходимости только вечерами, чтобы помочь матери с уборкой, Юзуф вдруг зачастил в приемную: прокрадется тихонько за Лейбе, примостится в уголке – сидит, таращит огромные материнские глазищи на пациентов, сопит.

Лазарет к тому времени уже вырос, расширился до двух битком набитых нарами срубов (и Лейбе наконец-то разделил пространство на мужское и женское отделения, а также выгородил крошечный изолятор для инфекционных больных). Приемный покой располагался на старом месте, у окна, недалеко от входа, отгороженный от основного помещения сначала занавеской из рогожи, а теперь добротной деревянной ширмой. Здесь имелись расставленные в неизменном строгом порядке стул, сосновый топчан для осмотра пациентов, самодельная этажерка с инструментами. Недавно к ним прибавился стол – и сразу стал любимым местом Лейбе. Теперь он вел журнал учета пациентов сидя (раньше приходилось пристраиваться на подоконнике, бочком).

Огромный серый гроссбух одним своим видом внушал больным глубокое уважение. Когда Вольф Карлович перелистывал толстые, плохо гнущиеся бурые листы, сплошь исписанные его мелким летящим почерком, уважение это перерастало в трепет. Семрукские крестьяне почтительно величали его «наш дохтур».

Доктор принимал всегда. В лазарете не было часов приема, выходных и праздников. Если что-то случалось ночью, стучали в окно – и заспанный Лейбе спешил в приемный покой, натягивая недавно появившийся у него белый халат (привез Кузнец в благодарность за излеченную в условиях полной конфиденциальности болезнь по мужской части). Лечил все: тиф, дизентерию, цингу, венерические болезни, страшную пеллагру, заживо сдиравшую с больных кожу. Рвал зубы, отрезал покалеченные на повале руки и ноги, вставлял грыжи, принимал роды, делал аборты (сначала не таясь, а после постановления тридцать шестого года – втихую, не афишируя). Не мог справиться только с одним, самым часто встречавшимся диагнозом: алиментарная дистрофия (ставить этот диагноз запрещалось, и он вписывал в гроссбух расплывчатое: «сердечно-сосудистая недостаточность»).

Вот и семилетний Юзуф – даром что высокий, а тощий как жердь, мосластый да голенастый, как циркуль. Вольф Карлович старался его подкармливать: благодарные пациенты несли *дохтуру* то кулек ягод, то горсть орехов, то свежей крапивы на суп, то корень одуванчика (Лейбе приноровился заваривать вместо кофе), да куда там – молодой организм рос, и ноги-руки у Юзуфа по-прежнему оставались худющие, палками.

В тот день мальчик сидел у ширмы, как всегда, тихо, не шелохнувшись. Не мигая, смотрел на больного – сутулистого старика с кожей пористой и морщинистой, как высушенная мандаринная корка. Тот, разоблачившись до исподних штанов, демонстрировал Лейбе свои шишковатые, крутыми буграми, суставы и искореженные артритом, словно переломанные, пальцы. Прописав старику черники, костяники и рябины в любом виде и максимальных количествах, а при сильных болях – стакан самогона (что делать, самогон как испытанное болеутоляющее приходилось использовать во многих случаях), Лейбе повернулся к Юзуфу.

– Что, интересно? Это arthritis, болезнь костей и суставов. Да будет вам известно, юноша, что в человеческом организме более двух сотен костей, и каждая из них может воспалиться, изменить контур или объем, занемочь...

Юзуф, не сводя завороженного взгляда с доктора, принялся ощупывать свои коленки, щиколотки, ребра.

– Вот здесь, – доктор взял Юзуфа за тощее запястье, – локтевая кость, ulna. Дальше – humerus, плечо. Clavicula, costae...

Вольфу Карловичу внезапно стало жарко: на мгновение он ощутил себя на университетской кафедре, под прицелом сотен молодых внимательных глаз. Кое-как справился с волнением, продолжил рассказ. А вечером поспешил к коменданту – просить несколько агитационных плакатов «для идеологического украшения мест медицинского обслуживания населения». Получив требуемое, вернулся в лазарет и, замирая от внезапного волнения, разложил на столе бодрых мускулистых физкультурников обоего пола, гордо несущих алые знамена с приветами руководству страны. Всю ночь кряхтел над ними, бормоча то по-латыни, то по-немецки и водя карандашом по упитанным загорелым телам, которым не грозили ни дистрофия, ни пеллагра. Утром анатомическое пособие было готово: физкультурники по-прежнему шествовали с флагами, являя миру ровно четыреста шесть костей, – длинных, коротких, плоских и смешанных, – по двести три на каждого.

Юзуф оценил труд доктора: прилежно шевеля губами, за неделю выучил заковыристые названия, попутно разыскав в своем обтянутом кожей и словно предназначенном для такого рода штудий теле все кости, которые представлялось возможным нащупать: от остренькой os nasale до еле ощутимой os coccyges.

Вольф Карлович подготовил второе пособие, на котором тренированные тела физкультурников послушно демонстрировали скелетную мышечную систему: скульптурные vastus lateralis и gastrocnemius, угрожающе-выпуклые pectoralis major... Юзуф вызубрил и их.

Когда вдохновленный педагогическим успехом Лейбе предложил перейти к строению внутренних органов, Юзуф неожиданно отказался; попросил разрешения пустить оставшиеся плакаты на листы для рисования. Обескураженный Лейбе согласился, и Юзуф переместился из приемного покоя в стационар – рисовать лежащих на нарах больных. Его внезапный жгучий интерес к медицине угас, скоро он опять целыми днями пропадал в клубе у Иконникова – к горькому разочарованию Вольфа Карловича. А мелко нашинкованные на мышцы и кости, исписанные латинскими терминами физкультурники так и остались висеть в лазарете, неизмеримо укрепляя и без того колоссальный авторитет семрукского *дохтура*.

Иконников писал агитацию ровно полгода. Перед тем как сдавать работу потерявшему остатки терпения начальству, он пригласил обоих Сумлинских в клуб, «на вернисаж». «Наконец-то! – обрадовалась Изабелла. – Давно не выходила в свет».

«Вернисаж» ожидался ночью, под покровом темноты. Исхудавший за последнее время до невозможности, с воспаленными красными глазами в черных теневых обводах, Иконников весь день самолично разбирал леса, оставил только одну стремянку у стены. Запер дверь на замок, лег на пол на спину и стал ждать гостей.

Он лежал в закатном полумраке и смотрел на роспись. Оранжевый квадрат света из окна полз сначала по полу, затем по стене, а после пропал вовсе. Стемнело; линии на потолке расплылись, растворились в густом ночном воздухе, но Иконников видел их так же отчетливо, как днем, потому лампу не зажигал.

Завтра – предъявлять агитацию. Приедет Кузнец, будет щупать ее хищными глазками, прикидывать, достаточен ли *идеологический посыл* – а значит, оставить ли ее в клубе или содрать к чертям собачьим и сжечь, а самого автора – вон из мирной семрукской жизни, в лагеря, да подальше. Притащится Горелов, жадно обнюхает все в поисках, к чему бы придраться, что-нибудь да обязательно найдет. Завтра – расставаться. Оставить здесь роспись, пару дюжин городских пейзажей (после памятного ночного визита начальства он осмелел, развесил их по стенам клуба), ворох фанерных огрызков с картинками для Юзуфа, самодельные кисти, палитры, мастихины из лезвия одноручки, полупустые тюбики с краской, тряпки. Оставить здесь запах олифы и скипидара, ночные бдения, беседы с маленьким Юзуфом, пятна краски на пальцах, все мысли свои, себя самого оставить. И – добро пожаловать обратно на повал, заждались уж вас, гражданин Иконников...

В углу, за кучей хлама припрятана тяжелая бутыль. Распечатать? Нет, не сейчас. Жаль мгновения.

В дверь осторожно скребутся – Сумлинские. Иконников зажигает керосинку и идет встречать гостей. Константин Арнольдович – в новом пиджаке (в Семруке проблема с одеждой решалась просто: умирающие оставляли свой гардероб в наследство живым), Изабелла тщательно причесана, опирается на руку мужа.

– Bonsoir, – говорит чинно.

И вскрикивает: с шершавой, плохо оструганной сосновой стены на нее смотрит Сен-Лазар. Рядом – Сакре-Кер. Тюильри. Консьержери. Изабелла медленно идет вдоль стен; ее длинная тень плывет рядом.

– Белла, – Сумлинский стоит у противоположной стены, опустив руки по швам и не шевелясь. – Посмотри – Васильевский, Шестая линия.

Изабелла медленно поворачивает профиль, приближает вплотную к маленькому прямоугольнику холста.

– Это Восьмая линия, – Иконников подносит керосинку ближе.

– Шестая, Илья Петрович, голубчик, Шестая, – Изабелла тянется ладонью к желтым и серым домам с причудливыми балкончиками, но не касается их, гладит по воздуху. – Мы здесь жили, чуть дальше, вот в этом доме. – Ее палец выходит за границу холста, ползет по бревну и утыкается в жесткую паклю.

Ленинград занимает в клубе две стены, Париж, Прованс и морские пейзажи – две другие; прочий мир, скудно представленный парой мелких видов и бытовых зарисовок, ютится по углам. Сумлинские перемещаются с Васильевского на Сите, с набережной Бранли на Английскую, с моста Александра Третьего переходят на Троицкий, с Банковского мостика – на мост Менял, по Сен-Мартену попадают на Лебяжью канавку, и дальше, мимо Михайловского, – в Неву...

– Я никуда отсюда не уйду, – говорит наконец Изабелла. – Илья Петрович, я буду жить здесь – подмастерьем, краски вам мешать или полы мыть.

– Краски мы давно уже не мешаем, они готовыми продаются, в тубах. А я здесь – сам последний день. Завтра сдаю агитацию и – finita la comedia.

Сумлинские спохватываются: а роспись-то – все еще не посмотрели! Как же нехорошо получилось! Где же она, маэстро, предъявите... Иконников до предела выкручивает фитилек керосинки – пламя длинным ярким лоскутом взлетает под стеклянным колпаком, заливает пространство желтым светом, – и поднимает вверх.

А там – небесный свод: прозрачная синева, по которой легко, перьями, плывут облака. Четыре человека вырастают из четырех углов потолка, напряженно тянут руки вверх, словно стараясь дотянуться до чего-то в центре. Под ногами у них, где-то далеко внизу, остались волнующиеся густо-золотой рожью поля, усыпанные черными коробочками тракторов; мелкотравчатые леса, над которыми парят зернышки дирижаблей; ощерившиеся спичками фабричных труб города; многолюдные демонстрации с мелкими красными змейками транспарантов. Весь этот бурный и густонаселенный мир стелется узкой лентой вокруг квадрата потолка – как причудливая пестрая рама, в которой парят, оттолкнувшись от нее, четыре главных героя.

Златовласый врач в крахмально-белом халате, атлетический воин с винтовкой за спиной, агроном со связкой пшеницы и землемером на плече, мать с младенцем на руках – они молоды и сильны; лица – открыты, смелы и чрезвычайно напряжены, в них одно стремление – дотянуться до цели. До какой? В центре потолка – пустота.

– Они тянутся к тому, чего не существует, так?

– Нет, Белла, – Константин Арнольдович прикладывает узенькую ладошку к нижней губе, теребит тощую бороденку, – они тянутся друг к другу.

– Илья Петрович, – спохватывается Изабелла, – а где же собственно агитация?

– Будет, – усмехается тот. – Мне еще одну деталь осталось дописать, как раз за ночь успею.

Когда Сумлинские уходят, он выдвигает стремянку в центр помещения, садится на нижнюю ступеньку и, задумчиво улыбаясь, выдавливает на палитру жирную загогулину кроваво-красного кадмия.

Тр-р-р-еск! Дверь распахивается, впуская на порог приземистую фигуру Горелова – шпионил, пес.

– Нарушаем? – шипит. – Ночную жизнь ведем? Гостей принимаем?

Не торопясь, он заваливается в клуб. Громко сопя, рыщет глазами по потолку, по стремянке, по неподвижно сидящей на ней фигуре Иконникова; останавливается перед ним, упирается руками в бока, задумчиво жует тяжелой нижней челюстью.

– А доложи-ка смотрящему, сука-ты-гражданин-Иконников, о чем с Сумлинскими шептался.

– Агитацию обсуждали, – тот поднимает глаза к потолку. – Совокупность заложенных в нее идей, достаточность для конкретных агитационно-просветительских целей и возможные субъективные особенности восприятия ее некоторыми индивидуумами нашего населенного пункта.

– Вре-о-о-ошь... – Горелов приближает лицо с распахнутыми щелками глаз. – Ладно, мазилка, попадешь ко мне на повал – там поговорим. Или думаешь закосить, при клубе остаться? Живопи́сью своей вместо честного труда заниматься?

Судя по всему, разузнал откуда-то, что недавно Иконников написал прошение на имя коменданта с предложением организовать в Семруке промысловую художественную артель. В послании было подробно описано, какого рода продукцию данная артель могла бы производить («высококачественные, писанные маслом картины патриотического и агитационного содержания, всех возможных тематик, включая историческую»), кто мог бы быть потребителем продукции («дома и дворцы культуры, избы-читальни, библиотеки, кинотеатры и пр. места культурного досуга и просвещения трудящихся масс»), а также дана примерная калькуляция доходов хозяйственной единицы – сумма получилась внушительная. Игнатов оставил решение вопроса до приемки агитации в клубе.

Иконников молчит, шуршит по палитре. Горелов внезапно выхватывает у него кисть и еле заметным движением втыкает под ребра, как нож – на мгновение кажется, что острое древко проткнуло кожу. Иконников сипит, ухватившись за кисть и пытаясь отвести ее от себя, но Горелов держит крепко, как стальным крючком зацепив за край ребра.

– Что ж, можно и при артельке пофилонить... – горячо и кисло дышит в ухо. – Только ведь картинки для советского народа у нас проверенные художники пишут – не контры, как ты.

– Я Сталина... двадцать четыре бюста... – Иконников извивается на стремянке, как проткнутый иглой мотылек.

– Хочешь быть художником – докажи, что достоин! Выбирай, сволочь, или ты с нами, или завтра же – на повал.

– Чего... хотите?.. – Кисть воткнулась не то в легкое, не то в диафрагму – сейчас проткнет, дышать невозможно.

– Повторяю: о чем с Сумлинскими шептался?

– О Ленинграде!

Горелов делает шаг назад; Иконников валится на пол, со свистом втягивая воздух и непрерывно кашляя.

– То-то! – Горелов брезгливо смотрит на кисть у себя в руках, ломает об колено, выбрасывает в темноту – деревянные обломки стучат по половицам, катятся в разные углы. – Напишешь все, как было: кто что спрашивал-говорил, над чем смеялись там и крики... кри-ти-ковали, – он поправляет сбившийся набок ремень, одергивает форменный китель. – И принесешь мне завтра. Успеешь до приемки агитации – будет тебе артель, не успеешь – точи пилу. А я уж прослежу, чтобы тебя в мою смену определили. Все, сука, свободен.

Сапоги Горелова стучат к выходу, пропадают за дверью. Иконников, все еще на коленях, ползет в угол. Расшвыривает пустые ящики, обрезки фанеры, тряпье – находит спрятанную бутыль. Срывает зубами затычку, делает пару длинных булькающих глотков. Неуверенно шаркая в темноте, возвращается к стремянке. Берет керосинку и палитру, залезает под потолок. Пару минут сидит на верхней ступеньке, наблюдая безбрежный синий простор, по которому тянется прозрачный пух облаков. Зачерпывает с палитры щедрую пригоршню кадмия и хряпает о потолок – на небосводе взрывается огромная и жирная алая клякса.

Кузнец как приехал, – прямиком в клуб, агитацию смотреть. Встал посреди клуба, воткнул глаза в потолок; стоит, бровями шевелит, проникается. Игнатов – рядом. Горелов тоже увязался с ними, маячит у двери, на начальство зыркает. Сам Иконников – тут же, стенку подпирает; вялый, снурый – так и не спал ночью; рукой то и дело за бок хватается, под ребрами, словно желудок у него прихватывает. Когда молчание затягивается, решает немного разрядить обстановку.

– Разрешите, – говорит, – я как автор пару слов про концепцию скажу... про основную идею то есть.

Начальство молчит, громко дышит.

– Агитация представляет собой аллегорию... собирательный образ советского общества, – Иконников поднимает руку поочередно к каждой из парящих в небе фигур. – Защитник отечества – символ доблестных вооруженных сил. Мать с младенцем – всех советских женщин. Красный агроном... он же хлебороб... воплощает земледелие и вытекающее из него процветание нашей страны, а врач – защиту населения от болезней, а также всю советскую научную мысль, вместе взятую.

Кузнец перекатывается с пятки на носок и обратно, с носка на пятку; сапоги его натужно скрипят.

– Армия и мирное население, наука и земледелие в едином порыве устремлены к символу революции – красному знамени.

В центре потолка, где вчера еще синело высокое небо, реет гигантский, похожий на ковер-самолет, алый стяг. Он так велик, что, кажется, сейчас упадет и накроет всех стоящих под ним с задранными кверху головами людишек. «Пролетарии всех стран, соединяйтесь!» – течет по его складкам увесистая, шитая толстым золотом надпись. Четыре фигуры по углам росписи, сразу будто уменьшившиеся в размерах, теперь истово тянут руки в определенном направлении – к знамени.

«Красиво получилось, – удивленно думает Игнатов, разглядывая одухотворенные лица парящих над ним людей. – Правдиво, по-настоящему. Молодец художник, не обманул».

«Человечков полгода малевал, а с флагом за одну ночь управился – филонил, гад», – запоздало сокрушается про себя Горелов.

– Ну... – произносит наконец Кузнец. – Пробирает, хвалю. Такому мастеру и артель доверить можно.

И – хлоп Иконникова по сутулому плечу, тот еле на ногах устоял.

Начальство пошло вон, а Илья Петрович остался в клубе. Сел на стремянку, опустил голову в перепачканные краской руки, так и сидел, долго. Когда наконец поднял лицо, с потолка непривычно дохнуло горячим и красным – знамя.

Конечно, это были ангелы. Про них Юзуфу рассказывала мать: что парят они в небесных высях, питаются солнечным светом, иногда, невидимые, встают у людей за плечами и защищают в беде, а являются редко, только чтобы возвестить что-то очень важное. Мать их называла – фэрэштэ. По-русски – ангелы, значит.

Он так и спросил у Ильи Петровича: вы ангелов на потолке нарисовали? Тот заулыбался. Очень даже может быть, говорит.

Однажды, когда Иконникова не было в клубе, Юзуф залез на леса и тщательно изучил почти законченную роспись вблизи. Сначала долго лежал, смотрел на златовласого врача, а тот смотрел на Юзуфа. Глаза у врача были остро-синие, яркие, волос пышный, бараном. «На доктора нашего похож, – решил Юзуф. – Только молодой и без лысины».

Затем смотрел на агронома. Этот был еще моложе, совсем юноша, мечтательный, нежный; щеки бархатные, взгляд восторженный. Ни на кого не похож – не было в Семруке таких радостных лиц.

Иное дело воин: глаза строгие, упрямые, рот в нитку – вылитый комендант. Удивительно, как могут быть похожи люди и ангелы.

Женщина с ребенком была зеленоглаза, темные косы скручены на затылке; дите на руках – крошечное, полуслепое. Юзуф и не знал, что дети при рождении бывают такими мелкими. Интересно, ребенок ангела, когда вырастает, тоже становится ангелом? Додумать не успел – пришел Иконников.

– Ну как, – спрашивает, – рассмотрел? И кто это, по-твоему?

Юзуф слез с лесов, деловито отряхнулся.

– Конечно, – говорит, – ангелы, самые обыкновенные. Каждому понятно. Что я, маленький, что ли, таких вещей не понимать...

Черный шатер

Огромное, кубометра на полтора, бревно, вращая круглым желтым спилом, ухает с катища в воду. К нему уже подбегают, упираются руками, толкают от берега; заводят поглубже, пока вода не достигнет шеи – отпускают. Там Ангара сама подхватит, понесет. Сплавщики, стоя в лодках с длинными шестами-пиканками, выправят ход бревен, сколотят их поплотнее к центру. Поймают железными крючьями на концах пиканок отбившиеся от стаи бревна, вернут в русло. И потянется длинный караван сплава вниз, к устью Ангары – к рейду; сплавщики – за ней. Там уже ждут у запани баржи: выловить пойманный лес, перевести через Енисей, подтянуть к Маклакову, на лесопильный комбинат.

Семрукцы сплавляли лес молем, когда Ангара входила в межень, успокаивалась (по высокой воде – опасно, перебьется лес). Одни подкатывали бревна к краю катища, сталкивали в воду. Другие ловили понизу, в воде. Третьи, самые надежные и проверенные, – шли до Маклакова сплавщиками.

Сегодня начали работать еще затемно, и Ангара уже кишит темными спинами бревен, словно стая гигантских рыб толкается в ручье. Когда солнце достигает зенита, *катальщики* почти так же мокры от пота, как барахтающиеся в воде *толкальщики*, а первый отряд сплавщиков уже скрылся за поворотом, ушел к Енисею.

– Смена, обед!

Люди падают на землю. Кто смотрит на оставшиеся штабеля, кто – на шуршащие вдаль по реке спины бревен, кто – в ясное июльское небо. Звенят ложки, тянет вонючей самодельной махоркой. С высокого катища хорошо видно, как вдалеке, на семрукской пристани, грузится на свой блестящий коричневый катер еле держащийся на ногах от тяжелого похмелья Кузнец. Полуодетый Игнатов, пошатываясь, цепляется за него, кричит, размахивая руками, словно требует или хочет упросить о чем-то, а Горелов – держит коменданта, позволяя Кузнецу вырваться и запрыгнуть на катер. «Не могу!.. Отпусти!.. Не могу здесь больше!» – доносится отчаянный вопль Игнатова.

– Вот суки, – тихо, с ненавистью говорит кто-то из катальщиков.

Устроенную сегодня ночью в Семруке свистопляску с пальбой по живым людям уже успели прозвать *вальпургиевой ночью.* К счастью, убитых не было, только раненые.

Наконец катер отрывается от пристани, прокашлявшись, набирает ход и, осторожно обходя скопления бревен, направляется к повороту. Горелов отпускает коменданта; словно извиняясь, разводит руками, прижимает ладони к груди. Игнатов не слушает – прыгает в болтающуюся у причала лодчонку и гребет за катером. Лодка мелкая, скорлупкой, быстро летит по волнам; течением ее выносит на стрежень, тянет в хвост тяжелой стаи из бревен.

– Затрет к чертям, – равнодушные голоса в толпе. – Раздавит.

Люди поднимают лица от мисок; кто-то вглядывается, привстает, чтобы получше разглядеть, кто-то продолжает равнодушно хлебать. Слышно, как вдалеке, в караване, громко и страшно трещат бревна.

Игнатов слишком поздно замечает опасность; гребет что есть силы, но уже не выплыть – лодка врезается в шевелящееся посреди реки блестящее месиво. Он отталкивает бревна веслом, но весло тут же ломается; через пару секунд Игнатов будто приседает, уменьшается ростом – и вот уже не видно ни лодки, ни его самого; только еще раз мелькает среди покрытых пеной бревен темно-русая голова – и все.

– Умри, сволочь, – внятно произносит щуплый мужичонка в донельзя рваной робе – Засека.

И вдруг кто-то срывается с катища и стремглав мчит к воде, сталкивает приготовленную для сплавщиков лодку и прыгает в нее, гребет вслед каравану, отчаянно работая шестом, вгрызается в кипящую кашу из бревен и пены – Лукка. Люди на пригорке смотрят, как швыряет его из стороны в сторону: стоя на полусогнутых ногах, он месит Ангару шестом; его стремительно относит вниз, а он упрямо карабкается куда-то вбок, пробирается, протискивается меж бревен – туда, где мелькнула в последний раз мокрая игнатовская голова. Вдруг бросает шест, наклоняется к воде.

– Нашел?!

И вот уже все, побросав миски, ложки, недокуренные самокрутки, бегут к реке, толпятся, галдят, забегают в воду. Несколько лодок выскакивают на Ангару, мчатся вдоль берега вниз по течению, готовясь встретить, помочь вылезти из деревянного месива. Швыряют канаты, тянут пиканки, вопят...

– Давай! Давай! – орет Горелов что есть мочи, хлюпая сапогами по щиколотку в воде и отчаянно махая крошечной рыжеволосой фигурке на середине Ангары.

Лукка цепляет пиканкой один из брошенных канатов, лодку кое-как подтягивают к берегу, поднимают к семрукской пристани – она смята, как бумажный кораблик, уже наполовину залита водой. А вода эта – густо-красная; на дне, хрипя большими кровавыми пузырями и нелепо, по-кукольному, вывернув ноги, лежит Игнатов...

Он очнулся ночью – как ударили. Сел в постели. Где я?

Лоб стягивает тугая марлевая шапка; правая рука прикручена к плечу; левая нога – тяжелая, будто спелената. Вокруг в мутном лунном свете тускло белеют подушки, сопят какие-то люди. Ах да, в лазарете. Кажется, он тут уже давно, несколько дней, а может, и недель. Каждую ночь просыпается и долго, мучительно приходит в себя, вспоминает; потом обессиленно откидывается назад и снова засыпает. Мелькают лица – Лейбе, Горелов, другие больные. Иногда во рту образуется ложка – и он послушно глотает то прохладную воду, то теплую и жидкую похлебку, которая медленно стекает по горлу вниз. А в голове вяло плещут такие же мысли – жидкие, тягучие...

Но сегодня все по-иному: голова – ясная, и все в ней стройное, быстрое, четкое; тело – неожиданно сильное. Игнатов хватается здоровой рукой за впившиеся в подбородок завязки, тянет, распускает узлы, рвет марлю через голову, отбрасывает шапочку. Отлепляет с темени пару приставших тампонов. Легкий ветерок из фортки нежно веет на бритый череп, оглаживает кожу. Свободен!

Опирается о край кровати, хочет спустить на пол ноги. Правая кое-как слушается, вылезает из-под одеяла, а левая стала – неподъемная, резко стреляет болью. Откидывает одеяло: нога туго закручена в марлю, как младенец в пеленку; половины ступни – нет.

Он часто и глубоко дышит, глядя на забинтованную ногу, затем отворачивается. Замечает прислоненный к кровати свежеоструганный костыль. Не было у них до этого в Семруке костылей. Сами смастерили, значит. Для него? Хватает и со всей силы мечет в темноту – грохот, лязг каких-то склянок; кто-то из больных приподнимается, бурчит, снова роняет голову на подушку; опять наступает тишина.

Игнатов сидит и слушает свое дыхание. Затем рывком встает (ребра жгут тело) и прыгает на одной ноге к тому месту, куда улетел костыль – вот он лежит, у стенки. Наклоняется, поднимает. Костыль крепко пахнет сосновой смолой; не разлетелся на части – крепкий; перекладины обернуты тряпкой для мягкости, на конец прибит каблук от чьего-то ботинка, чтоб не сильно стучал – толково сработано, на совесть, спасибо хоть на этом. Игнатов вставляет костыль под мышку и ковыляет к выходу. Сзади раздается шарканье шагов – с жилой половины вылез на шум сонный доктор, трет глаза.

– Куда вы?! – квохчет сзади. – А черепно-мозговая травма? А швы? Переломы? Нога?!

Игнатов бухает костылем в дверь лазарета – та с грохотом распахивается – и выходит в ночь.

С того дня комендант жил у себя. Лейбе раз в день поднимался к нему в комендатуру, осматривал, а Зулейха вечерами меняла повязки.

Приходила; глядя в пол, ставила на стол таз с горячей водой, клала рядом мотки выстиранных вчера и прокипяченных бинтов. Игнатов уже сидел в кровати, смотрел. Ждал?

Начинала с головы. Доктор настрого запретил коменданту снимать головную повязку, тот пошумел и подчинился; шапочку больше не наматывали, делали простую круговую. Зулейха накладывала ладони на теплый затылок, поросший густой русой, с искрами седины щетиной; разматывала длинный бинт; горячей влажной тряпкой вела по бледной коже, вокруг зигзагов свежих бордовых швов; вытирала насухо. Сами швы смазывала горько-пахучим самогоном; обматывала поверху чистым бинтом.

Наступал черед руки. Кряхтя от натуги, кое-как, снимала с большого и горячего игнатовского тела непослушную рубаху (он не помогал, даже здоровой рукой). Видела, как постепенно меняют цвет, светлеют и уходят огромные синяки. Под ними проступала кожа – светлая, чистая. Вспоминала курчавый живот и мохнатые плечи Муртазы, его могучее, похожее на дерево туловище, необъятно-широкое в плечах и столь же объемное в поясе. У Игнатова все было другое: плечи острые, вразлет; тело длинное, узкое в талии. Она снимала бинт, обмывала тяжелую податливую руку, основательно зашитую в двух местах (он морщился от боли, терпел), все синяки и ссадины – на груди, на ребрах, на спине. Под лопаткой зиял глубокий старый шрам, при виде которого она отводила глаза, словно подсмотрев не предназначенную ей тайну. Сухая тряпка. Самогон. Новая повязка. Сверху – надеть рубаху.

Ногу обрабатывала в последнюю очередь. Ставила таз на пол у кровати, вставала на колени. Освобождала культю от марли, чувствуя на темени тяжелый игнатовский взгляд, обмывала. Он задерживал дыхание, кряхтел. Мучился, верно, не от боли – от злости. Вспоминала, как мыла ноги Муртазе; были у того даже не ноги – ножищи, широкие и толстые; пальцы разлапистые, в разные стороны; загрубевшие от хождения по земле черные ступни слоились и крошились в руках, как древесная кора. У Игнатова же ноги были длинные, узкие, ступни – сухие, гладкие, твердые. Наверное, и пальцы красивые. Этого Зулейха не знала, здоровую ногу коменданта видеть не пришлось.

Все остальное его тело знала, наизусть выучила.

Промыть, вытереть, смазать, забинтовать.

Все это время Игнатов сидел молча, повернув к ней лицо. Ей казалось, что он слушает ее запах. А еще казалось – нестерпимо пахнет медом. Горячая вода, бинты, даже самогон – медом. И игнатовское тело. И волосы.

Не поднять глаз от пола. Не коснуться лишний раз. Не повернуть головы. Смотать грязную марлю, подтереть за собой пол и – прочь, прочь отсюда, стирать перевязочные тряпки в ледяной ангарской воде, остужать руки, щеки, лоб; сжимать челюсти, жмурить глаза, вызывать перед мысленным взором черный шатер, плотным ковром накрывающий комендатуру, и сломя голову скакать, утекать от него на быстром аргамаке; завтра опять греть воду и подниматься по тропинке вверх – туда, где уже ждет ее, сидя на прибранной кровати, Игнатов.

Так и жили весь остаток лета, до осени.

А в сентябре доктор разрешил снять повязки. Швы к тому времени уже зажили, посветлели. Сегодня –

идти к коменданту в последний раз: снять бинты с руки и головы. Повязку на культе еще оставляли, но теперь, при обеих здоровых руках, Игнатов мог менять ее сам.

Она пришла, как обычно, на закате. Прижимая к животу тяжелый горячий таз, легко постучала ногой в дверь – та поддалась, отворилась. Зулейха входит; взгромождает исходящий густым паром таз на стол. А Игнатова в кровати нет – стоит у подоконника, опершись спиной об окно, смотрит на нее в упор с высоты своего богатырского роста.

– Повязки снять пришла, – говорит Зулейха тазу на столе.

– Так снимай.

Зулейха подходит к Игнатову: высокий какой, выше Муртазы, наверное. Обмотанная белым бинтом, как чалмой, голова – под самым потолком.

– Не достану.

– Достанешь.

Она встает на цыпочки и тянется вверх, запрокидывает голову; нащупывает пальцами знакомый ершистый затылок, разматывает повязку. Жарко в комендатуре, будто натоплено.

– А пальцы-то у тебя ледяные, – замечает Игнатов.

Его лицо – совсем близко. Она молча раскручивает бинт; наконец, справилась – опускает руки, отходит к столу, выдыхает. Погружает ладонь с куском чистой марли в таз, в обжигающую воду; снова идет к Игнатову, несет истекающую горячей водой, парящую белым тряпицу.

– Не вижу ведь ничего.

– А ты на ощупь.

Она поднимает тряпицу вверх, накладывает на щетинистую макушку, ведет по крутому затылку. Горячие капли стекают по руке вниз, рукава кульмэк – мокрые. А ведь руки у нее и вправду холодные, даром что в горячей воде возится.

Рубаху Игнатов носил поверх забинтованной руки, вдевая в рукав только здоровую руку. Обычно снимал к приходу Зулейхи ремень, сегодня – не снял. Она долго и мучительно возится, справляясь с тугой медной застежкой; наконец ремень глухо звякает об пол. Разозлившись, она не поднимает его; резко тянет плотную ткань рубахи вверх, сдирает с большого и неподвижного тела.

– Вторую руку сломаешь, – говорит без улыбки Игнатов; и сразу, без перерыва: – Останься.

Зло и быстро Зулейха раскручивает длинные, бесконечные бинты; чувствует, как от злости ладони быстро теплеют, горячеют, плавятся, как тяжелый медовый запах обволакивает ее, затапливает. Вот уже рука Игнатова свободна от бинтов. Он осторожно шевелит пальцами. Поднимает ладонь и кладет ей на шею.

– Останься, – повторяет.

Она вырывается, подбирает с пола все тряпки, хватает таз; спотыкаясь и разбрызгивая воду, бежит к двери.

– А швы-то промыть? – кричит он вслед.

Зулейха поворачивается и плещет горячей водой из таза в белую безволосую грудь.

...Этой ночью Зулейха не может уснуть – лежит, слушает темноту: ровное дыхание сына на плече, тонкое подхрапывание доктора в углу, гул ветра в печи. Жара, душно.

Она встает, жадно глотает воду из ковшика; набрасывает на плечи пиджак, выскальзывает из избы. Ночь ясная, вызвездило; луна – фонарем; изо рта – молочно-белый пар.

Спускается к Ангаре, долго смотрит на маслянисто-желтую, осколками рассыпанную по волнам лунную дорогу; слушает шорох пены у берега, чье-то далекое тявканье на том берегу. Туже переплетает косы, забрасывает за спину; плещет в лицо холодной водой. Пора домой.

По пути замечает на холме, у комендатуры, ярко-красную точку: Игнатов курит. Точка то жирнеет, набухает светом, то опадает, бледнеет. Мигает, как маяк – зовет. И Зулейха идет на зов.

Игнатов замечает ее издалека – перестает курить, и красная точка бесконечно долго гаснет у него меж пальцев. Она останавливается перед крыльцом, смотрит на сидящего на ступенях Игнатова; берет в руки косы, расплетает одну, вторую. Он вдруг дергает рукой – самокрутка догорела, обожгла пальцы; встает и, опираясь на костыль, поднимается в дом.

Скрипит, болтаясь на петлях, раскрытая дверь. Зулейха поднимается по ступеням. Стоит. Затем протягивает руку, отводит тяжелый и мягкий на ощупь, терпко пахнущий бараньими шкурами полог и шагает в черный шатер.

Время внутри черного шатра выворачивалось наизнанку, текло не прямо, а вбок и наискось. Зулейха плыла в нем, как рыба, как волна, – то полностью растворяясь, то вновь возникая в границах своего тела. Иногда, затворив за собой скрипучую дверь комендатуры, через пару мгновений обнаруживала, что наступило утро. В другой же раз, положив ладонь на широкую игнатовскую спину и прижавшись лицом к основанию его шеи, ощущала бесконечно долгое течение минут, отмеряемых редкими звонкими каплями, падающими в ведро с носика жестяного умывальника. Между одной каплей и второй была – вечность.

В черном шатре не было места воспоминаниям и страхам, его плотные шкуры надежно защищали Зулейху от прошлого и будущего. Здесь было – только сегодня, только сейчас. Это сейчас было таким плотным и ощутимым, что у Зулейхи влажнели глаза.

– Скажи что-нибудь, не молчи, – требовал Игнатов, приближая к ней лицо.

Она смотрела в ясные серые глаза, вела пальцем по ровному, в тонких полосках морщин, лбу, по крутой и гладкой скуле, по щеке, подбородку.

– Красивый какой.

– Разве ж мужикам такое говорят...

Этой осенью она, кажется, не спала. Усыпляла сына, целовала в теплую макушку и – скорее вон из лазарета, вверх по тропе, где каждый вечер настойчиво звал, требовал ее к себе маленький красный огонек. Ночами глаз не смыкали, их всегда не хватало, ночей. А утром – проведать спящего сына, и – на охоту, вечером – в лазарет, убираться... Не было у Зулейхи времени спать. Да и не хотелось. Силы не убавлялись, а все прибывали, переполняли: она не ходила – летала, не охотилась – забирала у тайги что полагалось; и целыми днями ждала ночи.

Стыдно не было. Все, чему была научена, что затвердила с детства, – отступило, ушло. То новое, что пришло взамен, смыло страхи, как паводок смывает прошлогодние сучья и прелую листву.

«Жена – это пашня, на которой муж сеет семена потомства, – учила ее мать перед тем, как отправить в дом Муртазы. – Пахарь приходит на пашню, когда возжелает, и пашет ее, пока есть силы. Не приличествует пашне перечить своему пахарю». Она и не перечила: сжимала зубы, затаивала дыхание, терпела; сколько лет жила, не зная, что бывает иначе. Теперь – знала.

Сын чувствовал что-то, заглядывал в глаза, стал задумчивым, скрытным; засыпал подолгу – ворочаясь, постоянно просыпаясь, не отпуская мать. И при этом стремительно взрослел, серьезнел.

Этой осенью Юзуф пошел в школу. В Семруке было восемнадцать детей. Всех их собрали в один класс и рассадили в два ряда – старший и младший. Занимались вместе. На всю школу было всего пять учебников (и все по арифметике), зато каких! Свеженьких, еще хрустящих на сгибах, вкусно пахнущих типографской краской. Учительствовал некто Кислицын, из последней партии *новеньких,* – не то академик, не то какая-то бывшая величина из Наркомпроса. Когда Юзуф, уже обученный чтению Изабеллой, увидел на обложке учебника фамилию автора – Я.З. Кислицын – он, изумленный, подошел к Яков-Завьялычу: «Вы однофамильцы?» – «Да, – усмехнулся тот невесело, – полные тезки. Можно сказать – абсолютные». Зулейха была рада, что днем сын занят в школе: присмотрен, накормлен. Вечерами, когда он помогал ей с уборкой, спрашивала: нравится? Да, отвечал, очень. Ну и ладно: считать-писать научится – и хорошо.

Мучило, что теперь она отдавала сыну не все свое тепло; что ночные ее поцелуи были жарче и обильней, чем вечерние, для сына; что ночью он мог проснуться один в постели и испугаться; что у нее появилась от него тайна. За это – обнимала Юзуфа крепче и дольше, зацеловывала, заласкивала. Иногда, стиснутый материнскими руками чересчур сильно, он вырывался, затем виновато смотрел исподлобья: не обиделась ли? Мать лишь улыбалась в ответ широкой счастливой улыбкой.

В поселке, видно, о чем-то догадывались. Зулейха не задумывалась о том, что скажут люди; общалась она мало, да и то со *старичками*, целыми днями пропадала в лесу. Она бы и не узнала, что их отношения с Игнатовым кем-то замечены, если бы не Горелов.

Поймал он ее как-то утром на пути в тайгу. Был у него к тому времени уже свой дом, маленький коренастый сруб (Горелов первым сложил избу в частном секторе и за пару лет успел обжить ее, обнести забором, застеклить окна); у дома устроил завалинку, любил отдыхать на ней, смотреть на проходящих мимо поселковых.

Идет Зулейха темно-серым осенним утром по сонному еще Семруку, а Горелов уже сидит у своего домишки, покуривает; видно, ради нее так рано поднялся – поджидал.

– Здорово, артель! В тайгу за планом?

– Туда.

– А присядь-ка со мной перетереть – дело есть.

– Некогда мне, зверь ждет. Так говори.

Горелов поднимается с завалинки (под накинутым на плечи кителем мелькает грязная тельняшка, обтянутые кальсонами ноги в сапогах – кривыми спичками), медленно обходит Зулейху своей разболтанной походкой, осматривает – как в первый раз видит.

– А ничего, – говорит тихо, будто сам себе, – Игнатов себе бабу выбрал, ладную. Молодец. Я-то сразу и не разглядел...

– Надо что? – она чувствует, как кровь ударяет в лицо.

– От тебя – ничего, муся, крути себе дальше свои амуры. Только забегай ко мне иногда поговорить – о коменданте. Он у нас голова горячая, мне начальство за ним приглядывать поручило. А тебе, артель, с начальством ссориться никак нельзя, сама понимаешь, – если и дальше хочешь артельничать, а не на повале гнить.

Горелов втыкает в нее узкие, будто сплющенные, глаза, и она впервые отчетливо видит, какого они цвета: беспросветно-черные.

Из дома выбегает Аглая – в старом тулупе поверх кружевной комбинации цвета беж, в башмаках на босу ногу, кудри рыжие, штопорами, в разные стороны, – несет Горелову ватник. Набрасывает на плечи, по-хозяйски запахивает на груди: смотри – не замерзни! Ревниво оглядывает обоих и убегает обратно в дом. Аглая жила с Гореловым уже год – не таясь, а наоборот, при каждом удобном случае гордо демонстрируя поселку их отношения.

Зулейха поправляет ружье на плече, идет прочь.

– Так что – будешь забегать? – кричит Горелов вслед.

– Нет! – она шагает быстро, почти бежит.

– Смотри – не пожалей! У тебя ведь сын! Помнишь о нем?

Она оборачивается, смотрит на Горелова внимательно, долго. Круто разворачивается – и скоро ее узкая спина растворяется меж деревьев.

...Через пару дней Горелов шел по лесу. Он любил прогуляться во время рабочего дня: указания розданы, смена работает-потеет, пахнущие смолой кубометры с грохотом валятся наземь и укладываются в штабеля – можно и отойти, вздохнуть свободнее, а то от визга пил уже в голове звенит.

Он медленно шагает по осенней тайге, хлестко сбивая прутиком рубиновые ягоды шиповника. А все-таки правильно его на агентурную работу определили. Кузнец – голова, сразу разглядел пропадающий в нем талант. Еще и месяца не прошло с памятного разговора в бане, а мазилка Иконников уже кропает свои короткие, заковыристым языком составленные записочки; и строчит, строчит аккуратным школьным почерком подробные сочинения счетоводша из конторы; и столовский поваренок, потея от напряжения, пересказывает короткие фразы, которые бросает ему Ачкенази во время приготовления обеда; и захаживает к нему в избу вечерами прочий грамоте не обученный народ – пошептаться, потолковать о жизни. Все охвачены: и лесорубы, и конторщики, и даже столовая с клубом. Вот только с комендантом осечка вышла.

Горелов со всего размаха рубит прутом по острой верхушке муравейника – тот вскипает растревоженными муравьями. Никто, конечно, не велел ему приглядывать за Игнатовым, просто самому интересно стало: а получится ли? От мысли о том, что какой-то час назад лежавшая под комендантом баба, еще теплая его теплом, еще пахнущая его запахом, перескажет ему, паршивому урке Горелову, комендантовы слова, в животе долго и приятно сосало. Оттого и с Аглаей спать было слаще; Горелов представлял себе, как Игнатов гладил тяжелые, красным золотом отливающие кудри, вел рукой по круглой спине с темной родинкой на лопатке, припадал лицом к мягкой белой шее, – и теплел нутром, распалялся: теперь все это было его, гореловское.

Если Зулейха расскажет коменданту об их недавнем разговоре – Горелову несдобровать; но он был уверен – промолчит, за сына испугается.

Горелов отшвыривает прут и садится под корявую сосну. Легкий ветер еле слышно дышит в лицо, где-то далеко скрипят пилы, раздаются крики работников – хорошо.

Неподалеку легкий шорох – темная, уже одевшаяся к зиме в пышно-серое белка строчит по земле, водит острыми ушками. Горелов медленно тянется в карман пиджака, вытаскивает заначенный с утра окурок, сжимает в щепоти, цокает язычком: на-ка вот, угостись. Зверок, вытянув вперед узкую мордочку, приближается, дергает блестящим носиком. Осторожно, чтобы не спугнуть, Горелов прячет вторую руку за спину и нащупывает в корнях сосны увесистый камень, ухватывает поудобнее в кулак.

Белка уже рядом: поблескивает карими глазками, тянется черными сморщенными пальчиками к жесткой гореловской ладони. Он крепче сжимает за спиной камень, затаивает дыхание: ближе, милая, ну же... Ахает выстрел – и вот уже белка с темно-кровавым пятном вместо глазницы неподвижно лежит на пестро-коричневой хвое.

Горелову на мгновение кажется, что выстрел задел его – нечем дышать. Перекрученным, словно сжатым тисками горлом он судорожно вдыхает, с трудом сглатывает. По-прежнему ощущает рыхлую мягкость окурка в одной ладони, холодную тяжесть камня – в другой. Цел?

Легкое похрустывание веток на краю поляны – из-за полуоблетевших рябиновых кустов выскальзывает худенькая фигурка, приближается... Горелов чувствует, как с затылка катится крупная холодная капля – по шее вниз, за ворот рубахи, вдоль позвоночника.

Зулейха на ходу закидывает ружье за спину, подходит близко. Приседает, по-мужски широко расставив колени, и подбирает безжизненный комочек; вдевает головку в веревочную петлю, вешает на пояс. Смотрит на Горелова сверху вниз, в упор; затем разворачивается и уходит в лес.

Когда легкий, едва слышный хруст шагов стихает в чаще, Горелов втыкает зажатый в щепоти окурок в рот, подрагивающей рукой шарит по карманам в поисках спички; находит, судорожно чиркает о подошву ботинка – спичка ломается; отшвыривает ее, выплевывает окурок.

Змея-баба. Кто бы подумал, а с виду тихая такая. Он прислоняется спиной к шершавому сосновому стволу, глубоко выдыхает, прикрывает веки. Да хрен с ним, с комендантом...

Снег лег поздно, в конце октября, но быстро, разом, в один день превратив осень в зиму. Зверь уже выкунил, оделся в пышные зимние меха – наступил сезон. Впервые Зулейха была ему не рада. Не было сил оторваться от горячей игнатовской груди, выскользнуть из-под его тяжелой руки, убежать в холодное синее утро. Уходила из комендатуры – как по живому резала. И не было прежней радости в быстром скольжении лыж по снегу, в бьющем по лицу морозном ветре, в мелькании пушистой шкурки в сосновой кроне. Короткие зимние дни тянулись, как годы. Пережидала их, перемогалась. Чуть краснело по-закатному солнце, сгущался воздух, наливались лиловым тени – торопилась обратно. Шла в лазарет, а сама уже спешила глазами к холму, к высокому крыльцу, на котором разгорался, наливался нетерпением маленький и горячий огонек.

Той ночью Игнатов сказал:

– Живи со мной.

Она подняла лицо от его тела, нашла в темноте глаза.

– Забирай мальчишку и приходи.

Ничего не сказала, положила голову обратно.

А утром повалил снег. Буран мел так сильно и густо, что дверь было не открыть, окна залепило белым, в трубе выло – как стая волков. В такую погоду лесорубы не пойдут в тайгу – заметет; и охотники не пойдут.

Зулейха касается пальцем игнатовского виска:

– Хоть раз днем на тебя насмотрюсь.

А ведь и правда: смотрела бы весь день.

– Чего смотреть-то, – он накрывает ее лицо своим. – Насмотришься еще...

Она оторвала голову от подушки, когда снаружи было уже совсем тихо: ни людских голосов, ни стука топоров, ни столовского гонга – как вымерло все. Сквозь наполовину заметенные оконца едва сочится мутный желтый свет. Игнатов спит, откинувшись на спину; она поправляет на нем сползшее одеяло.

Вокруг избы – осторожный скрип шагов: кто-то ходит по снегу вдоль стен. Горелов, собака? Опять разнюхивает? В окошке мелькает темный силуэт. Зулейха бесшумно стекает с кровати, набрасывает на голые плечи тулуп, выскальзывает наружу. Вот они, следы, – синие, глубокие, как половником зачерпнутые, – бегут вокруг комендатуры.

– Пес нечистый, – произносит Зулейха громко и шагает за угол.

У заднего окна, наклонившись вперед и прижав нос к запорошенному стеклу, стоит кто-то высокий, большой, в длинном одеянии. Ворот лохматой собачьей яги поднят, остроконечный меховой колпак возвышается над головой, как верхушка минарета.

Упыриха.

– Старая карга, – Зулейха подходит к свекрови близко, рукой дотронуться можно. – Опять пришла кровь мою пить?

Та, словно услышав, отнимает от стекла бледное лицо, поворачивается к Зулейхе: лоб, глазницы, щеки – все залеплено плотным белым снегом, как мелом, и снег этот не тает, одни ноздри подвижными черными дырами шевелятся в белой маске, втягивают воздух, да подрагивают лиловые губы.

– Уходи, – говорит Зулейха зло и внятно. – Убирайся!

Маска раскрывает впадину рта, дышит густым лохматым паром, шипит еле слышно.

– Накажет... – корявый палец с длинным загнутым когтем поднимается к небу. – За все накажет...

– Прочь отсюда! – Зулейха уже кричит, чувствуя, как тело наливается звонкой и упругой злостью, как теплеют корни волос и бьется, толкается в ребра сердце. – Не смей являться мне больше! Это моя жизнь, и ты мне больше не указ! Прочь! Прочь!

Свекровь поворачивается спиной, торопливо ковыляет к лесу, опираясь на высокую корявую клюку. Оглушительно скрипят по снегу огромные тяжелые валенки; в такт шагам болтаются за спиной тощие длинные веревки белых кос.

– Ведьма! – Зулейха швыряет ей вслед снегом. – Ты давно умерла! И сын твой тоже!

Не оборачиваясь, Упыриха на ходу еще раз поднимает костлявый палец, угрожающе трясет им, указывая вверх. Ее фигура уменьшается, скрип шагов пропадает за бурыми щетками елей. Зулейха поднимает глаза – на строгом черно-синем небосклоне торжественно горит медная луна, совершенно круглая, как только что отчеканенная монета. Ночь? Уже? Вот почему так тихо вокруг.

Юзуф! Лег ли спать? Заснул ли один? Спотыкаясь на бегу и зачерпывая валенками снег, она бросается к лазарету. Юзуфа нет в постели – и валенок его, и тулупа, и лыж: сын, опять нарушив запрет, ушел встречать мать с охоты и не вернулся.

Зулейха хватает свои лыжи. Возвращается в комендатуру и, стараясь не скрипнуть дверью, пробирается внутрь, снимает с гвоздя тяжелую игнатовскую винтовку; достает из тумбочки увесистую обойму и сует в карман. Подумав, берет еще одну. Бросает взгляд на мирно спящего Игнатова и выскальзывает вон.

На темно-голубом снегу вьются две тонкие полоски – от лыж Юзуфа. Она мчит следом, повторяя и понимая его маршрут: от клуба на краю поселка Юзуф бежал вверх, к замерзшей Чишмэ; шел по берегу до перехода у Медвежьего камня, где обычно стерег ее под рябиновым кустом; здесь топтался долго – следы густые, во все стороны, внакладку: ее мальчик мерз ночью у лесного ручья, ждал мать, пока она отдавалась любовнику в смятой, насквозь пропитанной жарким потом постели.

Следы ведут дальше, в урман: видно, не дождавшись, Юзуф пошел ей навстречу. Зулейха бежит вслед. Убранные белым деревья громоздятся вокруг, мешают; черные тени и желто-голубые, лунным светом выкрашенные полоски снега мелькают в глазах. Дальше, дальше. Глубже в урман, глубже.

– Юзуф! – кричит она в чащу, и большой пласт снега срывается с высокой ветки, ухает оземь. – Улым! Сынок!

Следы Юзуфовых лыж бледнеют – их заметала поземка; какое-то время то появляются из-под снега, то исчезают; скоро пропадают вовсе. Куда теперь?

– Юзуф!

Зулейха мчится вперед, из-под лыж вздымаются облачка снега.

– Юзуф!

Чернильные верхушки елей пляшут на синем небосводе, меж них взблескивают крупные искры звезд.

– Юзуф!

Урман молчит.

Вот оно, возмездие, – за нечестивую жизнь без брака, с иноверцем, с убийцей мужа. За то, что предпочла его своей вере, своему мужу, своему сыну. Права была Упыриха – небо наказало Зулейху.

Утопая в сугробах, она пробирается по колким хрустким кустам можжевельника; переползает через упавшие стволы берез, покрытые скользким инеем; бредет, не разбирая дороги, через колючую еловую чащобу. Вдруг нога цепляет корягу, и Зулейха летит кувырком с какой-то крутой горки, взметая снег, ломая лыжи. Твердый колючий холод бьет в лицо, забивается в глаза, уши, рот. Она месит руками снег, кое-как выбирается из сугроба. И видит перед собой кусок сломанной лыжи. Не ее лыжи – сына.

– Юзу-у-у-уф!

Уже не кричит – воет. А впереди кто-то воет в ответ. По пояс в снегу, путаясь в низком кустарнике щепастными обломками лыж, она выбирается на маленькую, зажатую со всех сторон деревьями поляну.

Там, неровным тесным кольцом обступив высокую старую ель с косо наклоненной верхушкой, сидит серая остроносая стая, неотрывно смотрит вверх. Волки – по-зимнему поджарые, ребра в обтяжку, хребты щетками, – замечают Зулейху, крутят мордами, огрызаются, но с места не сходят. Один вдруг подпрыгивает высоко, как подбросили, и клацает зубами на острую еловую вершину, где темнеет маленькое неподвижное пятно.

Зулейха идет на волков ровным, будто механическим шагом, на ходу заряжая винтовку. Несколько зверей встают и медленно трусят ей навстречу: дрожат губами, кажут клыки, дергают хвостами, окружают. Один – с прозрачно-желтыми глазами и рваным ухом – срывается и прыгает первым.

Она стреляет. Затем еще и еще. Заряжает быстро, как дышит: еще и еще. Вставляет вторую обойму: еще и еще.

Тявканье, истошный визг, поскуливание, хрипы. Кто-то из волков пытается убежать, скрыться в лесу – она не дает. Кто-то валяется с перебитым хребтом, дергает лапами – она палит в упор, добивает. Все патроны расстреляла, до последнего. Вокруг ели на черно-блестящем от крови снегу лежит полдюжины волчьих трупов; пахнет порохом, горелым мясом, паленой шерстью; дымятся развороченные кишки. Тихо. Зулейха, перешагивая через неподвижные тела, идет к кривой ели.

– Юзуф! Улым! – сипит.

С верхушки падает маленькое тельце – с неподвижным кукольным личиком, заиндевевшими бровями и ресницами, крепко зажмуренными глазами, – прямо ей в подставленные руки...

Четыре дня Юзуф горел в бреду. Все это время Зулейха стояла на коленях перед его кроватью и держала за пылающую руку. Спала тут же, приложив голову к его плечу.

Лейбе пытался перетащить ее на соседнюю койку – не далась. Он махнул рукой, лишь задернул занавеску, отделявшую место Юзуфа от общей палаты (решил положить их не дома, а тут, в лазарете, чтобы всегда были на глазах).

Ачкенази сам приносил еду; смотрел, как Зулейха неподвижно стоит у сыновьей постели; осторожно ставил миску на подоконник, забирал предыдущую, с нетронутой едой.

Захаживала Изабелла, долго и сильно гладила по спине – Зулейха не замечала. Пару раз приходил Константин Арнольдович, пытался разговорить: рассказывал что-то о семенах дыни, которые ему все-таки прислали с Большой земли; о сельскохозяйственном инструменте, что вот-вот придет; об обещанных весной бычках и коровах для пахоты («Пахать научусь. Вы только представьте меня за плугом, Зулейха!») – беседы не получалось.

Иконников был всего однажды. Притулился рядом с ней на коленях, потянулся дрожащей, перепачканной красками ладонью к плечу Юзуфа. Зулейха оттолкнула руку, бросилась на сына, накрыла телом. «Не отдам! – рычит. – Никому не отдам!» Лейбе увел Иконникова, больше в лазарет не пускал.

Игнатов ходил каждый день. Зулейха его не замечала – как не видела, заговаривал с ней – не слышала. Он подолгу стоял позади нее, затем уходил. На четвертый день, когда багровое тельце Юзуфа стало внезапно холодеть и исходить щедрым липким потом, а рот – медленно синеть, он не ушел: сел на соседнюю койку, положил рядом костыль, опустил лицо в ладони, замер – не то дремлет, не то думает. Долго сидит.

– Уходи, Иван, – говорит Зулейха вдруг спокойно, не поворачиваясь от постели сына. – Не приду я к тебе больше.

– Зато я – приду, – он поднимает голову.

– Наказана я. Не видишь? – она гладит Юзуфа по проступившим на скулах косточкам, по прикрытым векам.

– Кем?

Она подходит к Игнатову, сует ему в руки костыль и тянет вверх, поднимая с койки – он поддается, встает. Зулейха и раньше была мелкая, ниже плеча, а теперь стала и вовсе крошечная, будто сжалась.

– Кто бы то ни был – наказана, – она толкает его слабыми руками к выходу. – И все на этом. Все.

Игнатов наклоняется, сжимает ее плечи, трясет – ищет взгляд. Наконец находит: глаза у Зулейхи стылые, как мертвые. Осторожно отпускает ее, берет костыль, медленно стучит к выходу.

Когда стук пропадает за дверью, она поворачивается к сыну: Юзуф сидит в постели, бледный, лицо обтянуто кожей, глаза огромные, в лиловых кругах.

– Мама, – говорит он тихим ровным голосом. – Я видел сны, много снов. Все, что рисовал Илья Петрович, – и Ленинград, и Париж. Как ты думаешь, когда-нибудь я смогу туда поехать?

Зулейха прислоняется спиной к стене, смотрит на сына не отрываясь. А он смотрит в окно – там, не переставая, валит крупный тяжелый снег.

Часть четвертая

Возвращение

Война

Война пришла в Семрук отзвуком далекого эха. Говорили, что она есть, но ее как будто и не было. Газеты, которые стали неожиданно доставлять регулярно (раз в месяц, одной большой толстой пачкой), разрывались от заголовков: «Сомкнем...», «Разгромим...», «Победим...». Сами газеты постепенно худели, но становились злее, яростнее, отчаяннее. Их теперь вешали на агитационную доску, и семрукцы часто стояли там вечерами, сомкнув головы, – читали. Затем оборачивались к Ангаре, смотрели на кружившихся в ясном небе чаек, тихо переговаривались. Было странно осознавать, что где-то далеко небосвод рассекают не птицы, а вражеские самолеты.

Начальство из центра – недавно повышенный в должности лейтенант государственной безопасности Зиновий Кузнец во время своих редких визитов устраивал собрания: рассказывал о том, на каких фронтах доблестно сражается Красная армия и каких достигла успехов. Народ молчал, слушал. В сказанное было сложно поверить, но и не верить было невозможно.

Ни один поселенец не покинул Семрук за первые месяцы войны. Комендатуры в трудовых поселках вели списочный учет тылополченцев, достигших призывного возраста, но списками все и ограничивалось. Поселенцы не допускались к оружию, а значит – к службе в армии, где опасность их объединения в группировки многократно возрастала. Вопрос о призыве в сорок первом году даже не стоял – было очевидно, что, достигнув фронта, враги народа тотчас переметнутся на сторону фашистов и начнут сражаться против своей Родины.

Так война шла, но шла далеко, мимо.

И неожиданно сделала то, чего так боялось и не хотело государство: приоткрыла тяжелый занавес, отделявший Семрук от мира. За долгие годы борьбы за выживание на крошечном островке в недрах тайги, лишенные связи с Большой землей и ежедневно кладущие жизнь исключительно на выполнение хозяйственного плана, поселенцы вдруг осознали себя частью гигантской многонаселенной страны. Названия далеких городов – Минск, Брест, Вильнюс, Рига, Киев, Винница, Львов, Витебск, Кишинев, Новгород – звучали с низенькой сцены семрукского клуба песней, слетевшей со страниц учебника по географии, слышанной в далеком детстве сказкой. Было страшно от того, что все они захвачены врагом. И одновременно – сладко щемило от мысли, что эти города *были*. Сам факт произнесения их названий широкими мясистыми губами Зиновия Кузнеца подтверждал: все это время они существовали, росли, застраивались, озеленялись, благоустраивались, жили. Ранее кузнецовские губы твердили лишь: план, пятилетка, показатели, норма, трудовой фронт... А теперь – Керчь, Алупка, Джанкой, Бахчисарай, Евпатория, Одесса, Симферополь, Ялта...

– Я уже почти успел позабыть, что где-то в мире есть Бахчисарай, – прошептал Константин Арнольдович, наклонясь к уху Иконникова.

– Могу набросать вам по памяти фонтан слез – два месяца жил там, ловил струение воды по мрамору, – ответил тот.

– *Струение* – некорректное слово, Илья Петрович. Его не существует.

– Как же не существует, если я его все-таки поймал?

О блокаде Ленинграда узнали от Кузнеца с запозданием на месяц, уже в октябре. Говорить друг другу ничего не стали – нечего было сказать.

Весной сорок второго Кузнец явился, как всегда, – снегом на голову, вдруг. Привел с собой баржу, плотно набитую изможденными людьми с темно-оливковой кожей и породистыми выпуклыми профилями – крымские греки и татары. Принимай, говорит, Иван Сергеевич, басурман на свою голову. И обеспечь меры безопасности – как-никак, социально опасный элемент в больших количествах и отменного качества. Смеется.

Басурман депортировали с южных территорий превентивно, не дожидаясь, пока край будет занят оккупантами и малые народы и народцы получат возможность переметнуться к врагу – как говорится, *во избежание.*

Ну, греки – так греки. Хоть эскимосы с папуасами, Игнатову не привыкать. Он как-то подсчитал интереса ради все национальности, обитающие в Семруке, – девятнадцать штук получилось. Теперь, значит, еще плюс две. Отправили темнокожих в пустующие бараки – вещи кинуть. А затем – в тайгу, граждане социально опасные, еще полдня рабочих впереди. Игнатов поручил басурман Горелову, у того хорошо получалось новичков уму-разуму учить.

Сами сели в комендатуре – *посидеть* по заведенному обычаю. Игнатов в последнее время пил мало, но с Кузнецом – как не посидишь, не уважишь начальство.

– Разговор у меня к тебе есть, Ваня, – Кузнец разлил по мутным граненым стаканам пахучий спирт.

Игнатов смахивает ладонью крошки со стола, достает, что со вчерашнего ужина осталось – огурцы, морковь, лук, зелень всякую, хлеб; задергивает занавески на окнах. Но Кузнец к делу подходить не торопится, кругами идет, широко: сначала пьют за будущую победу над фашизмом, потом – за товарища Сталина, за доблестную Красную армию, за мужественный тыл («хороший тыл – это, голуба, половина победы!»).

– Так что за дело-то, Зин? – вспоминает Игнатов, когда голова уже привычно тяжелеет, наливается большими и неповоротливыми мыслями, а тело легчает, вот-вот взлетит.

– А-а-а... – тот улыбается, кладет могучую коричневую ладонь Игнатову на загривок, тянет к себе. – Не забы-ы-ыл...

Их лбы встречаются над столом, чубы трутся друг о друга.

– Вот смотрю я на тебя, Ваня, – наводит на Игнатова мутный рыжий глаз, – и насмотреться не могу.

Лицо Кузнеца – рядом. Отчетливо видны глубокие поры на крупном, в синих прожилках носу.

– Все-то у тебя хорошо. Восемь сот душ в кулаке держишь. План даешь. Колхоз работает, артели. Огурцы... – берет со стола крупную пупырчатую загогулину огурца, – ...и то – самые вкусные на Ангаре. Уж я-то знаю! – Кузнец тычет огурцом в рассыпанную на столе лужицу соли, с хрустом кусает – на Игнатова брызжут мелкие капли. – Даже пить перестал. Ты почему перестал пить, Иван?

Кузнец не стеснялся показывать, что осведомлен о жизни в поселке и о его коменданте много больше того, чем докладывал сам Игнатов.

– Напился, – тот утирает брызги со щек.

– А бабу-то – не завел, – Кузнец хитро улыбается, трясет надкусанным огурцом. – Как прогнал Глашку – так бобылем и живешь.

Про короткие, давно забытые случки с рыжей Аглаей Кузнец знал; про случившуюся, да оборвавшуюся любовь с Зулейхой – видимо, нет.

Тяжелая длань – по-прежнему на шее Игнатова, давит.

– Об этом, что ли, дело твое? О бабах?

– Э нет! – Кузнец сочно хрупает огурцом, доедает и втыкает огрызок Игнатову в лоб. – О тебе, герое! Пора, Ваня, из сержантов в лейтенанты переводиться, для начала – в младшие.

Игнатов смахивает огрызок со лба. Смотрит на черные ершики кузнецовских бровей, меж которых набухает в глубокой складке тяжелая капля пота. Кузнец ни разу не заговаривал с ним о повышении.

– Здесь, в лесу, один хер – сержантом, лейтенантом...

– Ты навсегда, что ли, решил тут остаться? – Кузнец усмехается хитро, а зрачки узкие, острые. – Раньше вроде уехать хотел, за горло меня брал.

– Хотел.

– Так дело твое – молодое. Да и не годится без пяти минут младшему лейтенанту госбезопасности в комендантах тухнуть. А? – Кузнец сжимает ладонь на загривке Игнатова. – Я уже и аттестационный лист на тебя заполнил: годы безупречной службы, мол, преданность идеалам родины. Только вот еще не отправил.

– Не пойму я тебя, Зина. Темнишь.

– Че понимать-то? – Кузнец облизывает губы – на мгновение мелькает его сизый, в белых пупырцах язык. – Война. Время сейчас, Ваня, такое – быстрое, суетное время, аж в ушах звенит. Головы летят. И звезды летят – красного шелка, с серебряной окантовочкой – умным людям на обшлага.

– Тебя ж только пару месяцев как... – Игнатов косится на аккуратно повешенный на спинку стула китель Кузнеца; в краповых, с малиновой обводкой петлицах сияет новенькая темно-рубиновая шпала – знак недавнего повышения.

– И я тебе про то же, голуба. Время такое, что все можно, понимаешь, все! За полгода – до старшего лейтенанта, еще за год – до капитана. Нам с тобой только дело надо – погромче, позвонче... О восстании в Паргибской комендатуре слыхал? О покушении на коменданта в Старой Клюкве? Одних заговорщиков сотню взяли. Вот что нам нужно: народу чтоб побольше, обзовем позаковыристей...

– Какие сейчас восстания с побегами, дура?! Кто давно убежал – и тот с Большой земли обратно в поселки возвращается, подальше от войны, от армии.

– Точно, Ваня! Фашистов все боятся. А кто-то – ждет. И готовит оккупантам теплую встречу, с хлебом-солью. Их-то мы у тебя в поселке и найдем. Обнаружим заговор, раскроем, организаторов расстреляем по закону военного времени, а сообщников-гнид – по лагерям. Вся Сибирь узнает. Поселенцам – урок: *во избежание*! Другим комендатурам – пример. А нам с тобой... – Кузнец тычет бурым ногтем себе под кадык, – ...дырочки сверлить в петлицах.

Дышит глубоко, горячо. Пот двумя блестящими струйками течет со лба на крылья носа и дальше, в жесткие щетки усов.

– Очумел ты, Зина. Треплешь тут... с пьяных глаз.

– Проверять никто не будет. Дело возьму на себя. – Ладонь на шее Игнатова уже – не ладонь, а потная железная клешня. – Списки подозреваемых сам составишь. Всех, кто надоел, кто мешается, – туда их, собак. Я лезть не буду, хоть Горелова вставляй, у вас с ним любовь известная. Всех расколем, не волнуйся. Чистое будет дело, хрустальное. Про нас с тобой еще в учебниках напишут.

– Погоди. Это моих, что ли, людей?

– Ну а чьих же, Ванюша? – темные кузнецовские глаза в красной сетке сосудов отсверкивают желтым. – Я ведь не бабский полк, сотню заговорщиков тебе нарожать не смогу. А у тебя народу много, не оскудеешь. Жалко старых – возьми новых, басурман. Все одно им здесь не жить, сдохнут зимой.

Игнатов опускает взгляд на широкие и влажные кузнецовские губы.

– Ну? – произносят они.

– Руку убери – шею сломаешь.

Мокрая горячая ладонь отпускает загривок.

– Ну? – повторяют губы.

Игнатов берет флягу, плещет остатки спирта в пустые стаканы: медленно, со скрипом, закручивает жестяную крышку; кладет обратно на стол.

– Не думал, – говорит, – я, товарищ лейтенант, что ты меня, бывшего красноармейца, проверять будешь. Думал, доверяешь мне по старой дружбе.

– Погоди, Иван! Я ведь правду тебе говорю, слышь? Я все продумал, все просчитал. За месяц дело обернем, к лету – звания получим. Ну же?!

– Для всех комендантов такой спектакль играешь – или так, для избранных?

– Брось придуриваться, Игнатов! Я с тобой по-человечески, а ты...

– Можешь доложить, что в трудовом поселке Семрук политическая обстановка спокойная. Комендант оказался человеком морально устойчивым и на провокацию не поддался.

Игнатов медленно поднимает стакан и, не чокаясь, опрокидывает в горло, вытирает насухо рот. Кузнец дышит тяжело, подхрипывает. Вливает спирт из своего стакана в глотку, хрупает луковицей. Встает; продолжая жевать, надевает китель, застегивает ремень; натягивает фуражку на лоб.

– Ладно, – говорит, – комендант. Так и доложу. Только запомни, если что – ты у меня вот где!

Придвигает мокрый красный кулачище к игнатовскому носу: белые костяшки – крупные, бугристые. Сплевывает остатки луковицы на пол и идет вон.

Слова Кузнеца сбылись. Новый контингент оказался слабым на здоровье, горячая южная кровь плохо переносила сибирские морозы – в первые же холода многие слегли с пневмонией; лазарет Вольфа Карловича, и так уже расширенный к тому времени до двадцати коек, не вместил и половины нуждающихся. Лейбе выбился из сил, но не смог спасти всех – зимой семрукское кладбище пополнилось пятью десятками могил.

Басурмане, так похожие друг на друга смуглостью кожи, густотой бровей и курчавостью волоса, хоронили сородичей по-разному: греки – сбивая из жердей тощие деревянные кресты, татары – строгая на длинных бревнах заковыристые полумесяцы. И кресты, и бревна расположились на кладбище впритирку, тесными кривыми рядами, вперемежку с другими надгробиями.

В «Правде» появилась большая статья о профашистском заговоре, раскрытом в трудовом поселке Пит-Городок на Ангаре. По итогам этого довольно громкого дела костяк заговорщиков в количестве двенадцати человек был расстрелян, шайка соучастников – приговорена к двадцати пяти годам лагерей за антисоветскую деятельность.

А одиннадцатого апреля сорок второго года Государственный Комитет Обороны СССР все-таки принял постановление о призыве трудпоселенцев на военную службу. Шестьдесят тысяч бывших кулаков и их детей были призваны в Красную армию – допущены к защите Родины. Новоиспеченных красноармейцев и членов их семей снимали с учета трудовой ссылки и выдавали паспорта без ограничений. Из трудпоселков потек на Большую землю тонкий ручеек освобожденных из «кулацкой ссылки».

Летом на агитационной доске появился яркий плакат: полуседая женщина в огненно-красных одеждах поднимается из частокола штыков и зовет, манит за собой призывно вытянутой рукой: зовет на войну – молодых, старых, даже подростков, всех, кто может держать оружие. Зовет на смерть.

Зулейха, проходя мимо, каждый раз отвечала женщине упрямым долгим взглядом: сына – не отдам.

Женщина была похожа на Зулейху, даже седина в слегка растрепанных волосах была такая же – яркими прядями – и оттого становилось неловко: будто с собой разговаривала.

Предки Зулейхи воевали с Золотой Ордой столетиями. Сколько продлится война с Германией – неведомо, а Юзуфу уже скоро двенадцать. Изабелла рассказала, что в армию могут забрать с восемнадцати, и осталось до этого лет – как пальцев на руке. Успеет ли война закончиться?

Юзуф сильно вытянулся за прошлый год, перерос Зулейху. Работал в магазине при пекарне, продавал хлеб. Теперь мало кто выпекал хлеб сам, и вечерами у пекарни выстраивалась очередь. Зулейха любила наблюдать за тем, как, стоя за высоким прилавком, сын быстро, словно играючи, звенел желтыми и серыми монетами, рассчитываясь с покупателями. Счетами не пользовался – считал всегда в уме. Магазин открывался после обеда, когда первая смена лесорубов возвращалась из леса (в поселке опять ввели посменный труд – *для повышения производительности*) – Юзуф как раз успевал прибежать из школы.

Учился хорошо, его хвалили. За успехи приняли в пионеры, и с тех пор на груди сына всегда горела огнем стрекоза красного галстука. На хозяйстве работал, как взрослый, – и дров нарубить, и ограду починить, и крышу поправить. При любой возможности по-прежнему старался улучить свободное время, чтобы сбегать в клуб к Иконникову.

Тот за последние годы сильно сдал, обрюзг – много пил. Поселенцы научились гнать самогон не только из морошки, а и из черники, костяники, даже кислой рябины, и Иконников был одним из самых приверженных его почитателей. Илью Петровича так и оставили при клубе, в художественной артели, состоявшей из него одного. С его помощью Семрук поставлял в Красноярск помимо леса, пушнины и овощей также специфическую продукцию – писанные маслом картины, причем весьма приличного качества. Румяные лесорубы, пышногрудые хлеборобки и сытые, круглощекие пионеры лихо шагали или стояли, вперив в безоблачную даль задумчивые взоры, – по одному, по двое и группами. Картины охотно брали дома культуры – сельские и даже городские.

Юзуф собирался вступить в артель, когда ему исполнится шестнадцать, пока же работал на вольных началах. Зулейха боялась, как бы из-за дурного влияния Иконникова сын не пристрастился к самогону. «Мой пример – самая сильная прививка от алкоголизма из всех возможных», – успокоил Илья Петрович, заметив однажды ее настороженный взгляд. И наверное, был прав.

Зулейха по-прежнему ревновала Юзуфа к Иконникову, но ревность эта с годами утихла, пообтесалась. Илья Петрович был единственным мужчиной, который смотрел на Юзуфа по-отцовски любящими и полными гордости глазами, и за это она прощала ему даже тяжелое перегарное дыхание.

Отношения сына с доктором разладились, вернее, сошли на нет: Юзуф и доктор Лейбе существовали в одном доме, но в параллельных, никогда не пересекающихся плоскостях. Один, едва продрав глаза и выпив на завтрак кружку травяного чая, выскальзывал через внутреннюю дверь в лазарет – и возвращался только за полночь, поспать. Второй, не видя ничего и никого вокруг и зажав самодельные кисточки в ладони, мчался в клуб, затем – в школу, потом – в магазин. Некогда им было общаться и не о чем.

Причина разлада раскрылась позже. Лейбе рассказал Зулейхе, что как-то поговорил с Юзуфом серьезно, по-взрослому – предложил помогать ему в лазарете, приглядываться к медицине; за пару лет обещал выучить основам, еще лет за пять – всему, что знают выпускники медицинских факультетов. Юзуф внимательно выслушал, поблагодарил и вежливо отказался: он хотел бы, когда вырастет, заниматься художественным творчеством. Этот совершенно взрослый мотивированный отказ Вольф Карлович переживал болезненно, хотя виду не подавал.

Как-то Зулейха пожаловалась Изабелле, что за двенадцать лет жизни в одном доме сын ничего не взял у столь умного и достойного человека, как доктор – ни черт характера, ни благородства жестов и поведения, ни так щедро предложенной профессии. Юзуф и Лейбе были разными людьми, очень непохожими, чужими. «Как же, дорогая! – заулыбалась Изабелла. – А глаза? У них же совершенно одинаковый взгляд – страстный, даже одержимый».

Спали Зулейха с Юзуфом до сих пор вместе. Уже плохо умещались на тесной лежанке, длинные голенастые ноги сын то складывал на мать, то свешивал вниз. Один спать не мог: если не утыкался лицом в ее шею, не прятался у нее на груди – не засыпал.

Кажется, в снах к ней кто-то приходил иногда. Просыпалась распаренная, с истерзанными от кручения на подушке косами. Смутно помнились то пылающий вдали красным, словно раскаленный, огонь маяка, то бьющийся по ветру полог черного шатра, то тепло чьих-то рук на плечах. Унимала дыхание, открывала глаза – это были руки сына.

Она так и не смогла простить себе той ночи, когда Юзуф убежал в снежную тайгу на ее поиски. Сначала думала, что наказанием за это была болезнь сына: муки жара и бреда, его борьба со смертью, медленное угасание у нее на руках, в лазарете. А потом поняла: истинным наказанием, уже после выздоровления Юзуфа, стали собственные мысли – тягостные, неотвязные, бесконечные. Порой вина ее казалась Зулейхе такой огромной и чудовищной, что она была готова принять кару, желала – любую, даже самую страшную. От кого? Она не знала. Здесь, на краю вселенной, не было никого, кто бы карал или миловал: взгляд Всевышнего не достигал берегов Ангары; даже духи – и те не водились в глухой чащобе сибирского урмана. Люди здесь были совсем одни, наедине друг с другом.

Юзуф проснулся от того, что за матерью скрипнула дверь. Она уходила в тайгу рано, с рассветом; осторожно выпутывалась из его рук, бесшумно скользила по избе, собираясь, – боялась его разбудить. Он делал вид, что спит, – хотел сделать ей приятно. Когда ее легкие шаги исчезали за дверью – вскакивал. Не любил спать один.

...Он сбрасывает ногами одеяло и босиком шлепает к столу, за оставленным матерью завтраком: прикрытые бязевым полотенцем кусок хлеба и кружка молока (десяток бородатых коз завезли в поселок недавно, молоко по-прежнему оставалось лакомством). Залпом выпивает, хлеб сует в рот. Хватает с гвоздя на стене куртку (мать смастерила из старого докторского мундира, перелицевав и местами подштопав ветхое синее сукно). Ноги – в башмаки, и – вперед.

Дверь звонко хлопает за ним. Он запоздало спохватывается: не разбудил ли доктора? Забыл посмотреть, спит ли тот еще на своей кровати, или уже ушел в лазарет. Ладно, не беда. Даже если и проснулся – матери не нажалуется: хороший человек, хотя и скучный до невозможности.

Ноги ссыпаются по ступеням. Юзуф, на бегу жуя хлеб, толкает плечом калитку и выскакивает на улицу. Мимо лазарета вниз – до центральной площади, где сверкает яркими плакатами длинная агитационная доска и белеет свежим золотистым срубом недавно открытая изба-читальня; вдоль маленьких домиков в четыре стены – по улице Ленина, направо – по Речной (частный сектор за последние годы в Семруке разросся, заполонил весь пригорок и даже забрался на подножие холма, отъев у тайги большой кусок); вдоль заборов, мимо пекарни с магазином, мимо колхозных амбаров, мимо поворота на поля, где безраздельно царствует Константин Арнольдович, выращивая наряду с хлебом свои гигантские диковинные дыни, – до самого конца поселка, где прячется под сенью елей здание клуба.

В школу не надо – летние каникулы. Можно до самого обеда пробыть здесь, у Иконникова. Только бы тот сегодня был *чист*... Юзуф не любил, когда Илья Петрович *накатывал* с утра. Иногда *накат* был легким, для тонуса, – и Иконников встречал ученика радостным широким взмахом перепачканных в краске ладоней, много смеялся, отпускал длинные и заковыристые шутки, которых Юзуф не понимал. По мере того как солнце поднималось над Ангарой, легкий *накат* тяжелел: идущий от учителя дух превращался в невыносимо острый запах, стоявшая в дальнем углу клуба за ящиками и досками бутыль – пустела, а сам Илья Петрович к обеду смурнел, мрачнел и скоро забывался тяжелым сном, тут же, на ящиках.

Лучше, если *накатывал* вечером. Трезвым утром Иконников был не так весел и говорлив, много вздыхал, сутулился, топтался у самодельного мольберта, бесконечно шаркал кистями по палитре; но в глазах его при этом появлялось что-то такое, на что Юзуф был готов смотреть часами. Он даже хотел однажды нарисовать учителя за работой, но тот не позволил.

Топот башмаков по половицам – Юзуф врывается в клуб. Эх, надо было постучаться – рано, Илья Петрович может еще спать... Но Иконников, в белой рубашке и застегнутом на все пуговицы темно-сером – не то от грязи, не то от времени – пиджаке, в начищенных ботинках, стоит у стены и, мерно постукивая молотком, вбивает туда гвоздь.

– Помоги-ка, – говорит не оборачиваясь.

Юзуф подскакивает, подает с пола картину – Иконников вешает ее на вбитый гвоздь.

– Вот так, – оглядывает клуб придирчивым взглядом и повторяет: – Именно. Вот так!

Полотна Иконникова, украшавшие до этого все четыре стены клуба, собраны теперь на одной. Монмартр и Невский, Пречистенка и семрукская улица Ленина, пляжи Виареджио и ялтинские набережные, Сена, Яуза, Ангара и даже лучшая колхозная коза Пятилетка – висят кучно, местами касаясь друг друга, закрывают всю стену. Три другие – опустели, сиротливо таращатся блестящими головками гвоздей.

Юзуф смотрит на Илью Петровича: пьян? Нет, совершенно трезв.

Иконников берет с подоконника толстую связку самодельных кистей (тонкие – беличьи, потолще – лисьи, самые крупные – барсучьи), перематывает их веревкой, со стуком кладет обратно:

– Это тебе. Мне они больше не понадобятся.

– Вас высылают?

– Нет, – Иконников улыбается, и выпуклые, похожие на моченые яблоки мешки под глазами собираются в крупные и мелкие складки. – Я уезжаю сам. Представляешь? Сам!

Юзуфу не верится: сам человек не может никуда уехать, это знают все. Или – может?

– Куда?

Илья Петрович заматывает на тонкой шее длинный нитяной шарф, вытертый местами до прозрачности.

– Это уж как получится.

Как можно уезжать, не зная куда? Вдруг холодной яркой вспышкой – мысль:

– На войну?

Тот не отвечает, обхлопывает себя по карманам, достает ключ от клуба, вкладывает в ладонь Юзуфа.

– Это мне тоже не понадобится, – берет Юзуфа за плечи, заглядывает в глаза. – Артель оставляю на тебя.

– Я же маленький еще, – сглатывает тот. – Несовершеннолетний.

– Комендант не против. Ему показатели нужны. Артель – это же целая производственная единица! Жалко терять... Ты уж похозяйничай тут, пожалуйста.

Илья Петрович идет вдоль стен, касаясь блестящих головок гвоздей кончиком пальца.

– Сколько еще работы, да?

Юзуф бросается к учителю, обхватывает руками, утыкается лицом в запах красок, скипидара, пыльного сукна, махорки, вчерашнего перегара.

– Зачем вы едете?

Иконников гладит его по спине.

– Всегда мечтал посмотреть дальние страны. В детстве хотел стать моряком и объехать мир. Знаешь, что? – хитро прищуренные глаза Ильи Петровича – совсем рядом, блестят. – Я напишу тебе, из самого Парижа. Идет?

Юзуф ненавидит, когда с ним разговаривают как с маленьким, – он отстраняется, вытирает глаза, молчит. Иконников берет с пола тощую котомку, закидывает за плечо. Вместе идут на берег.

Несмотря на ранний час, провожать Иконникова собралась целая делегация. Пришла Изабелла; за последние годы она высохла, истончилась, черты лица четче проступили сквозь сухую, будто тщательно выделанную и выскобленную кожу. С ней – Константин Арнольдович; этот не менялся с годами, лишь жилился, темнел лицом и светлел волосом. Оставил ненадолго лазарет доктор Лейбе. В отдалении, опираясь на палку, вполоборота к остальным топтался комендант.

Утро – серое, холодное. Ветер несет над Ангарой сизые тучи, рвет одежду на поселенцах. «Так идем или нет, граждане?» – в который уже раз тоскливо вопрошает озябший матрос: он стоит по колено в воде, держит за нос качающийся на волнах облупленный катерок. Голые ноги – сизые от холода, сам – в ватнике, из-под которого проглядывает грязная сетчатая майка. В катере, отвернув красный нос от берега и глубоко утопив уши в плечи, сидит хмурый Горелов, обнимает пузатый вещмешок. Аглая, с которой они жили вместе уже три года, увязалась было за ним на берег провожать («Так я ж тебе теперь навроде жены, Вась?»), но он прогнал ее, боясь окончательно раскиснуть от бабских слез.

– Я просила Горелова за вами присмотреть, – Изабелла потуже заматывает бесконечный шарф на шее Иконникова, заботливо вправляет концы в засаленный ворот пиджака.

– Боюсь, это мне придется за ним приглядывать, – Илья Петрович бодр, даже весел. – Он был так напуган, когда получил повестку.

– Не все же такие герои, как вы. – Изабелла заглядывает ему в глаза, сокрушенно качает головой. – Вы хоть сами-то понимаете – зачем?

Тот улыбается в ответ, жмурится по-детски. Иконникову было под пятьдесят. В отличие от Горелова, которого призвали в армию в соответствии с возрастом и совокупностью прочих показателей (отсутствие нарушений и взысканий за все время пребывания на поселении, трудовые успехи, лояльность к администрации, общая степень перевоспитания), Илья Петрович вызвался на фронт добровольцем. Его дело долго проверяли, затем перепроверяли, наконец изумленно согласились.

– Ну... – Константин Арнольдович тянет сухонькую, опутанную узловатыми веревками вен руку. – Ну...

– С кем теперь спорить будете? – Илья Петрович мелко трясет протянутую ладошку, затем вдруг отнимает руку, обхватывает Сумлинского.

Они осторожно, по-женски, словно боясь сделать больно, хлопают друг друга по спинам. Быстро отстраняются, отворачивают смущенные лица.

– Берегите себя, – Лейбе берет Иконникова за локоть.

– Хорош прощаться! – голос коменданта резкий, раздраженный. – Устроили...

Илья Петрович торопливо и сильно треплет волосы Юзуфу, подмигивает. Оборачивается к Игнатову, кивает ему. Идет к лодке – нескладный, сутулый, немолодой человек с шаркающей походкой. Забирается неловко, промочив ноги и чуть не уронив в воду вещмешок. Садится рядом с Гореловым, поднимает большую ладонь, машет провожающим (становится заметно, как сильно его руки высовываются из рукавов). Шарф на шее опять размотался, бьется на ветру.

– Mon Dieux, – говорит Изабелла, прижимая длинные пальцы к подбородку. – Mon Dieux.

Матрос выталкивает лодку на глубину, запрыгивает. Через пару секунд мотор чихает, затем ревет, набирает голос, и вот уже – истошно вопит. Катерок разворачивается и, взрезая бьющуюся на волнах пену, уходит. Константин Арнольдович с Изабеллой и Лейбе смотрят ему вслед. Юзуф бежит по берегу, машет руками. Игнатов уходит прочь, не оборачиваясь.

Треугольник лодки уменьшается, тает. Что-то длинное и светлое – шарф? – отрывается от него, чайкой летит над волнами, падает в Ангару.

– Первые два человека из наших, кто уехал на Большую землю, – Константин Арнольдович произносит это тихо, в сторону, словно ни к кому не обращаясь.

– Первые ласточки? – туда же роняет Лейбе.

Изабелла собирает в складки узкий рот, запрокидывает совершенно белую голову и молча уходит с берега.

Юзуф и Зулейха

Ясным майским днем сорок шестого года юркий синий катерок, еженедельно доставлявший в Семрук почту и печатную прессу, привез с собой трех пассажиров. Никто не встречал их на берегу, и некому было удивиться, что один из них – франтоватый военный в жестко наглаженной форме и обильно надушенный одеколоном – Василий Горелов собственной персоной.

Он выпрыгивает из катера решительно, даже лихо; шагает широко, стремительно – под отчаянно скрипящими и невыносимо блестящими сапогами доски пристани ноют, как от боли. В руке то и дело вспыхивает гладкими боками огненно-желтый, словно вобравший в себя весь солнечный свет, чемоданчик свиной кожи.

Два других пассажира, по видимости, дед и внук, робко вылезают из катера, идут по пристани медленно, растерянно озираясь – разглядывают посверкивающие на солнце гладкие днища перевернутых лодок; широкие флаги рыболовных сетей, лениво реющие по ветру; крепкую широкую лестницу, круто бегущую с берега вверх; пеструю россыпь домов на высоком пригорке.

– Товарищ, – несмело окликает Горелова дед, – нам бы лекаря тутошнего. Не знаешь?

Тот оборачивается, оглядывает деда строгим взглядом, как милиционер нашкодившего мальчишку, бурчит: «Развели тут, понимаешь...» Цыкает слюной сквозь сжатые зубы и, не отвечая, идет на берег. Дед вздыхает, берет внучка за руку и топает следом.

В поселке громко, людно – воскресенье. В распахнутых окнах дышат ветром свежие занавески, палисадники белеют жасмином. Ватага крикливых пацанят гонит мяч, всаживает его в чинно шагающий отряд серых гусей – вожак шипит, стелет по земле длинную шею, кидается вперед, но из-под ворот уже летит, оглушительно лая, пара мохнатых псов, шугает гусей прочь. Пахнет дымом, баней, свежеоструганным деревом, молоком, блинами. Где-то хрипло и нежно воркует патефон:

Счастье мое я нашел в нашей дружбе с тобой,
Все для тебя – и любовь, и мечты.
Счастье мое, это радость цветенья весной.
Все это ты, моя любимая, все ты!

Дед с мальчиком идут по поселку. Иногда останавливаются спросить дорогу – то у бабки, высунувшейся из окна и выбивающей подушки на улицу, то у мужика с атлетическим торсом, несущего на блестящих от пота обнаженных плечах пару мелких ребятишек. Наконец доходят до стоящего на отшибе большого неказистого строения, сложенного из трех пристроенных друг к другу разноцветных срубов: в центре – старый, уже темный от времени; справа – посветлее, попросторнее; слева – совсем новый, медово-желтый, еще терпко пахнущий сосной. «Лазарет», – сообщает надпись зеленой краской сверху.

Дед несмело стучит и, не дождавшись ответа, входит. В просторной избе с выскобленными полами – тихо и прохладно; нежно светятся на пустых кроватях одинаковые белые наволочки, сверкают металлом строгие инструменты на аккуратно прибранном столе; ветер шуршит бурыми, исписанными мелким почерком листами большой амбарной книги, лежащей тут же, рядом.

– Есть кто?

Никого нет. Дед выходит, медленно идет кругом, внучок семенит следом. Вот и задний двор: крошечная калитка, худая поленница, широкий, донельзя рассохшийся топчан с воткнутым в него наполовину заржавевшим топором, на веревках полощется пара линялых тряпок.

– Добрый день, – старик осторожно приоткрывает дверь.

Уловив звук движения, шагает внутрь, вглядывается в темноту избы. Маленькая немолодая женщина – бледное лицо в тонких росчерках морщин, усталые глаза под крутыми дугами бровей, широкие белые пряди в длинных черных косах – укладывает вещи в большой клетчатый платок с длинной бахромой.

– Здравствуй, хозяйка, – дед стягивает бесформенный картуз, низко и с достоинством кивает. – Лекарь-то известный – здесь живет?

– Жил, – Зулейха кладет друг на друга стопки белья и одежды. – До вчерашнего дня.

– Преставился?

– В центр забрали, в Маклаково, – она увязывает тюк крошечными и неожиданно сильными руками. – Больницей, говорят, районной командовать некому.

– Ох ты-ы-ы... – дед разочарованно трясет бородой, кладет руку на голову мальчика, прижимает к себе. – Неделю добирались. Внука мне вылечить надо.

– На днях обещали нового прислать. Оставайтесь, поживите пока здесь – дождитесь.

Поток ходоков к *известному лекарю* рос с каждым годом. Зулейха привыкла к тому, что сопровождавшие больных родственники живут при лазарете.

– Нам только он нужен, к нему поедем. Слышь, хозяйка... – Дед понижает голос. – А сам-то – не больно суров? Как думаешь – примет? Не выгонит? Все-таки – центр...

– Не выгонит, – Зулейха смотрит на него долгим взглядом. – Сбежать захотите – не отпустит, пока не вылечит.

– Слыхали, слыхали... – сразу же расплывается в улыбке старик; радостно и облегченно вздыхает, торопится к выходу, натягивая картуз. – А ты ему – жена, что ли, будешь?

– Нет, – она задумывается, пальцы теребят узлы платка. – Так, по хозяйству помогала. Теперь вот и мне – съезжать.

Дед понимающе кивает и, наскоро попрощавшись, спешит вон, толкает внучка в спину. Обратно по поселку они почти бегут – торопятся на почтовый катер, еще не успевший отчалить. А вслед им из широко открытого окна несутся переборы аккордеона, протяжные и ласковые:

Счастье мое, посмотри, наша юность цветет,
Сколько любви и веселья вокруг.
Счастье мое, это молодость песни поет.
Мы с тобой неразлучны вдвоем, мой цветок, мой друг!

Дед с внуком добрались до Маклакова через два дня, нашли районную больницу, а в ней – маленького подвижного человечка с серебряным венчиком волос вокруг гладкого черепа. Еще через два дня тот сделал мальчику операцию и оставил на месяц в стационаре, для наблюдения.

На исходе лечения дед стал выпытывать у санитарки, чем лучше отблагодарить знаменитого лекаря – деньгами или натуральным продуктом. «Денег не возьмет, – авторитетно заявила та, – а вот *кофу* – как пить дать, хлещет ее целыми днями».

В местном продуктовом лабазе, недоверчиво качая головой, дед обменял все зашитые в подол рубахи желтые монеты на кулек странных маслянистых зерен с терпким запахом. Принес в больницу, обмирая от страха, что купил не то. Но лекарь, к великому облегчению деда, подношение принял и благодарно улыбнулся, с наслаждением втягивая ноздрями шедший из кулька горький аромат: кто ж не любит хороший кофе?

Горелов неспешно идет (сапоги нестерпимо сияют) по поселку Семрук, ровно по середине улицы Центральная. Гордо поднятую грудь несет с достоинством, на буром кителе отсверкивает желтый кругляш медали. Правая рука держит рыжий чемоданчик слегка на отлете, словно демонстрируя его пробегающим мимо курам и цыплятам, а левая то и дело касается гладко выбритого виска, тщательным круговым движением заглаживая короткие волосы под малиновый околыш синей фуражки.

Занавески в окнах на Центральной вздрагивают, как живые, за ними мелькают удивленные лица. Люди выходят из домов, переговариваются, смотрят

милую сердцу мелочь: несколько вышитых ею салфеток, старые глиняные игрушки Юзуфа – пупса с безвозвратно отбитыми конечностями, рыбу без плавников и хвоста. Чугунки для кипячения бинтов оставила – пригодятся новому доктору; громко тикающие на стене ходики с кривовато выжженной раскаленным шилом надписью «Дорогому доктору от жителей пос. Семрук в день семидесятилетия» тоже – не ей их дарили, не ей и забирать.

Не взял их и Лейбе. Он ничего не взял с собой – так и уехал, в одной смене одежды и с полупустым истрепанным саквояжем, на котором едва угадывались очертания красного некогда креста.

Прощались тихо, молча. Она стояла посреди избы, опустив руки на передник и не зная, что делать и что сказать. Вольф Карлович подошел, постоял рядом; взял ее руку, склонился к ней сухими губами. Зулейха увидела, как сильно поредел пышный серебряный венец вокруг его лысины, а кожа на нежно-розовом и блестящем когда-то черепе стала совершенно рябой от крупных серых и коричневых пятен.

Юзуф пошел провожать Лейбе до пристани, а она осталась в доме. Сразу же начала собирать вещи. Ей предлагали жить в лазарете и при новом докторе – обещали выгородить кусок избы, оформить санитаркой на полную ставку; она отказалась – решила переехать обратно в бараки.

Теперь они были и не бараки вовсе. Назывались общежитиями. Внутри их разбили на мелкие комнатки, понаставили перегородок: больше, чем по шесть-восемь человек, уже не селили; нары были по-прежнему двухъярусные, но – с настоящими матрасами, одеялами и подушками, некоторые даже с вышитыми крестом цветными покрывалами. Жили в общежитии либо новенькие (а таких в последнее время привозили мало), либо те, кто по нерадивости своей или лености еще не сумел обзавестись собственным домом и хозяйством. Пугало то, что им с сыном предстояло разделиться: Юзуфу летом исполнялось шестнадцать, и ему выделяли отдельное койко-место в мужском общежитии.

Он уже четыре года работал в художественной артели. Продукция артели была прежней: труженики полей, ударники лесной промышленности, деятели колхозного фронта, комсомольцы с пионерами, иногда – гимнасты. В закупочном тресте отметили, что несколько лет назад художественная манера семрукских авторов довольно резко изменилась, но не придали этому значения: как и ранее, селяне были круглолицы, гимнасты – бодры, дети – улыбчивы. Плоды артельного труда продолжали пользоваться спросом.

В свободное время, по ночам, Юзуф писал для себя. Зулейха не понимала этих его *картин*: резкие линии, бешеные цвета, чехарда странных, иногда страшных образов. Лесорубы и пионеры нравились много больше. Ее саму он не написал ни разу.

Они мало говорили с Юзуфом. Зулейха чувствовала, что ему не хватало бесед с Изабеллой (умерла в сорок третьем, сразу после известия о снятии блокады Ленинграда), с Константином Арнольдовичем (пережил жену всего на год). Видела, что он до сих пор тоскует по Илье Петровичу (от Иконникова вестей не было никаких – как ушел на фронт, так и сгинул). Вчера ей даже показалось, что Юзуф сильно расстроился из-за отъезда Лейбе, отношения с которым у них так и не наладились.

Она не могла заменить ему никого и при этом ощущала, что нужна ему даже больше прежнего: теряя дорогих сердцу людей, он весь жар своего юного сердца обращал на мать. Он хотел говорить, задавать вопросы и получать ответы, спорить, обсуждать, перебивать, нападать, защищаться, ругаться, в конце концов, – она могла лишь молчать, слушать и гладить его по голове. Она молчала, слушала, гладила – он злился и убегал. Через какое-то время возвращался – понурый, виноватый, ласковый. Обхватывал ее руками, сжимал до хруста в костях (был выше на целую голову и не по годам силен) – она ничего не говорила, только гладила по голове. Так и жили.

Огонек на крыльце комендатуры перестал ее звать по ночам. Наверно, Игнатов теперь курил в доме.

Эту лодку Юзуф не украл – она была ему обещана. Когда рыжий Лукка был еще жив, Юзуф часто помогал чинить ее: конопатили щели мочалом, старыми тряпками; покрывали тягучей смолой; вымачивали и сушили, опять смолили. За это старик брал его с собой на ночную рыбалку; сам удил, а Юзуф сидел рядом – смотрел, запоминал. Ночная Ангара была совсем другая – тихая, молчаливая. В борт нежно и тонко плескала волна; в черном зеркале воды отражался испещренный созвездиями небесный свод; лодка плыла, чуть покачиваясь, меж двух звездных куполов, ровно по середине мира. Утром Юзуф пытался нарисовать по памяти увиденное ночью, но ему никогда не нравилось то, что получалось.

А Лукка так и сказал: умру – твоя будет лодка, сынок. Весной умер. Ночью, когда в крошечной опустевшей избенке Лукки еще поминали старого товарища, Юзуф пришел на берег, спустил лодку на воду и увел за дальний поворот; спрятал в кустах, под утесом – намертво прикрутил носовую веревку к толстым корням гигантской ели, саму лодку притопил, чтобы не рассыхалась, как учил Лукка.

Лодка была ему нужна – он задумал побег.

В газетах на агитационной доске иногда появлялись заметки и даже целые статьи про совершенные заключенными побеги из тюрем и лагерей. Все они заканчивались одинаково – беглецов ловили и строго наказывали.

Юзуф знал – его не поймают.

Бежать, конечно, лучше летом. Спуститься по Ангаре до Енисея, а там уже до Маклакова рукой подать. Оттуда – на попутке до Красноярска, затем на поезде – на запад, через Урал, через Москву – в Ленинград. Прямиком на Университетскую набережную, в длинное строгое здание с колоннами цвета пыльной охры и двумя суровыми сфинксами из розового гранита у входа – в институт живописи, знаменитую Репинку, alma mater Иконникова. Как раз к вступительным экзаменам успеет. С собой решил взять пару своих картин (из тех, что понравились бы Илье Петровичу) и папку с карандашными этюдами.

Юзуф знал – его обязательно примут.

Жить он может и при институте, в любой каморке – хоть в дворницкой, хоть в складской, хоть в собачьей конуре. Может подрабатывать дворником – за ночлег. На самый крайний случай у него было кое-что припасено: в тщательно охраняемом от глаз матери тайнике лежал сложенный вчетверо плотный белоснежный лист, на котором летящим каллиграфическим почерком Константина Арнольдовича было написано несколько коротких строк. Сумлинский обращался к какой-то Оленьке, слал ей *далекие приветы* и просил *во имя молодости* приютить юного отрока, подателя сего. Сверху – адрес, в котором призывным маяком сияли волшебные, дух захватывающие слова: *набережная реки Фонтанки*. Без подписи. «Она поймет», – сказал Константин Арнольдович, передавая Юзуфу письмо. Это было за месяц до его смерти.

Денег на проезд не было. Рассказывали: если повезет – можно по товарным вагонам месяц-полтора прокантоваться – докатить.

Юзуф знал – ему повезет.

Документов у него тоже не было: все метрики детей поселенцев хранились в сейфе комендатуры. Скоро Юзуфу исполняется шестнадцать, но паспорт ему не выдадут: большинство семрукцев до сих пор жили без паспортов – незачем. Но это не имело значения. Главное – добраться до Ленинграда, домчать до Невы, ворваться в здание под одобрительным взглядом сфинксовых раскосых очей, взлететь по лестнице до зала приемной комиссии, выложить на стол свои работы: вот он я, весь, – судите! Roi ou rien[1]. Какой там паспорт...

Думал о побеге уже давно. А пару месяцев назад случилось событие, которое подхлестнуло, как хорошая моченая плетка, и все мысли, все желания подчинило одной страсти: бежать.

В тот день на улице Юзуфа окликнул Митрич, старый конторщик, исполнявший в Семруке целый букет разнообразных обязанностей: и секретаря, и делопроизводителя, и архивариуса, и – заодно – почтальона.

[1] Король или ничего (*фр.*).

– Письмо тебе, – удивленно и ласково улыбнулся он; невыносимо долго рылся в большой брезентовой торбе для переноски газет, выудил грязно-белый, захватанный пальцами и нежно махрящийся на сгибах, бумажный треугольник. – Это сколько ж оно шло с фронта? – покрутил в руках испещренное круглыми и овальными почтовыми штемпелями письмо. – Год, не меньше.

Наконец отдал. Сам не уходил, стоял рядом, смотрел внимательно – аж брови встопорщились. Но Юзуф при нем открывать не стал; поблагодарил – и бегом в тайгу, на утес, подальше от всех. Пока бежал, думал, сердце выпрыгнет. Треугольник горел в руках, жег пальцы...

Взлетел меж валунов, сел на розовый камень. Сглотнул, раскрыл вспотевшие ладони.

Красноярский край. Северо-Енисейский район. Трудовой поселок Семрук на Ангаре. Юзуфу Валиеву.

Развернул осторожно, чтобы не порвать: слов в письме не было; в центре листа – свечка Эйфелевой башни (карандаш, тушь); мелкая приписка в углу: *Марсово поле, июнь 1945* (*Париж* цензор вымарал черным, а *Марсово поле* и дату оставил). Больше ничего.

Кое-как сложил обратно – пальцы вдруг онемели, не слушались – сунул за пазуху. Долго сидел, глядя на свинец Ангары, с боков зажатый в бурую зелень тайги, а сверху – приплюснутый сковородкой неба.

Решил: точно убегу. Знал – убежит. И убежал бы – хоть сегодня, сейчас. Удерживало одно – мать. С уходом из охотничьей артели она как-то быстро и безвозвратно устала, сломилась, постарела; после отъезда доктора совсем потерялась, стала, как дитя; смотрела на него испуганно, огромными глазами.

Оставить ее такую он не мог. И оставаться здесь – больше не мог.

Письмо Иконникова спрятал туда же, в тайник. Временами казалось, что сердце бьется не в груди, а там, в холодной и темной щели, где лежат, тесно прижавшись друг к другу, два письма от двух близких людей.

Юзуф не знал, что делать с матерью, – это было, пожалуй, единственное, чего он не знал.

Вот и все: вещи сложены, тюки увязаны. Завтра утром они с Юзуфом переселяются в общежитие – завтра они будут спать в разных кроватях. Сейчас, ясным воскресным днем, можно напоследок посидеть в пустом и тихом доме, попрощаться с ним. Зулейха ходит по избе, проверяя: ничего не забыла? Заглядывает за дверь, за печь; по шкафам, лавкам, подоконникам.

Одна половица скрипит под ногой – крайняя, у окна. Под такой же они с Муртазой когда-то – может, сто лет назад, а может, во сне, – прятали продукты от красноордынцев. Зулейха наступает на доску еще раз: тонкий протяжный скрип похож на чей-то голос. Присаживается и, улыбаясь самой себе, вставляет пальцы в щель, тянет – дерево поддается, слегка приподымается. Черный прямоугольник темноты под половицей дышит холодом и влажной землей. Она всовывает руку, шарит – и вынимает небольшой легкий тряпичный сверток. Развязывает веревки, откидывает старые тряпки, куски бересты. Внутри – два не похожих друг на друга листка бумаги: снежно-белый и грязно-желтый, слиплись от долгого лежания, приросли друг к другу. Зулейха разлепляет их, разворачивает. Она не умеет прочесть первое послание и не знает, что за диковинное строение изображено на втором. Понимает лишь: прятал Юзуф, это его тайна, такая огромная, что с матерью не поделился, или – оградил мать на время, защитил от нее. Бусины мелких букв с длинными, словно вьющимися по ветру хвостами, тонкий скелет башни, отдаленно напоминающий минарет, – слова и рисунок о чем-то кричат, куда-то зовут.

В грудь толкает: сын решил сбежать.

Зулейха еще несколько минут сидит на полу, прижимая кулак со смятыми письмами к груди, затем поднимается и бежит в клуб. Как бежала – не помнит, кажется, перелетела в один миг, одним прыжком. Рвет на себя дверь. Юзуф – внутри, как всегда, у мольберта.

– Почему босая, мама?

– Ты! Ты... – задыхаясь, она швыряет в него скомканными письмами, как ядрами.

Он наклоняется, подбирает, медленно разглаживает на груди, убирает в карман. Глаз не подымает, лицо застывшее, белое. И Зулейха понимает – все так и есть: сын решил сбежать. Оставить ее. Покинуть.

Она кричит что-то, кидается на стены, колотит руками вокруг – под кулаками трещит холст, ломаются рамы, что-то падает и катится по полу. Падает и она сама. Скручивается, скукоживается, сворачивается змеей, утыкается в себя, воет куда-то внутрь: покинуть, покинуть... Понимает, что воет не в себя, а в Юзуфа, облепившего ее со всех сторон. Вокруг – его тело, его руки, перекосившееся и мокрое лицо. Они лежат на полу, одним комком, сцепившись намертво.

– Куда-а-а-а? – скулит она в грудь Юзуфа. – Куда ты пойдешь? Без документов, один... Поймают...

– Не поймают, мама.

– Посадят... – цепляется за него, словно тонет.

– Не посадят.

– А я?

Юзуф молчит, обнимает так, что больно.

– Я не переживу. – Зулейха ищет глазами его взгляд. – Я умру без тебя, Юзуф. Умру, как только ты сделаешь первый шаг.

Его влажное дыхание – на ее шее.

– Умру, – повторяет Зулейха упрямо. – Умру, умру, умру!

Он мычит, отстраняется, отлепляется. Скидывает с себя ее жадные руки, выкарабкивается из объятий.

– Юзуф! – Зулейха кидается следом.

Ее скрюченная рука с искореженными на концах пальцами скользит по его затылку, как гребень, расчесывая темные пряди, по шее, оставляя красные царапины, хватается за воротник рубашки – треск! – Юзуф выбегает из клуба с разорванным воротом.

– Не сын ты мне после этого! – воет Зулейха вслед. – Не сын!

Глаза – не видят, уши – не слышат.

Покидает. Покидает.

Она встает и, шатаясь, бредет вон. В лицо – ветер, крики чаек, шум леса; под ногами – земля, трава, камни, корни.

Покидает. Покидает.

Мир течет перед ее взором, струится. Не формы и линии – лишь цвета: плывут, утекают. Вдруг посреди потока – четкий образ, высокий и темный. Гордая посадка головы, широкие мужские плечи, руки длинные, чуть не до колен, платье бьется по ветру. И ты здесь, старая ведьма.

Зулейха хочет оттолкнуть Упыриху, замахивается – но вместо этого почему-то падает ей на грудь, обнимает могучее тело, пахнущее не то древесной корой, не то свежей землей. Утыкается лицом во что-то теплое, плотное, мускулистое, живое, чувствует сильные руки – на спине, на затылке, вокруг себя, везде. Слезы подступают к горлу, веревкой свивают глотку – Зулейха плачет, уткнувшись в грудь свекрови, долго и сладко. Слезы льются так щедро и стремительно, что кажется – не из глаз, а откуда-то со дна сердца, подгоняемые его частым и упругим биением. Минуты, а может, часы спустя, выплакав все не выплаканное за годы, она успокаивается, приходит в себя. Еще спешит дыхание, еще вздымается судорожно грудь, но уже разливается по телу долгожданное усталое облегчение.

– Скажи, мама… – она не разжимает глаз, не разнимает рук, словно боится отпустить, – так и шепчет не то в костлявое плечо свекрови, не то в морщины у основания шеи. – Все хотела спросить: зачем ты по молодости ходила в урман?

– Давно это было, девчонкой была глупой… Смерти искала – спасения от любви несчастной, – широкая и твердая грудь старухи поднимается и опускается в долгом могучем вздохе. – Пришла в урман, а нет ее там, смерти.

Зулейха удивленно отстраняется, чтобы заглянуть свекрови в глаза. Лицо старухи – темно-коричневое, в крупных извилистых морщинах. Да и не лицо то вовсе – древесная кора. В объятиях Зулейхи – старая корявая лиственница. Ствол дерева – бугрист и необъятен, в серебряных потеках смолы; корни – узлами; длинные раскидистые ветви смотрят ввысь, пронзают небесную синь; на них легким изумрудным сиянием дрожат первые проблески весенней листвы. Зулейха утирает со щек прилипшие куски коры и хвои, бредет из тайги обратно в поселок.

То, что его снимут, Игнатов знал давно. После того случая в сорок втором, с несостоявшимся заговором, Кузнец сильно охладел к нему: заезжал редко, на инспекции посылал своих молодцев. Больше они с Игнатовым ни разу не *сидели*. Сам Кузнец взлетел высоко, до полковничьих высот. Скрывать свою неприязнь не считал нужным: личное дело Игнатова обогатилось уже двумя служебными взысканиями. Третье означало бы неминуемое освобождение от занимаемой должности.

Игнатову, к тому времени старшему лейтенанту (повышение было результатом не доблестной службы, а всего лишь плановой переаттестации в рядах НКВД со смещением линейки званий), недавно исполнилось сорок шесть лет. Шестнадцать из них он провел в Семруке. Он был еще не стар, но уже наполовину сед и хром. Лицом мрачен, характером – угрюм. Одинок.

Явившийся утренним катером, сверх меры обнаглевший Горелов (не выдержал, собака, примчался раньше всех, чтобы насладиться своей властью, испить не торопясь, смакуя) означал одно: Игнатова снимают. Может быть, даже сегодня.

Он берет со стула форменный коричневый китель и начинает шуршать щеткой по тонкому сукну. Что ж, сволочи, увольняться – так при параде. В последние годы Игнатов часто ходил в гражданском, потому форма его имела практически новый вид и чистилась легко, быстро. Китель, галифе, фуражка – все по-щегольски яркое, свежее, красуется на вбитом в стену гвозде, ровно посредине. Игнатов ставит вниз натертые ваксой сапоги – и картина принимает законченный вид: словно из него самого выпустили воздух и повесили на всеобщее обозрение – вот, он, мол, наш комендант, полюбуйтесь.

Самое страшное: он не хотел уезжать. Как получилось, что за годы он прикипел к этой недружелюбной и суровой земле? К этой опасной реке, коварной в своем вечном непостоянстве, имеющей тысячи оттенков цвета и запаха? К этому бескрайнему урману, утекающему за горизонт? К этому холодному небу, дарящему снег летом и солнце – зимой? Черт возьми, даже к этим людям – часто неприветливым, грубым, некрасивым, плохо одетым, тоскующим по дому, иногда – жалким, странным, непонятным. Очень разным.

Игнатов представил, как едет домой: трясется в плацкартном вагоне, наблюдая в мутное окошко смену монотонных пейзажей; осовевший от многодневного путешествия, ступает на казанский перрон; идет по пустынным вечерним улицам... Куда? К кому? Не было в его жизни больше Мишки Бакиева; мимолетные увлечения молодости – Илона, Настасья – давно повыходили замуж; бывшие подчиненные – Прокопенко, Славутский и прочая компания – позабыли... Не было в его жизни больше Казани. А Семрук – был.

Игнатов начинает собирать вещи. Да что собирать-то? Гражданская пара одежды – на нем. Вид из окна в трубочку не свернешь, в чемодан не положишь. Больше нечего брать – нет у него хозяйства, не обзавелся. Даже чемодана – и того нет. Уйдет отсюда *пустым*, как и пришел. И в душе тоже – пусто, как вынули все.

Чтобы занять руки хоть чем-то, решает разобрать бумаги. Мишка Бакиев тогда тоже – разбирал. Теперь пришло его, Игнатова, время. Он открывает большой стальной сейф. Здесь, в прохладных глубоких недрах, на пяти высоких крепких полках, хранится весь Семрук: дети и взрослые, старички и новенькие, живые и мертвые, их личная и трудовая жизнь, надежды, преступления, несчастья, успехи, наказания, рождения и смерти, болезни, производственные планы и реальные показатели, – все лежит, проштампованное и прошитое, аккуратно рассортированное, разложенное по стопкам, папкам, коробкам, тщательно перевязанное веревками, сжатое скрепками, впитавшее запах железа и чернил. Игнатов перебирает паспорта (нескольким переселенцам выдали, но хранить документы было предписано в комендатуре – *во избежание*), детские метрики (сам их выписывал, все до одной), фотографии, списки новоприбывших, заявления, доносы, характеристики, прошения, изъятые цензурой и не дошедшие до адресата, навеки похороненные в личных делах письма...

Люди, люди, люди – сотни лиц встают перед ним. Он был тем, кто встречал их здесь, на краю света. Гнал в тайгу, морил непосильной работой, железной рукой выжимал план, издевался, стращал, предавал наказанию. Строил для них дома, кормил, выбивал продовольственный фонд и лекарства, защищал от центра. Держал на плаву. А они – держали его.

В углу, на нижней полке, завалялось что-то – темное, плоское. Игнатов приседает на колени, тянется рукой, достает. Серая когда-то, а теперь бурая, в выцветших коричневых прямоугольниках и кругляшах печатей – папка «Дело». Не вставая с колен, раскрывает. Тонкие, пахнущие бумажной пылью листы, исчерканные карандашом и углем. Несколько жирно обведенных имен. На одном косая надпись в углу: Юзуф. Пара приставших к листам темно-рыжих еловых иголок.

В дверь стучат. Эх, не успел переодеться, мелькает запоздало. Быстро явились. Торопливо поднимается с колен, швыряет папку в сейф, закрывает дверцу. Встает посереди комнаты, закладывает руки за спину.

– Войдите, – произносит четко.

Дверь открывается – Зулейха.

Она медленно проходит в избу – бледная, осунувшаяся, по брови замотанная в платок. Останавливается, поднимает на него заплаканные, с припухшими покрасневшими веками глаза и тут же опускает. В открытое окно несется шум ветра, еле слышное гудение елей в тайге. Постояли, помолчали.

– По делу пришла? – говорит он наконец.

Зулейха кивает. Кожа ее со временем из белой стала желтоватой, восковой, на щеки мелко и часто легли тонкие морщины, а ресницы остались прежними, густыми.

– Отпусти моего сына, Иван. Уехать ему нужно.

– Куда?

– Учиться хочет. В городе. Не жизнь ему здесь, с нами.

Игнатов сжимает за спиной пальцы в кулак.

– Без паспорта? А если и с ним – все одно отметка будет в десятой графе. Кто ж его примет, кулацкого сына?

Она опускает голову ниже, словно хочет разглядеть что-то внизу, под ногами, и от этого становится еще меньше.

– Отпусти, Иван. Я знаю, ты можешь. Никогда тебя ни о чем не просила.

– Зато я – сколько просил! – он отворачивается, уходит к окну, подставляет лицо ветру. – Со счета сбился...

Скрип кровати – длинный, жалобный: Зулейха села на краешек, руки меж коленей зажала, голову совсем на грудь опустила, одна макушка видна.

– Возьми о чем просил. Если еще не раздумал.

– Не этого я хотел, Зулейха. – Игнатов смотрит на серое полотнище Ангары в мелкой пенной ряби. – Не так.

– И я – не этого. Но сын-то мой – не виноват...

Из-за поворота показывается знакомый коричневый прямоугольник – кузнецовский катер. Надо же, сам пожаловал. Значит, точно: снимать.

– Уходи, Зулейха, – говорит Игнатов, наблюдая, как катер стремительно идет к берегу.

Застегивает на груди пиджак (решил – не будет в форму переодеваться, слишком много чести). Прочесывает пятерней поредевший чуб. Когда поворачивается в комнату – ее уже нет.

Кузнец как вошел, глянул на сурового Игнатова у окна, на его вычищенную форму на гвозде, – все понял.

– Ждал меня, – говорит.

Слов лишних терять не стал: открыл планшет, документ – на стол, рядом – бутылку беленькой (плоскую, с яркой этикеткой – видно, трофейную). Игнатов бутылку – как не видит. А документ взял, пробежал глазами: освободить от занимаемой должности... лишить звания как дискредитировавшего себя за время работы в органах и недостойного в связи с этим звания старшего лейтенанта... уволить в запас по служебному несоответствию...

– Где у тебя тут стаканы-то? – Кузнец с усилием крутит винтовую крышку (умеют же закупорить, империалисты!), рыщет взглядом по избе.

Игнатов холодными пальцами складывает бумагу, убирает в карман.

– Из органов-то за что? – говорит. – Из комендантов погнал – ладно! А из органов?

Кузнец, не найдя стаканы, бросает крышку на пол и протягивает бутылку Игнатову: будешь? Не получив ответа, опрокидывает в себя. Струя входит в его открытую пасть длинно и ровно, как штык. Отпив добрую треть, крякает, мычит, трясет полысевшей башкой.

– Не нужен ты мне в органах, Ваня. Ни здесь, ни где еще.

Сука.

Игнатов смотрит на вмиг раскрасневшееся обрюзгшее лицо, старчески обвисшие над губой серые усы, рыхлую складку под римским подбородком, нависающую над петлицами. Сейчас бы этой самой бутылкой – по черепу, а потом кулаком – по отъевшейся роже, по обильному пузу... Но нет в сердце привычной холодной злости, нет ярости, нет отчаяния. Пусто.

– Некуда мне идти отсюда, Зина.

– Так оставайся, – просто говорит тот. – На вольняшек запрет, но тебя-то пристроим, в лесу работа найдется. Дома пустые есть – вселяйся, живи. Бабу себе заведешь на старости лет.

– А заместо меня – Горелова, значит?

Кузнец опять втыкает в себя бутылку, пьет. Ведет ладонью по могучей груди, словно провожая льющуюся жидкость – от горла по глотке вниз, через грудь, к животу. Громко и пахуче выдыхает, кивает:

– Он здесь свой человек – не подкачает.

– Сгноит всех к едреной матери, – Игнатов задумчиво смотрит из окна.

– Дисциплину наладит! – Кузнец поднимает вверх мясистый палец, косит блестящим глазом. – Тебя не тронет, не боись. Сам прослежу по старой памяти. – Выливает в рот остатки водки, со стуком ставит бутылку на стол; поднимается, уронив за собой стул. – Давай, Игнатов, пять минут на сборы. Комендатуру сдашь Горелову. – И не прощаясь, идет к двери.

Из окна видно, как поджидавший у крыльца Горелов (подслушивал, собака?) подхватывает отяжелевшего от водки Кузнеца и уводит по тропе вниз, заботливо придерживая за расплывшуюся талию.

Игнатов открывает сейф, достает из пачки метрик одну – Юзуф Валиев, 1930 года рождения. Бросает в холодную черную дыру печного створа, чиркает спичкой – бумага занимается быстро, маленьким и жарким огоньком. Секунду подумав, бросает туда же и старую папку «Дело».

Пока листы медленно вздымают тлеющие углы и, потрескивая, исчезают в оранжевом пламени, он берет чистый метричный бланк, обмакивает перо в чернила и выводит: Иосиф Игнатов, 1930 года рождения. Мать: Зулейха Валиева, крестьянка. Отец: Иван Игнатов, красноармеец.

Ставит печать, убирает метрику в карман. Ключ от комендатуры кладет на стол. Выходит вон.

Безупречно чистая форма остается висеть на гвозде, на алом околыше фуражки греется солнечный луч. В печи корчатся, сливаясь, слипаясь, сплавляясь в черную золу, давно забытые имена; тлеют, превращаются в легкий дым, улетают в трубу.

Зулейха открывает глаза. Солнце бьет, слепит, режет голову на части. Вокруг в искрящемся хороводе солнечных лучей дрожат еле различимые очертания деревьев.

– Тебе плохо? – Юзуф наклоняется к ней, заглядывает в лицо. – Хочешь, я никуда не поеду?

Глаза у сына огромные, густо-зеленые – ее глаза. На Зулейху смотрят с сыновьего лица ее глаза. Она мотает головой, тянет его дальше, в лес…

Когда Игнатов пришел – с застывшим лицом, весь словно замороженный, – и принес метрику Юзуфа, еще хрусткую, остро пахнущую новой бумагой и свежими чернилами, она сначала растерялась.

– Скорее пусть уходит, – сказал он. – Немедленно, сейчас.

Зулейха засуетилась, кинулась собирать вещи, еды какой.

– Некогда, – Игнатов положил ей руку на плечо. – Так пусть идет, пустым.

В правый нагрудный карман ветхого, истертого до легкости пиджака с разномастными пуговицами Юзуф положил два письма из тайника, в левый – новую метрику и толстую пачку мятых разноцветных купюр – тоже Игнатов дал, Зулейха столько денег в жизни не видела. Вот и все, что взял с собой.

Она даже не успела сказать Игнатову спасибо – тот ушел быстро, как исчез. А Зулейха с сыном побежали в тайгу, к утесу, где была спрятана старая лодка Лукки.

Окольными тропами вдоль задних дворов с аккуратными квадратами грядок; мимо густо заросшей мхом и будто сжавшейся, присевшей от времени избенки клуба; мимо широких полотен колхозных полей, на которых уже брызнули зеленым первые робкие всходы.

Никто не заметил их исчезновения. Только истрескавшиеся желто-бурые черепа на покосившихся кольях неотрывно смотрели вслед всепонимающим взглядом черных глазниц. Один из черепов – самый крупный, медвежий, – давно уже упал наземь, укатился в бурьян и треснул надвое; мелкая рыжеголовая птаха свила в нем гнездо и теперь, сидя на отложенных яйцах, беспокойно озиралась, провожала глазками двух торопливо шагающих в урман людей.

Юзуф и Зулейха бегут уже долго. Старые ели протягивают лапы, колют плечи, руки, щеки. Звенит, гремит, гудит под ногами Чишмэ. Круглая поляна хлещет по коленям высокими травами.

Зулейха останавливается перевести дух, дышит тяжело, хватает воздух ртом; от быстрого бега нос и горло режет – больно. Мимо проплывают кусты, стволы, кроны; яркая зелень сверкает изумрудом, вспыхивает проблесками солнца, бьет по глазам – больно. Под ногами зыбко, обманчиво мнется хвоя, то и дело топорщась острыми камнями шишек; корни деревьев вяжутся узлами, цепляют башмаки; глинистый подъем крут и жесток, ступать – больно. Больно ногам, больно спине, больно в груди; в горле, в животе, в глазах – везде.

– Скажи – и я останусь, – Юзуф опять останавливается, ищет ее глаза.

Нет сил посмотреть на него. Не поднимая лицо, Зулейха толкает сына дальше: вперед, вверх.

Нестерпимо ярким, раскаленным цветом горят красноствольные сосны. Качаются под ногами мшистые валуны, норовя скинуть Зулейху. Мелкие зубцы колючек на раскидистом сухом кустарнике рвут платье. Вот и вершина утеса: слепящая, до рези в глазах, синева Ангары; неприметная, почти звериная тропинка вниз, к реке: Юзуфу – туда.

– Мама.

Вот он стоит перед ней – высокий, нескладный, виноватый. Она отворачивает взгляд: молчи, сынок, не делай больнее.

– Мама.

Юзуф протягивает руки, хочет обнять на прощание – она выставляет ладони вперед: не подходи! Он хватает ее руки, сжимает в своих – Зулейха вырывается, толкает его вниз: уходи – скорее, немедленно, сейчас. Сжимает зубы – держит боль, чтобы не выплеснулась.

Беспомощно, потерянно он смотрит на нее, затем опускает глаза, шагает к обрыву. На краю оборачивается – мать прижала ладони к горлу, отвернула лицо. Он выдыхает резко – и ныряет с утеса вниз, по извилистой тропке меж валунов, ссыпается по шуршащим камням, перебирает ногами, летит. Ангара раскрывает широкие синие объятия, приближается, небо – удаляется.

Уже внизу, у прибрежных кустов, Юзуф останавливается, находит глазами тоненькую фигурку на вершине, машет рукой – мать стоит неподвижно, как каменный столб, как дерево; бьются по ветру ее длинные полураспустившиеся косы. Кажется, она так и не посмотрела на него.

Он юркает под зеленые сугробы зелени у воды. Отвязывает лодку, отталкивается ногой – течение тотчас подхватывает его, несет, устремляет вперед. Юзуф вставляет весла в уключины, плещет ледяной водой на разгоряченное лицо. Оборачивается, вновь тянет руку в далекую вышину – мать по-прежнему не шевелится, лишь ветер треплет легкий ситец старенького платья.

Зулейха не смогла удержать боль внутри, и боль выплеснулась, затопила все вокруг – блескучую ангарскую воду, малахит берегов и холмов, утес, на котором стоит Зулейха, небосвод в белой пене облаков. Чайки режут лезвиями крыльев воздух – больно, ветер гнет лохматые верхушки елей – больно, весла Юзуфа вспарывают реку, унося его за горизонт, к Енисею, – больно. Смотреть на это – больно. Даже дышать – больно. Закрыть бы глаза, не видеть ничего, не чувствовать, но...

Да Юзуф ли это там, на середине Ангары, в крошечной деревянной скорлупке? Зулейха вглядывается, напрягает острое охотничье зрение. В лодке стоит и отчаянно машет ей руками мальчик – темные волосы растрепаны, уши вразлет, загорелые ручки тонкие, хрупкие, голые коленки в темных ссадинах: семилетний Юзуф уезжает от нее, уплывает, прощается. Она вскрикивает, вскидывает руки, распахивает ладони – сынок! И машет, машет в ответ обеими руками – так сильно, широко, яростно, что вот-вот взлетит... Лодка удаляется, уменьшается – а глаза ее видят мальчика все лучше, яснее, отчетливее. Она машет до тех пор, пока его бледное лицо не исчезает за огромным холмом. И еще много после, долго машет.

Наконец опускает руки. С силой, намертво затягивает узел платка на шее. Поворачивается спиной к Ангаре и уходит с утеса.

Зулейха побредет, не замечая времени и дороги, стараясь не дышать, чтобы не множить боль. На Круглой поляне заметит идущего навстречу человека, седого, хромого, с палкой. Они с Игнатовым увидят друг друга и остановятся – он на одном краю поляны, она на другом.

Он вдруг поймет, как постарел: потерявшие зоркость глаза не смогут различить ни морщин на лице Зулейхи, ни седины в ее волосах. А она почувствует, что заполнившая мир боль не ушла, но дала ей вдохнуть.

Словарь татарских слов и выражений

Абыстай – супруга духовного лица

Ага – почтительное обращение к старшему мужчине

Аждаха – дракон

Албасты – женский демонический персонаж в мифологии

Алла – Аллах

Алла сакласын! – Да защитит нас (меня) Всевышний!

Басу капка иясе – дух околицы

Бичура – домовой, низший дух

Дэв – злой дух, антропоморфный великан

Жалмавыз – мифологическая старуха-великанша, обжора и людоедка

Жаным (ласковое обращение) – душа моя

Жебегян тавык – мокрая курица

Зират иясе – дух кладбища

Иясе – домовой, дух

Казылык – конская колбаса

Калым – выкуп за невесту

Камча – кнут, плетка

Каплау – покрывало
Ката – короткие домашние валенки
Кашага – подзор по краю матицы в избе
Кереш – татарская национальная борьба
Киштэ – полка под потолком для складирования постельных принадлежностей
Кош-теле – мучная сладость
Кульмэк – платье, рубаха
Курбан (Курбан-байрам) – мусульманский праздник жертвоприношения
Кыз-куу («догони девушку») – конная игра
Кюбелек (кличка коровы) – Бабочка
Лэгэн – таз
Лэукэ – полка в бане
Ляухэ («хранимая скрижаль») – настенный коврик с изречением из Корана
Михраб – молитвенная ниша в мечети
Ошкеруче – родовые жрецы, знахари, целители
Пэри – мифологический дух в образе девушки
Сандугач (кличка лошади) – Соловушка
Су-анасы – водяная
Субхан Алла! – Свят Аллах!
Сяке – большая лавка, широкие нары
Табын – стол, место приема пищи
Тастымал – длинное вышитое полотенце
Таш – камень, также могильный камень
Ташкиль – система надстрочных и подстрочных знаков в арабском письме
Туй – праздник, свадьба
Тур – почетный угол в избе
Тэнке – монета
Убырлы карчык – кровожадная демоническая старуха, ведьма, упыриха
Улым – сын мой, сыночек

Ураза (Ураза-байрам) – мусульманский праздник в честь окончания поста Ураза

Фэрэштэ – ангел

Фэхишэ – проститутка

Хазрэт (почтенный) – уважительное обращение к духовному лицу

Чаршау – занавеска

Чыба – верхняя демисезонная одежда, суконный чекмень

Чыбылдык – занавеска

Шурале – дух леса, леший

Эни – мама

Юха – мифологическая змея, принимающая облик красивой женщины

Содержание

Литературно-художественное издание

Яхина Гузель Шамилевна

ЗУЛЕЙХА ОТКРЫВАЕТ ГЛАЗА

Роман

Главный редактор *Елена Шубина*
Ответственный редактор *Мария Полякова*
Литературный редактор *Галина Беляева*
Технический редактор *Галина Этманова*
Корректор *Ирина Федорова*
Компьютерная верстка *Елены Илюшиной*

Общероссийский классификатор продукции
ОК-034-2014 (КПЕС 2008); 58.11.1 — книги, брошюры печатные

Произведено в Российской Федерации
Изготовлено в 2020 г.
Изготовитель: ООО «Издательство АСТ»

ООО «Издательство АСТ»
129085, г. Москва, Звёздный бульвар, дом 21, строение 1, комната 705, пом. I, 7 этаж.
Наш электронный адрес: **www.ast.ru**

«Баспа Аста» деген ООО
129085, Мәскеу қ., Звёздный бульвары, 21-үй, 1-құрылыс, 705-бөлме, I жай, 7-қабат.
Біздің электрондық мекенжайымыз: www.ast.ru
E-mail: astpub@aha.ru
Интернет-магазин: www.book24.kz
Интернет-дүкен: www.book24.kz
Импортёр в Республику Казахстан ТОО «РДЦ-Алматы».
Қазақстан Республикасындағы импорттаушы «РДЦ-Алматы» ЖШС.
Дистрибьютор и представитель по приему претензий на продукцию в Республике Казахстан:
ТОО «РДЦ-Алматы»
Қазақстан Республикасында дистрибьютор
және өнім бойынша арыз-талаптарды қабылдаушының
өкілі «РДЦ-Алматы» ЖШС, Алматы қ., Домбровский көш., 3«а», литер Б, офис 1.
Тел.: 8(727) 2 51 59 89,90,91,92
Факс: 8 (727) 251 58 12, вн. 107; E-mail: RDC-Almaty@eksmo.kz
Өнімнің жарамдылық мерзімі шектелмеген.

Өндірген мемлекет: Ресей
Сертификация қарастырылмаған

http://vk.com/shubinabooks

Подписано в печать 23.12.2019. Формат 84x108 $^{1}/_{32}$.
Печать офсетная. Усл. печ. л. 26,88.
Доп. тираж 50 000 экз. Заказ 13231
Отпечатано с готовых файлов заказчика
в АО «Первая Образцовая типография»,
филиал «УЛЬЯНОВСКИЙ ДОМ ПЕЧАТИ»
432980, Россия, г. Ульяновск, ул. Гончарова, 14

ISBN 978-5-17-090436-5

16+

Гузель Яхина

ДЕТИ МОИ

"Дети мои" — новый роман Гузель Яхиной, самой яркой дебютантки в истории российской литературы новейшего времени, лауреата премий "Большая книга" и "Ясная Поляна" за бестселлер "Зулейха открывает глаза".

Поволжье, 1920-1930-е годы. Якоб Бах — российский немец, учитель в колонии Гнаденталь. Он давно отвернулся от мира, растит единственную дочь Анче на уединенном хуторе и пишет волшебные сказки, которые чудесным и трагическим образом воплощаются в реальность.

"В первом романе, стремительно прославившемся и через год после дебюта жившем уже в тридцати переводах и на верху мировых литературных премий, Гузель Яхина швырнула нас в Сибирь и при этом показала татарщину в себе, и в России, и, можно сказать, во всех нас. А теперь она погружает читателя в холодную волжскую воду, в волглый мох и торф, в зыбь и слизь, в Этель-Булгу-Су, и ее "мысль народная", как Волга, глубока, и она прощупывает неметчину в себе, и в России, и, можно сказать, во всех нас. В сюжете вообще-то на первом плане любовь, смерть, и история, и политика, и война, и творчество..."

Елена Костюкович

Захар Прилепин

ОБИТЕЛЬ

Соловки, конец двадцатых годов. Последний акт драмы Серебряного века. Широкое полотно босховского размаха, с десятками персонажей, с отчетливыми следами прошлого и отблесками гроз будущего — и целая жизнь, уместившаяся в одну осень. Величественная природа — и клубок человеческих судеб, где невозможно отличить палачей от жертв. Трагическая история одной любви — и история всей страны с ее болью, кровью, ненавистью, отраженная в Соловецком острове, как в зеркале. Мощный метафизический текст о степени личной свободы и о степени физических возможностей человека.

Это — новый роман Захара Прилепина.

Это — «Обитель».